芝居の面白さ、教えます

井上ひさしの戯曲講座

海外編

井上ひさし

作品社

芝居の面白さ、教えます　井上ひさしの戯曲講座　海外編　目次

装幀＋本文フォーマット　山田和寛＋佐々木英子（nipponia）
装画　やべみつのり

芝居の面白さ、教えます

井上ひさしの戯曲講座

——海外編

シェイクスピア

シェイクスピア年譜　作成・井上ひさし

●一五六四年四月二十三日
ウイリアム・シェイクスピアが、父ジョン・シェイクスピア
母メアリーの第三子・長男として誕生
四月二十六日
ストラットフォード＝アポン＝エイボンの教会で受洗。
日本ではこの前年、松平（徳川）元康が家康と改名。

●一五六五年（一歳）
父・ジョンが町会議員になる。

●一五六八年（四歳）
父・ジョンが町長になる。

●一五七三年（九歳）
ジェームス・バーベッジがひきいる劇団がストラットフォードに来訪。（後にシェイクスピアは、このジェームス・バーベッジの主宰する劇団に入ることになる。

●一五七七年（十三歳）
この頃から、父が経済的に苦しくなる。

●一五七八年（十四歳）
十一月十四日、父は妻の財産を担当にして四ポンドの借金。

●一五八二年（十八歳）
ウイリアム・シェイクスピアと、八歳年上のアン・ホウェトリ（二十六歳）の結婚許可書が発行される。

●一五八三年（十九歳）五月二十六日
第一女スザンナ受洗

①講座当日配付されたレジュメ「シェイクスピア年譜」

2

●一五八五年（二十一歳）二月二日
長男ハムネットと次女ジューディス受洗。

●一五八七年（二十三歳）
ロンドンから多くの劇団が来訪。
シェイクスピアがロンドンに出たのはこの頃か。

●一五九〇年（二十六歳）
この頃から劇作を始める。

●一五九二年（二十八歳）
『ヘンリー六世』がローズ座で上演された、といわれる。

●一五九四年（三十歳）
劇団「宮内大臣一座」が再結成され、シェイクピスアは
その一員（株主）となる。
『タイタス・アンドロニカス』
『じゃじゃ馬馴らし』
『間違いの喜劇』

●一五九六年（三十二歳）
8/11 一人息子ハムネット埋葬される（十一歳）
10/20 父・ジョンに紋章の許可がおりる。

●一五九七年（三十三歳）
5/4 ストラットフォードの大邸宅ニュー・プレイスを六十ポンドで購入。
『ウインザーの陽気な女房たち』（？）

●一五九九年（三十四歳）
グローブ座開設、株主の一人になる。
このグローブ座は、シェイクスピアの所属劇団「宮内大臣一座」の本拠地となる。

②同前

3

No.

『ジュリアス・シーザー』

一六〇〇年（三十五歳）
出版組合登録簿に、『空騒ぎ』の作者として
シェイクスピアの名前がある。

この年（慶長五年）日本に初めてイギリス人が漂着。オランダ船の水先案内人のウイリアム・アダムス（三浦按針）がその人。アダムスがシェイクスピアの芝居を観ていた可能性がある。

一六〇一年（三十六歳）
父ジョン埋葬される。
『ハムレット』亡霊役で出演。

一六〇二年（三十八歳）
オールド・ストラットフォードに一〇七エーカーの土地を購入。三二〇ポンド。
ストラットフォードのチャペルレインに小屋と一/4エーカーの土地の所有権獲得。
『十二夜』

一六〇三年（三十九歳）
エリザベス一世没、ジェームズ一世が国王になる。宮内大臣一座は
国王一座に昇格。
シェイクスピア、ベン・ジョンソンの『セジェイナス』に出演。シェイクスピアの
最終出演記録。

この年、徳川家康、征夷大将軍として徳川幕府をひらく。

『お気に召すまま』

一六〇四年（四十歳）
ストラットフォードで、三シル・一〇ペンスの借金の返済を求めて相手を告訴する。
『真夏の夜の夢』
『オセロ』
『尺には尺を』
『間違いの喜劇』

集英社原稿用紙

3 6 190×2,000

③同前

4

No.

一六〇七年（四十三歳）
6/5 長女スザンナが医師ジョン・ホールと結婚。
『ハムレット』『リチャード二世』が、東インド諸島に向けて航海中のイギリス東インド会社の持ち船"ドラゴン号"の船上で上演される（船長日記）

一六〇八年（四十四歳）
シェイクスピアの孫娘（長女の娘）受洗。
黒僧座の経営者の一人となり、1/7の株を所有。
国王一座、黒僧座を冬季劇場として獲得する。
9/9 母メアリー埋葬。
ストラットフォードで、六ポンドの借金の返済を求めて相手を告訴。

一六一二年（四十八歳）
5/11 ストラットフォードの訴訟事件の証人として出廷。……この頃まで、この故郷に隠退して生活していたか。
この年、巌流島の決闘か。

一六一三（四十九歳）
グローブ座、『ヘンリー八世』初演の際の失火で全焼（翌年、再建）。シェイクスピアの全作品も消失。

一六一六年（五十二歳）
2/10 次女ジューディスが酒類商トマス・クィニーと結婚。
3/25 遺言状を書き改めて署名。
4/23 シェイクスピア没。25日、ストラットフォード教会内陣に埋葬
この年四月、徳川家康歿（七十五歳）

一六二三年（死後七年）妻アン没。
この年、シェイクスピアの最初の全集出版。

④同前

公衆劇場《パブリック・シアター》　大衆的料金／大観衆　―　屋根をもった室内劇場は私設劇場《プライベート・シアター》

No.

白鳥座スケッチをもとにしたW・ホッジズの
エリザベス朝公衆劇場復原図

← デ・ウィットの白鳥座スケッチ

三層の桟敷《ギャラリー》が
中庭《ヤード》をとり囲む。
中庭《ヤード》に舞台が
張り出している。
中庭《ヤード》に天井はなく
吹き抜け。
舞台の後方には
屋根がある。
舞台正面は
「俳優のへや」(楽屋)。
舞台の壁(正面の壁)の
左右に木製の扉があって
そこから俳優が登・退場する。
舞台正面壁が背景になる
楽屋棟は三層。
その二階も桟敷席。あるいはバルコニーとして使用。
旗は、当日に芝居が上演
されることのしるし。
二つの出入口の間にカーテンを張って
内舞台とし、不意の出現などに
つかう。discovery scene

床の中央に開口部。
ハムレットの墓掘り
マクベスの見える亡霊たち
大工の一日の給金
床の目前部
独白
傍白
舞台後部の屋根から
国王の椅子をおろす。
[illegible]がおりてくる。
リア王がコーディリアを抱いた
ところへ十字架
自然の外光を使う
午後二時開演ー五時。
夏は午後四時
二、三〇〇〇人
劇場の看板
↓ ロミオがよじのぼる
リチャード三世が城門の上に現われる
ハムレットの父の亡霊が現われる
大道具ほとんどなし。
小道具も少ない。
衣裳はたっぷり

(集英社原稿用紙)

⑤同前、レジュメ「公衆劇場と私設劇場」

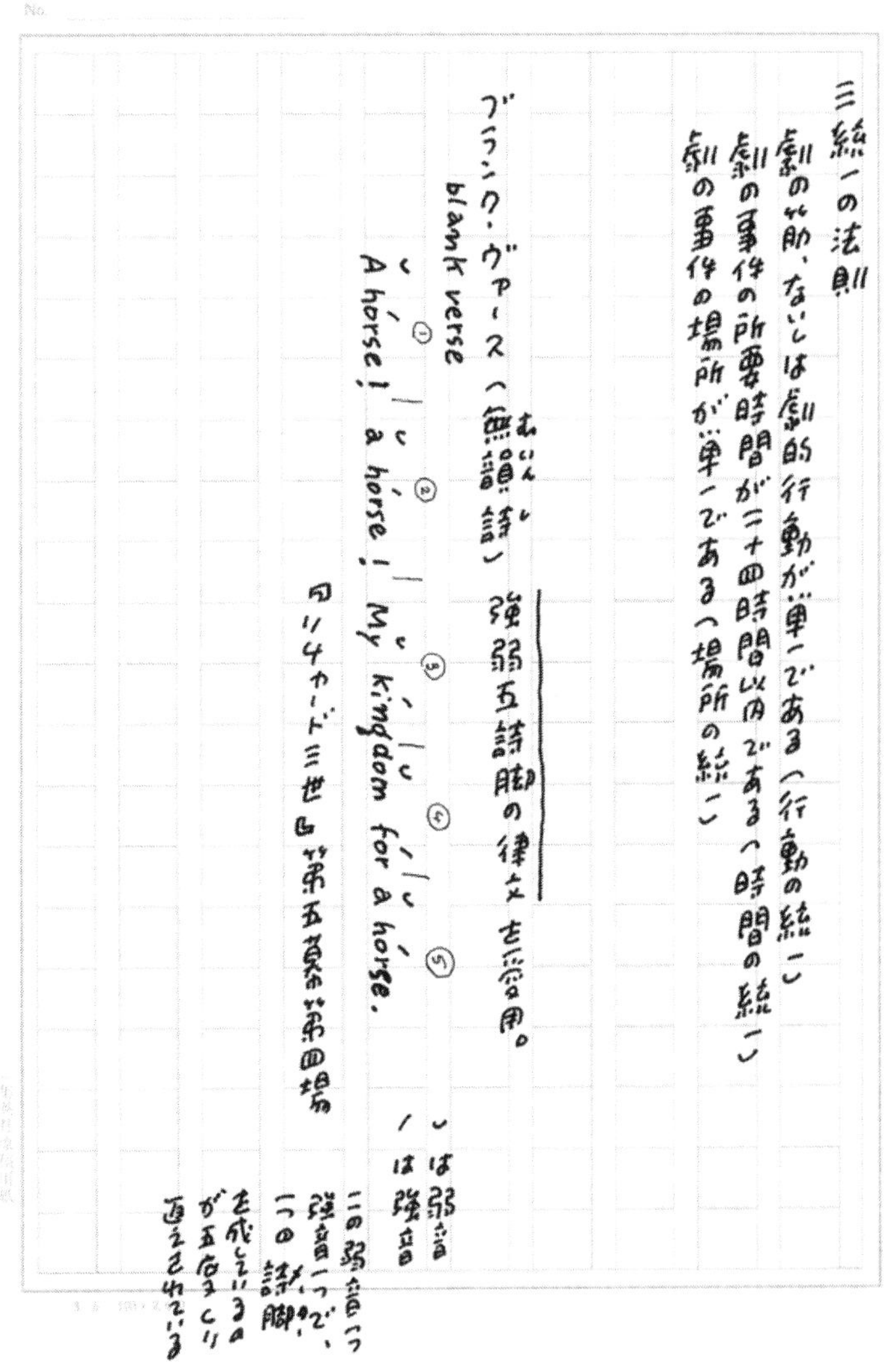

三統一の法則
劇の筋、ないしは劇的行動が単一である（行動の統一）
劇の事件の所要時間が二十四時間以内である（時間の統一）
劇の事件の場所が単一である（場所の統一）

ブランク・ヴァース（無韻《むいん》詩《し》）強弱五詩脚の律文 古常用。
blank verse
A hórse! | a hórse! | My kíng | dom fór | a hórse.
リチャード三世 第五幕第四場

◡は弱音
／は強音
この弱音一つ
強音一つで、
一つの詩脚
を成しているの
が五度くり
返されている

⑥同前、レジュメ「三統一の法則」と「ブランク・ヴァース」

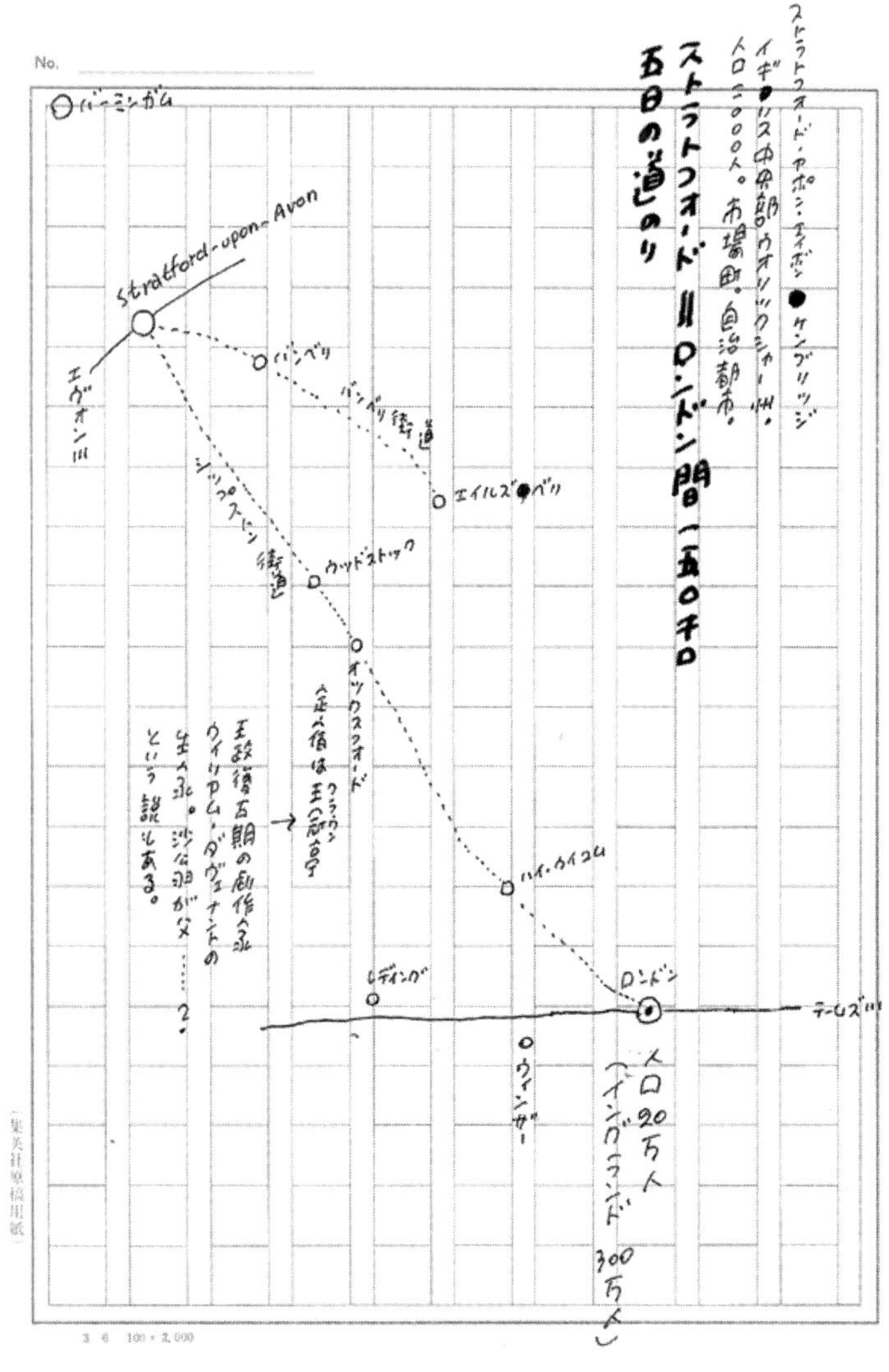
ストラトフォード・アポン・エイボン●ケンブリッジ
イギリス中央部ウオリックシャー州。
人口二〇〇〇人。市場町。自治都市。
ストラトフォード＝ロンドン間一五〇キロ
五日の道のり
バーミンガム
Stratford-upon-Avon
エヴォン川
バンベリ
バンベリ街道
エイルズベリ
シップストン街道
ウッドストック
オックスフォード
途中宿は王冠亭
王政復古期の劇作家ウィリアム・ダヴェナントの生家。沙翁が父……?という説もある。
ハイ・ウイコム
レディング
ロンドン
テームズ川
ウインザー
人口20万人（イングランド300万人）

⑦同前、地図

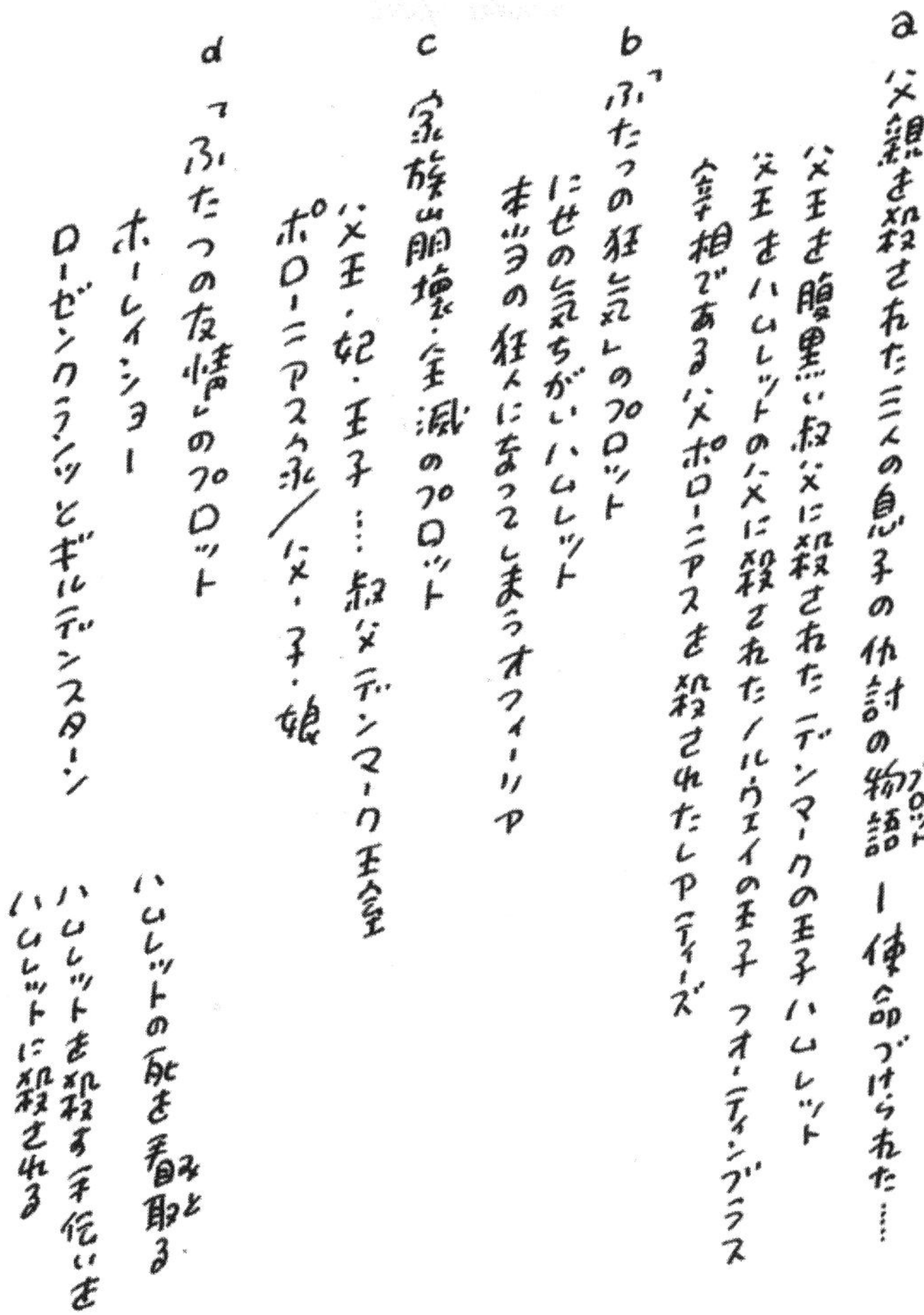
a
父親を殺された三人の息子の仇討の物語《プロット》 ―使命づけられた……
父王を腹黒い叔父に殺されたデンマークの王子ハムレット
父王をハムレットの父に殺されたノルウェイの王子フォーティンブラス
宰相である父ポローニアスを殺されたレアティーズ
b
「ふたつの狂気」のプロット
にせの気ちがいハムレット
本当の狂人になってしまうオフィーリア
c
家族崩壊・全滅のプロット
父王・妃・王子……叔父デンマーク王室
ポローニアス家／父・子・娘
d
「ふたつの友情」のプロット
ホーレイショー
ローゼンクランツとギルデンスターン

ハムレットの死を看取《みと》る
ハムレットを殺す手伝いをして
ハムレットに殺される

⑧同前、レジュメ「プロットその他」

e　To be or not to be …… と Let be（台詞あなたまかせさ・五幕二場）

f　「言葉、言葉、言葉」と「あとは沈黙」

g　劇中劇
イ …を見るクローディアス・ガートルード妃を見るハムレットとホレイショー
ロ 当時の演劇批判／演技論

h　公衆劇場《パブリックシアター》の観客… 平土間《カード》（平民）と桟敷（王・女王・貴族・ジェントリー・学生・インテリ）
女性観客

i　熊いじめ

j　道化

k　チェーホフ（かもめ）
劇中劇の用法・続いよる中断／同時代の演劇批判
ハムレット…多感な青年トレープレフ
母ガートルード妃…未亡人である美しい母のアルカジーナ
クローディアス…母の愛人である中年の小説家トリゴーリン
[redacted]オフィーリア…トレープレフの薄幸の恋人ニーナ

⑨同前

l シェイクスピアの海、その役割

m 悲劇・喜劇の化合

n 秩序の回復

天に位階のある如く、地上にも位階があり、これを保持しなければならぬ……という思想。

⑩同前

［一日目］二〇〇二年十二月二十二日

バーベッジ一座との出会い

暮れの押し詰まったお忙しいときにおいでくださってありがとうございます。

今日と明日の二日間でシェイクスピアの芝居を皆さんと一緒に読んでいこうと思っています。ぼくはシェイクスピアについてはずうっと勉強してきたつもりですが、本格的にやろうとすると奥が深くて、とても二回で終わりそうもありません。でも、とにかく今回課題として挙げた作品（『ハムレット』『リア王』）についてはすべてお話ししたいと思います。

シェイクスピアは、その生涯で芝居を三十七編[*1]書き、その他に『ソネット』などの詩集を書いていますが、去年（二〇〇一年）一年間でも、日本全国で、有名劇団から昨日生まれたばかりの劇団に至るまで数多くの劇団がシェイクスピア作品を上演しています。それほどシェイクスピアの作品は素晴らしく、いまだに現役として生きているのです。ということで、まずはシェイクスピアの年譜（八〜一一頁）からたどっていくことにしましょう。

＊1　『二人の貴公子』など、共作を含めると四十編ともいわれる。

ウィリアム・シェイクスピアは一五六四年に生まれ、亡くなったのは一六一六年です。ここでひとつ、とっておきの秘訣・秘伝をお教えします。シェイクスピアは人殺しの芝居をたくさん書いたので、生没年を「ヒトゴロシ（一五六四）、イロイロ（一六一六）」と覚える（笑）。

またご存じの方もいらっしゃると思いますが、われわれがよく知る芝居を書いたウィリアム・シェイクスピアなる人物が本当にいたのかどうか、実はわからないのですね。

たしかにイングランド中部のストラットフォード＝アポン＝エイヴォンという、人口千人から二千人ほどの自治都市にウィリアム・シェイクスピアという人物がいたことは教会の洗礼記録簿に残っている。それによれば、一五六四年四月二十六日、父ジョン・シェイクスピア、母メアリーの第三子・長男としてウィリアム・シェイクスピアという赤ん坊が受洗したことになっています。その頃は生まれて三日目に幼児洗礼を授けることになっているので、逆算して一五六四年四月二十三日が誕生日ということになっているのですが、それが本当の誕生日かどうかはわかりません。

また、ウィリアム・シェイクスピアが土地を買ったり裁判で訴訟を起こしたりしている記録もありますが、この人と演劇史に名を残す世界最高の劇作家とが同一人物であるという証拠は何もない。同時代の同じ地域にたまたま同じ名前の人がいたという可能性もあります。

そのため、古来「シェイクスピア別人説[*2]」というのがあって、たとえば、哲学者のフランシス・ベーコン説、同時代の劇作家のクリストファー・マーロウ説とかいろいろあって、ひどいのになるとエリザベス女王（一世）説まである。そういわれれば、エリザベス女王とシェイクスピアの肖像画は似ているといえば似ている（笑）。その他にもいろいろな別人説があって、いまでも奇怪な説が毎年ひとつずつ出てきているような具合です。

というわけで、ロンドンで多くの素晴らしい芝居を書いたウィリアム・シェイクスピアと一五六四年にストラットフォード＝アポン＝エイヴォンに生まれたシェイクスピアとが同一人物であるという完璧な証拠はないのですが、とりあえず、同一人物だということで話を進めていきましょう。

まず、彼が生まれたストラットフォード＝アポン＝エイヴォンという町の説明から始めます。お手元の地図（一四頁）を見てください。町はロンドンの北西一五〇キロほどにあり、ロンドンとはシップストン街道でつながっています。途中にオックスフォード、東にケンブリッジ、さらに北へ行くとバーミンガムがあります。

＊2　ベーコン、マーロウの他、第六代ダービー伯爵ウィリアム・スタンリー、第十七代オックスフォード伯爵エドワード・ド・ヴィア、第五代ラトランド伯爵ロジャー・マナーズ、外交官のヘンリー・ネヴィルなどの説がある（河合祥一郎『謎ときシェイクスピア』新潮社、二〇〇八年）。

当時のロンドンの人口は二十万人、イングランド全体で三百万人といわれています。十四世紀に黒死病（ペスト）がヨーロッパを席捲《せっけん》しましたが、イングランドも人口の大半が黒死病で死に、生き残ったのはわずかだったといわれています。その結果、畑のつくり手がいなくなり、それまで麦などをつくっていた土地が人手の要らない羊の牧草地になって、多くの人が羊を飼い始める。災い転じて福となすということでもないのですが、そのおかげで毛織物が盛んになって、毛織物がイングランド、スコットランドの名産品になる。それに伴い経済も回復して、人口も急激に増えていく。シェイクスピアが生まれたのは、まさにそうした時期に当たります。

また当時のイングランドの施政者、エリザベス一世（一五三三～一六〇三）――現在のイギリス女王はエリザベス二世（一九二六～二〇二二）ですね――は、イングランド国家の地位を三段階ほど引き上げた名君です。その大きな成果のひとつがスペインの無敵艦隊を破ったことです（一五八八年）。スペインの艦隊はその名の通り無敵を誇っていましたが、それは、舷側を高くした船を敵に近づけ、そこから小銃を撃って敵をひるませ、ひるんだところで槍や鉄砲をもった兵隊が乗り込んでいくという方法で勝ち進んでいったわけです。それに対してイングランドの海軍は、相手を近寄らせずに離れたところから砲撃するという戦略を立て、見事に無敵艦隊を破ることができたのです。

当時のロンドンはヨーロッパの商業の中心で、各地から多くの船が来ていました。テームズ川に架かるロンドン橋は橋げたが二十本ほどあり、真ん中に跳ね橋がひとつあり、船はここで停まります。学者により数が違いますが、当時のロンドンには三千人から四千人の船頭がいて、船頭の町といってもいいほどの港町でした。

ロンドンには古い町並みがいまでも残っていますが、大体三階建てが多くて、三階部分は少し張り出している。なぜこんな建て方をするかというと、その当時は家の中にトイレがないのでオマルを使っていて、朝になるとみんな二階、三階から下の道路の溝めがけてオマルの中身を投げる(笑)。後は雨が自然に流してくれる、という想定です。とはいえ、中にはコントロールの悪い人もいて、道路にはおしっこ、うんこ、ゴミが散乱している。溝からあふれたりすると疫病の温床にもなります。女性はそれらの汚物を避けるために厚底の靴を履いている。灯《あか》りといえば一階に付けられた仄暗《ほのぐら》いローソクしかなく、夜通りを歩くときは、市内を巡回するおまわりさんの後をついて歩く。シェイクスピアの作品も、こんな町の雰囲気を想像しながら読んでいくと面白いと思います。

さて、年譜に戻ります。

父親のジョンは、スニッターフィールドというストラットフォード＝アポン＝

エイヴォンの北東にある小さな村に生まれ、長じてストラットフォード＝アポン＝エイヴォンに出て皮革業などを営み、息子のウィリアムが生まれる頃には財をなし、町の収入役にも就きました。さきほど少し触れましたが、ストラットフォード＝アポン＝エイヴォンは自治都市でしたから、女王に決められた年貢――一種の上納金ですね――さえ収めれば、ビールやワインの値段は町が独自に決めることができました。収入役というのはそこで大きな役割を果たす重職です。さらにウィリアムが四歳のとき（一五六八年）に町長になる。まさに成功者です。

当時のイングランドの身分制度について簡単にお話ししておきます。一番上が貴族で、その下に、その頃にはもう力がなくなっていた騎士階級。次が平民ですが、これがさらに三つに分かれます。まず紳士階級のジェントリー。その次がヨーマン（町長・収入役）。その下に正真正銘の平民が位置します。ジェントリーとヨーマンの一番大きな違いは、ジェントリーは無条件で家紋を使ってよく、ヨーマンは申請して許可を得なければならない。ヨーマンである父親のジョンは何度も家紋申請をしますが、エリザベス女王にことごとく却下されてしまう。それが、息子が有名になったおかげで、一五九六年、シェイクスピアが三十二歳のときにようやく認められました。ちなみに、シェイクスピア自身も家紋申請をして認められています。

そして息子のウィリアムは地元のグラマースクールに通います。グラマースクールというのはラテン語の文法学校《グラマー》で、当時のラテン語はいまの英語と同じで国際共通語でした。なぜこういうことをいうかというと、「別人説」の根拠のひとつに、たかが田舎のグラマースクールを出たくらいで、あれほどのラテン語、ギリシャ語、イタリア語を使えるのはおかしい、そんな教養があるわけがない、というのがあるからです。

たとえば、『ハムレット』の最初のほうに出てくる父の亡霊にはラテン語でしゃべらなければならないので、[3]ハムレットは大学出でラテン語のできる友人のホレイショーを呼ぶという設定です。『マクベス』の魔女たちの呪文もラテン語です。いまの英語版ではラテン語部分を英語に直してありますが、シェイクスピアの原稿にはせりふがラテン語で書かれていたはずだ、という説があります。ともかく、わたしもラ・サール[4]でラテン語を学びましたが、ラテン語は格変化がむずかしくて大変な思いをしました。シェイクスピアと同時代の劇作家であるベン・ジョンソン[5]が「シェイクスピアはラテン語は少ししか知らず、ギリシャ語はもっと知らない」と書いていることから、シェイクスピアはラテン語ができないようにいわれることがありますが、実際にはグラマースクールで勉強したので、ある程度はラテン語の読み書きができたと思われます。

このグラマースクール時代の大きな出来事として、シェイクスピアが九歳のときに(一五七三年)、ジェームズ・バーベッジ[6]の一座がストラットフォード＝アポ

＊3　当時、亡霊にはラテン語で話しかけなければならないという俗信があった。

＊4　仙台市東郊にあるカトリック系の児童養護施設「ラ・サール・ホーム」のこと。井上は、中学三年の秋、弟と共に預けられた(当時の名称は「光ヶ丘天使園」)。

＊5　一五七二〜一六三七。英国の詩人・劇作家。『ヴォルポーネ』(一六〇六)、『錬金術師』(一六一〇)などの喜劇や宮廷仮面劇で一世を風靡する。

＊6　一五三一頃〜九七。

ン＝エイヴォンに巡業に来たことが挙げられます。ジェームズ・バーベッジはもともとは指物大工で、芝居好きが昂じて劇団までつくってしまった人です。それ以前の芝居というと、ほとんどが宗教劇でした。イエス・キリストの生涯を十三の場面に分けて、それぞれに聖母マリアの受胎告知や東方の三賢人などの場面が演じられるものです。それを職工さん、役場の事務員、肉屋の親方といった町の人たちが喜んで観ている。

また、その当時はまだちゃんとした劇場はなく、各場面の一座が山車《だし》みたいなものに乗って移動するという、移動演劇が全盛でした。そのほとんどがキリスト教を題材にした道徳劇というか教訓劇で、当時『エブリマン』という作品がよく上演されていました。

どういう内容かといいますと、主人公の裕福な「エブリマン」が「死」からの誘いを受け、友人や親族、恋人などに助けを求めるのですが、いずれにも拒否されて、唯一「善行」だけが救ってくれるというもので、ぼくが上智大学にいたときに、宗教劇研究会でよくこういうのを演《や》りました。つまり、死ぬときに役立つのは財産とか名誉ではなく、その人が生前におこなった善行のみだ、という教訓を示したものです。そうした劇がシェイクスピアと隣り合っていたわけですね。

さて、バーベッジですが、当初は祝日などのおめでたい日にちなんだ宗教劇を、山車を連ねて町をパレードして歩く移動演劇で演っていたのですが、一五七六年、

俳優・劇場経営者。一五七六年、ロンドン北部に英国で最初の本格的常設劇場シアター座を建てて、座長を務めた。

ロンドン郊外にイギリス初の本格的な常設劇場「シアター座」を創設しました。つまり、初めて移動しない芝居を始めたのがバーベッジです。演劇の革新家ですね。のちにシェイクスピアはこの劇団で役者の傍ら座付き作者として『リチャード三世』『真夏の夜の夢（夏の夜の夢）』『ヴェニスの商人』などを書くことになります。

ここでまた少し横道にそれます。エリザベス女王のお父さんはヘンリー八世ですが、ヘンリー八世は結婚していたにもかかわらず、王妃キャサリンのお付きの女中、美人で頭の良いアン・ブーリンに恋をして、彼女と結婚したいと思うんですね。結婚するにはキャサリンと離婚しなくてはいけません。ところが、ローマ教会は離婚を認めない。どうしてもアンと結婚したいヘンリー八世は、教会を無視して強引に結婚してしまう。おまけに離婚を認めようとしないローマ教会と縁を切って、新たに英国国教会をつくる。その結果、それまで教会がもっていた財産や土地がすべて国王のものになったわけです。それをもとにイギリスの経済が発達し、人口も増えていく。シェイクスピアはそうした活力のある時代に生き、作品にもその時代の雰囲気が反映されています。

グラマースクールに通っていたシェイクスピアは、十四歳のとき（一五七八年）に父親が商売で失敗するか借金の保証人になったかで、妻の財産を抵当にして四十ポンドの借金をして、生活が苦しくなります。そして一五八二年十一月二十七日（十八歳）、八歳年上のアン・ハサウェイと結婚します。そのときの結婚許可証がいまでも残っています。翌八三年五月二十六日、長女スザンナが洗礼を受け、二年後の八五年（二十二歳）には、双子のハムネット（男）とジューディス（女）が生まれる。これらの記録は、すべてストラットフォードの役場に残っていて跡をたどれるのですが、この後、二十三歳ぐらいから次に公的な記録に登場する三十歳までは確とした記録がなく、シェイクスピア研究においては「空白の七年」といわれています。

その間に小学校の先生をやっていたとか、船でイタリアへ行ったとかいろいろな説がありますが、証拠のひとつでも発見できたらノーベル文学賞ものです。もっとも、一六一三年（四十九歳）にグローブ座[*7]が火事になり、シェイクスピアのもっていたさまざまな本や資料が燃えてしまいましたから、おそらく新たな資料は出てこないでしょう。ぼくもシェイクスピアのことを書くときはこの空白を利用して、誰もわかっていないことを書いてみようと思っています。

当時の劇場の仕組み

ここで当時の劇場の説明をしておきましょう。本題に入る前にどれだけ説明し

＊7 The Globe Theatre バーベッジのシアター座を解体し、その資材を元に一五九九年、テームズ川対岸のサザック地区に開設。屋根なし三層、張り出し舞台で、収容能力は立ち見を含めて約二千人。シェイクスピアのほとんどの作品がこの劇場で上演された。一六一三年、『ヘンリー八世』の上演中、劇中の王の歓迎祝砲で、火薬の火が藁葺き屋根に引火して炎上、焼失した（ウォルター・ホッジス『シェイクスピアの劇場』井村君江訳、ちくま文庫、一九九三年）。

ないといけないのか（笑）。

当時、バーベッジが劇場をつくり大成功を収めたことで、ロンドンのシティウォールの北側にたくさんの劇場ができ始め、やがて南側に劇場が集まるようになります。

シェイクスピアの芝居は、例外を除いてすべて公衆劇場《パブリック・シアター》でおこなわれました。公衆劇場《パブリック・シアター》は、「屋根なし・大衆的料金・大観衆」が基本で、もうひとつの私設劇場《プライベート・シアター》は屋根があり、料金も高く、人数もそう入りません。

さて、シェイクスピアの作劇術を理解するのに、これからの話は重要です。

当時の公衆劇場《パブリック・シアター》は、図（二二頁）にあるように、三階建てで、三層の桟敷《ギャラリー》が中庭《ヤード》を取り囲んでいます。ヤードに舞台が張り出していて、三方から見えるようになっている。ヤードには天井がなく吹き抜けです。雨が降ってきたら舞台の半分と平土間は濡れますが、小雨ならそのまま芝居が続けられました。桟敷には屋根があり、濡れません。

桟敷席は六ペンス、平土間の十倍くらいの値段で、平土間の料金は大工さんの一日の手間賃くらいです。桟敷を利用するのは、さきほどいったヨーマン、ジェントリー、騎士、大商人で、普通の庶民は平土間です。舞台の後方半分には、突き出た屋根があります。舞台の正面に、オランダ語で「俳優の家」と書いてありますが、これは楽屋です。

真正面に見えるのは三階建ての部屋で楽屋になっています。正面の壁には左右に木の扉があり、ここから俳優が出入りします。客席から見て左側が下手《しもて》で、右側が上手《かみて》ですが、英語では舞台から見て左側がレフト（上手）、右側をライト（下手）といいます。舞台正面は一応背景になっていますが、当時は背景装置の観念はありませんでした。観客席は三層になっていて、女王一族など身分の高い人たちは二階で観るのですが、つまんないですね、偉い人は俳優の背中ばかり見ていることになる。その二階も桟敷席、あるいはバルコニーとして使います。『ロミオとジュリエット』では、二階にジュリエットがいて、〝ロミオ、ロミオ。どうしてあなたの名前はロミオなの〟という馬鹿みたいな名ぜりふをいう設定になっています（笑）。また『ハムレット』では、ハムレットのお父さんの亡霊がこの城門に現れます。初演のときにはシェイクスピアが亡霊の役を演ったのですが、みんなから、「自分が一番最初に出てあとはずうっと出番がなく、楽でずるい」といわれたそうです[*8]（笑）。

俳優棟の屋根に旗がありますが、テームズ川の向こうにあるロンドン市からその旗が見えるようになっています。旗が揚がっていれば、「今日やりますよ」の合図。旗が降りているときは、「やれません。脚本《ほん》がまだですから（笑）、今日はやりません」と。まあ、脚本《ほん》ができないというのは、よくあることです（笑）。小雨でも旗が揚がっていれば上演決行。

＊8　冒頭場面で亡霊は登場するが、その後、しばらく出番がなく、王や王妃の眼前で、旅の一座が「ゴンザーゴ殺し」を上演した後、王妃の部屋に登場する。

リア王が落ちぶれて荒野をさまよう場面では、舞台に岩を置くとかしたようですが、基本的に装置は使いません。たとえば『あらし（テンペスト）』の冒頭のせりふはつぎのようになっています。

船長　（船尾の甲板から）水夫長！

水夫長　（中部甲板にて）ここだ、船長、大丈夫か？

船長

〔中略〕

水夫長　おい、みんな！　勇気を出せ、勇気を……しっかりするんだ、しっかり……上の帆を降ろせ……船長の笛が聞えないのか……（強風に向って）吹きまくれ、その息の根が止るまで──それだけこの海が広ければな！

つまり、シェイクスピアは、「皆さんは偉大な観客です。わたしが船だといえば皆さんの頭の中に船が現れる。わたしが海だといえば海が現れる。ここは海に浮かぶ船の上です」とこのせりふだけで伝えているわけです。背景になんの装置もなくとも、シェイクスピアが「海だ」といえばそこは海になる。シェイクスピアの芝居は、景色とか状況を説明するせりふがすごく多いのですが、せりふが装置の代わりをしているのですね。

それにシェイクスピアの芝居には、独白（モノローグ）がたくさんありますが、脇せりふ（傍白）もけっこうあります。傍白は、他の登場人物には聞こえないけれどお客さんには聞こえるという便利な方法で、この時期に開発されたものです。それもこの張り出した舞台の前の部分を使ってやります。

　舞台の後ろ半分に屋根が張り出していますが、その見えないところにいろいろなものを吊って隠してあります。国王の椅子とか〝尊いもの〟がここから降りてくる。シェイクスピアはその辺の効果も計算してビシッと書いています。

　芝居が始まるのは大体午後二時ごろで、三時間以内で終わります。基本的に照明はなく、自然光です。ご存じの方もいると思いますが、ロンドンの夏は夜の九時になっても明るいですよね。どうしても照明が必要なときには大きいローソクを使ったりしました。

　さきに公衆劇場《パブリック・シアター》は人がたくさん入るといいましたが、どんな小屋でも二千人は入ったといわれていて、シェイクスピアたちのグローブ座は三千人入ったそうです。そんなにたくさん入るのかと疑問に思われる方もいると思いますが、ニューヨークのブロードウェイとかロンドンのウエスト・エンドの劇場、ミラノのスカラ座など、向こうの劇場の基本は土間があって桟敷席があり、二階、三階、四階と上方に積み上がっていくのでかなりの人数を収容できます。ブロードウェイに行くと、新宿の紀伊國屋ホールくらいの大きさの劇場に千五百人も入るというから驚きです（ちなみに、紀伊國屋ホールは四百二十七席です）。

これは前から申し上げていることですが、演劇の基本は俳優の目の動きで、俳優の目の動きがわからないと演劇が成立しない。視線がどっちに向いているか、目が輝いているか、悲しんでいるか、目を閉じているか、開いているか。そうした目の動きが見えないと芝居が成立しないんです。その意味では、日本の劇場は例外もありますが、ほとんどが落第です。大きく横に広げていくだけで、上に積み上げていくという方向には向かわない。市民ホールなどもそうですね。広くて大きすぎては俳優の目の動きが見えない。

さきほどいいましたように、シェイクスピアの場合、装置は一切使いませんが、当時の芝居の決まりで、登場人物がいるときはどんなに複雑な芝居でも場面はつながっていて、誰もいなくなったときは暗転・幕という約束です。場所がたくさん変わる場合などには地名を書いた看板が出てくる。地名くらいは、はっきりさせようということでしょうね。

大道具はほとんどありませんし、小道具も少ない。ハムレットのもつ剣は使いますけど、大道具は使いません。その代わり衣裳は本当によく考えられていて、金もかけました。なぜかというと、シェイクスピアの芝居には変装が多いからです。

なぜ、長々しく当時の時代状況や劇場の仕組みを説明してきたのかというと、こういうことを抜きにしてシェイクスピアの脚本だけ読んでも駄目だからです。なぜなら、劇場があって、そこへ行けば芝居が観られるという常設劇場の基本をつくったのがシェイクスピアたちだからです。そこを踏まえてシェイクスピアを読まないと、よくわからないところがたくさんあります。

これぐらい説明すると、本題に入れますかね（笑）。では、ここで一度休みましょうか。

劇中劇とブランク・ヴァース

ここで演劇史のおさらいをしておきますと、最初に聖書を題材にした宗教劇、それから『エブリマン』に代表される道徳劇、次に常設劇場を拠点としたシェイクスピアの時代が来る。同じ頃、大陸ではフランスの古典悲劇*9が生まれます。後で説明しますが、シェイクスピアの芝居というのはかなり野放図で、いささか現実離れしているところがある。もう少し現実を活かした演劇でないとだめだというので、地位の高い人たちの家庭問題を題材にしたのがフランスの古典悲劇です。

このフランス古典悲劇の延長に、たとえばイプセンの『人形の家』があり、そこで近代演劇につながるスタイルがつくられます。『人形の家』はクリスマスの前後二日足らずの話で、場面は一場面。起こることはすべてひとつのことに集中し

＊9　コルネイユ『ル・シッド』、ラシーヌ『アンドロマック』『フェードル』など。

ていく。つまり、「三統一の法則」[*10]という新しい演劇の考え方が、『人形の家』において見事に結晶されているということです。

三統一の法則とは、次の三つです。

劇の筋、ないしは劇的行動が単一である。(行動の統一)
劇の事件の所要時間が二十四時間以内である。(時間の統一)
劇の事件の場所が単一である。(場所の統一)

これはフランスの古典悲劇が確立した法則をイプセンがさらに近代化したもので、近代劇の大きな特徴になっています。わたしたちが芝居を書くときは、まずここから始まるわけですね。ところが、シェイクスピアの芝居というのは、さきほど話した脇せりふやモノローグにしても、この法則には当てはまりません。たとえば『ハムレット』では、ハムレットが長々と四回もモノローグする場面[*11]があります が、ああいうのは近代劇では成立しません。それから、脇の人に「あいつはさあ」なんて脇せりふをいうのですが、聞こえない約束だといわれても実際には聞こえる。これもまた、近代劇ではおかしいということになるわけです。

せりふ自体もごく日常的ななんでもない言葉を並べていくというのが近代劇です。無駄な言葉はなくて、どんな登場人物の言葉にもなんらかの動機があり、思

＊10 「三一致」「三単一」とも。アリストテレスが『詩学』で提唱したものを、ニコラ・ボアロー(一六三六〜一七一一)が法則化した。フランスの古典悲劇の形式に影響を与えた。

＊11 ハムレットのモノローグ(独白)は、第一独白(第一幕第二場)、第二独白(第一幕第五場)、第三独白(第二幕第二場)、第四独白(第三幕第一場)、第五独白(第三幕第二場)、第六独白(第三幕第三場)、第七独白(第四幕第四場)の七つがある。このうち、第一独白、第三独白、第四独白、第七独白の長い独白を「四大独白」と呼ぶ。

いつきで不意にしゃべるということはない。でもシェイクスピアの場合、『オセロー』のイアーゴが、なぜそれほど怨みに思っていないオセローに対して策略を仕掛けていくのか、その確乎とした動機というのがないのですね。

近代劇では、物語の筋はスキッとして、しかも登場人物の行動には必ず理由があり、それが起きた以上はこう動くべきだという、非常に機械的な人物の動かし方をする。

ぼくの芝居の方法はどちらかというと、シェイクスピア風なんです。つまり、イプセンがやったフランス渡りの方法は堅苦しくて駄目だ、と。だから、せりふも普段の生活で使わないせりふをバンバン使っています。いま、シェイクスピアが見直されているのは、近代劇的な方法が行き詰まっているということの証《あかし》でもあるわけです。

実際、舞台でおこなわれていることはうそに決まっているわけですね。舞台の上でさんざん悩んでいた人が、楽屋に入ったとたん、「今日のお客、ノってないなあ」とかいったりする（笑）。舞台でおこなわれているのはうそなんです。近代劇は、それをいかにも本当のように見せようとしてやってきたのですが、いまやそれが限界にまで来ている。

本当のように見せるには、映画のほうがずっといいでしょう。テレビのほうがまだましかもしれません。ぼくはテレビをずっとやってきましたからよくわかるのですが、テレビの手法で芝居をやってもつまらない。ということで、逆にシェイクスピア、モリエールに戻ってしまったんです。

　さきほど舞台の装置を説明したときに、シェイクスピアの芝居では舞台の装置は使わずにせりふで背景を説明するといいましたが、もうひとつ重要なことは、その役になりきるということが、シェイクスピアの舞台ではできないということです。役を演じながら、同時にその役を俳優が説明する。それが近代劇との大きな違いです。

　ついこの間まで紀伊國屋ホールにかかっていた『雨』[*12]というぼくの書いた芝居では、主人公が登場すると、「おれの名前は徳だ。拾い屋の徳」と役名を名乗ります。そうするとこれを演じる辻萬長《かずなが》[*13]は、「わたしという俳優はいま、江戸時代の徳というくず拾いの男を演っています」と出てくるのと同時に、「くず拾いの徳」という役になるんです。この辺はシェイクスピア的ですね。ところが近代劇の、たとえば滝沢修[*14]は、「わたしはいま、島崎藤村原作の『夜明け前』の江戸時代の庄屋の主人になっています」と説明しながら主人になりすますということはしない。最初から庄屋の主人になりきっています。

　うそなんです。滝沢さんは江戸時代の木曾の庄屋じゃない。庄屋を演じているから観客も江戸時代になったつもりで観ている。こうして本物に見せようとすることには限界を感じます。ですから、うそだということを了解しつつも、そのう

＊12　一九七六年七月、パルコ、五月舎の制作、木村光一の演出で初演。初演で徳役を演じたのは名古屋章。

＊13　愛称は「バンチョウ」。一九四四〜二〇二一。佐賀県出身。俳優座養成所を出たあと、劇団仲間を経て、こまつ座に所属し、数多くの書き下ろし作品に出演した。

＊14　一九〇六〜二〇〇〇

その中から真実を見つけましょう、という方向へ行かざるをえない。そこに無理を感じるから、シェイクスピアへ戻っていくわけです、みんな。

さっきの「三統一の法則」のひとつ、「劇の筋が単一でなければならない」も、シェイクスピア劇には当てはまりません。現に、『リア王』はダブルプロットです。リア王が二人の娘に領地を分け与えることで悲惨な目に遭うという大きな筋の他にもうひとつ、王の部下のグロスター伯爵の息子たちが相続をめぐって争うという別の筋がある。つまり、ひとつの筋をもうひとつの筋が強めていく、ダブルプロットという方法を取っているわけですね。

それから、シェイクスピアは劇中劇をたくさん使います。『真夏の夜の夢（夏の夜の夢）』などは、夢という道具立てを使って、ひとつの筋の中に別の話を入れていく。そういうふうにたくさんの筋を使うのですが、装置がないからすごく便利なんです。土地が変わったら、「ここはヴェニスです」と書いた看板を置けば、装置がなくても自由に場所を変えられる。装置がないからこそ、ダブルプロットで場所をどんどん変えていくことができる。

だから、シェイクスピアの芝居をいまのようにセットで説明してしまうと、かなり重苦しくなって芝居のテンポが悪くなるんですね。当時のお客さんは何もないところから、役者のせりふを聴いて、「あっ、海だ」「あっ、夜更けでマクベスの屋敷でみんな寝静まっているな」とか、場面を全部想像していく。シェイクス

〇。東京市出身。新劇を代表する俳優。築地小劇場、新協劇団などを経て、一九五〇年、宇野重吉らと劇団民藝を創設。重厚で存在感のあるリアリズムを基調とした演技で知られる。主な舞台に『炎の人』『セールスマンの死』『審判』など。

ピアがせりふに力を入れたというのも、逆にいえばせりふしか頼るものがなかったからです。

せりふで一番重要なのは、ブランク・ヴァース（無韻詩）という、シェイクスピアが登場するちょっと前にできた詩の形式です。無韻ですからいわゆる押韻《ライム》はもたないのですが、強弱五詩脚（弱強五歩格）といって、音の強弱によってリズムをつけるわけです。

たとえば、『リチャード三世』第五幕第四場のせりふ。

Ă hórse! ă hórse! Mў kíngdŏm fór ă hórse![*15]

˘が弱音で´は強音を示しています。この弱音ひとつと強音ひとつで、ひとつの詩脚《メーター》をなしていて、それが五度くり返されているので強弱五詩脚（弱強五歩格）というわけです。

シェイクスピアはこのリズムを多用していますが、『ハムレット』が一番いい例です。ハムレットは狂人を装って父親の復讐を遂げようとするわけですが、狂人のふりをしているときは普通の散文で書かれている。ところが、ふりをしないでいいモノローグのときは、韻文、つまりブランク・ヴァースになる。

有名な次のせりふもブランク・ヴァースです。

＊15「馬をくれ！ 馬を！ 代りにこの国をやるぞ、馬をくれ！」（『リチャード三世』福田恆存訳、新潮文庫、一九七四年）

Tŏ bé, ŏr nót tŏ bé, thăt ĭs thĕ quéstion.

つまり、観ているお客さんは、ハムレットがモノローグでないときに自分たちと同じレベルの英語を使っているのはどこかおかしいぞ、と気づく仕掛けになっているわけです。

グローブ座の開設

さて、だいぶ寄り道をしましたが、年譜に戻りましょう。

「空白の七年」を経て、一五九四年、三十歳のときに再びシェイクスピアの名前が記録に登場します。前年の一五九三年までペストの流行によって劇場が閉鎖されていましたが、この年ようやく劇場が解禁されるのと共に、宮内大臣一座[*16]が結成されます。シェイクスピアはこの一座の座付き作者兼役者として参加します。その本拠地がバーベッジのシアター座です。

シェイクスピアはこの一座を拠点に『間違いの喜劇』『タイタス・アンドロニカス』『じゃじゃ馬馴らし』などを上演し、その芝居は評判を呼んで、客も大勢押しかけます。それにつれてシェイクスピアは金持ちになっていき、一五九七年、

＊16　一六〇三年、エリザベス女王が亡くなり、ジェームズ一世が即位したときに国王一座と改称。

三十三歳で、ストラッドフォードの大邸宅ニュープレイスを六十ポンドで購入します。ストラッドフォード＝アポン＝エイヴォンで二番めに大きな屋敷です。

そして一五九九年、三十四歳のときに、テームズ川の南側の市外にグローブ座〈地球座〉が開設します。余談ですが、こまつ座[*17]をつくったときに、「グローブ座」という名前にしようと思ったのですが、畏れ多いのでやめたことを覚えています。で、シェイクスピアはグローブ座の七人いる株主の一人になります。賃料は年間十四ポンド十シリング。これはかなりの金額ですが、その金額の半分をバーベッジの息子、カスバートとリチャード――のちに名興行師になります――が負担して、残りの半分をシェイクスピア、フィリップス、ヘミングズ、ポープ、ケンプ――四人とも劇団員で名優です――が負担しました。シェイクスピアの負担は一〇パーセントです。同時に、グローブ座の劇場管理者《ハウスキーパー》の仕事を得て、以後、グローブ座の利益の一〇パーセントを受け取ることになります。なお、グローブ座は、バーベッジのシアター座を解体して、その木材を使って建て直したもので、材料費が要らなかったそうです。

このグローブ座を常設劇場としてから、シェイクスピアの名声はさらに高まっていきます。たとえば一六〇七年あたりには、イギリスからアメリカ大陸に渡る人たちが増えますが、東インド諸島に向けて航海中のイギリス東インド会社の持ち船〈ドラゴン号〉の中にある小さな舞台で、乗客の無聊《ぶりょう》を慰めるために、シェ

＊17　井上ひさしが自身の戯曲を上演するために創設した演劇制作集団。劇団名の由来は生まれ故郷にあった劇場「小松座」から。

イクスピアの『ハムレット』『リチャード三世』が上演されたことが、船長の日記に書いてある。シェイクスピアの芝居がいかに人気であったかの証拠ですね。

シェイクスピアは一六〇二年、オールド・ストラットフォード近郊に一〇七エーカーの土地を購入、同年、ニュープレイスに面した土地四分の一エーカーとそこにある小屋を購入するなど、ロンドンで稼いだ金を故郷に投資しています。それだけ稼いでいたシェイクスピアですが、金銭面にはけっこう細かくて、一六〇四年には、三シリング十ペンスという、たいした額でもない借金を返済しない相手を告訴している。きっと相手がよほど不愉快な態度をとったんでしょうね。シェイクスピアが金を貸した相手を告訴したのは、わかっているだけで二回。なかなか金にうるさい人ですね。

ここまで話してきて、大事なことをいい忘れていたことに気がつきました。

この時代の芝居には女優はいません。ですから、『ロミオとジュリエット』のジュリエットは少年俳優ですし、『オセロー』のデズデモーナも少年です。だからシェイクスピア劇には、女性が男装するという設定がよく出てきます。[*18] たとえば、あるお嬢さんが旅行する。その当時の女性の一人旅は大変危険で、泊まった旅館の亭主と使用人が山賊の一味だったなんていう話がざらにある。そうした危険を避けるために男装するという時代背景も、ひとつにはあったのだと思います。

＊18 『お気に召すまま』のロザリンド、『十二夜』のヴァイオラ、『ヴェローナの二紳士』のジューリア、『ヴェニスの商人』のポーシア、ネリッサ、ジェシカなど。

当時のイギリスは昔の日本と同じように、男色が決して珍しいものではありませんでした。むしろ、女性と男性のあいだは子孫を残すことが主で、本当に愛し合うというのは、ほとんどが——というのはオーバーですね。四割二分ぐらいは（笑）——男同士だったのではないでしょうか。ですから、芝居を観にきている観客の中から美少年、美青年を引き抜いてきて役者にするということもあったと思いますね。

そういえば、シェイクスピアの詩集『ソネット』[*19]に「美男子」というのが出てくるのですが、そのモデルとされているのがサウサンプトン伯爵で、『ソネット』はこの美青年の伯爵に捧げられたものだというのが定説になっています。

年譜に戻ります。一六〇八年（四十四歳）、シェイクスピアは黒僧座[*20]（ブラックフライアーズ）の経営者の一人となり、七分の一の株を所有します。つまり、この頃のシェイクスピアは黒僧座とグローブ座の二つの劇場から配当を得ていたわけで、まさに悠々自適の生活です。

そして、四十八歳の頃にロンドンを引き上げてストラッドフォードに帰った。年に一、二回はロンドンに出ていたようですが、『ヘンリー八世』は故郷で書いています。その『ヘンリー八世』初演の際（一六一三年、四十九歳）、先にいいましたようにグローブ座が火事で全焼してしまいます。

＊19　刊行は一六〇九年。『ソネット集』とも。百五十四編からなる十四行詩（ソネット）の詩集。

＊20　十六世紀後半、ブラックフライアーズ（黒僧）修道院を解体後、建物の一部を改造して作られた劇場。劇場の名前は、修道院の托鉢僧が黒衣を着ていたことに由来している。シェイクスピアの属する宮内大臣一座が冬季の公演をおこなった。

その三年後の一六一六年四月二十三日、五十二歳で亡くなります。当時のイギリスの男性の平均寿命は四十歳で、女性は四十三歳ですから、シェイクスピアは長生きしたほうですね。

おそらくは、グローブ座の火事でシェイクスピアの手書きの原稿などがすべて焼失したと思われますが、それでも死後七年経った一六二三年、バーベッジ兄弟と劇場管理者《ハウスキーパー》たちがシェイクスピアの最初の全集を出版する。これは「ファースト・フォリオ[*21]」と呼ばれ、以後、シェイクスピア作品はこの全集が元になっていきます。

ここまで、脱線しつつもシェイクスピアの生涯をたどってきたわけですが、まとめますと、シェイクスピアというのは、それまで主流だった移動演劇から劇場が常設されるようになり、その常設劇場で芝居を上演することが始まった時代の大作家です。そして、それまでの芝居をうんと複雑に、うんと面白く、うんと豊かにした人です。

しかも、この常設劇場の構造をうまく使って、自由に場所を移動し、筋もダブルプロット、トリプルプロットありで、自在に進めていく。題材も、世界じゅうのいろいろな話を集めてきている。ですから、悔し紛れにシェイクスピアはすでにある話を集めてきただけで、オリジナリティは全然ないんじゃないかという人

＊21　シェイクスピアの戯曲は生前にも四つ折本《クォート》サイズで刊行されていたが、死後の一六二三年に刊行された最初の戯曲全集は、それより大きい二つ折本《フォリオ》サイズだったため、「第一・二つ折本《ファースト・フォリオ》」と呼ばれている。収録戯曲は三十六作。

もおります。現に、近年のシェイクスピア学は長足の進歩を遂げていて、シェイクスピアが書いた芝居の元ネタのほとんどがわかるそうです。

しかし、三千人という大人数を相手に、せりふひとつで惹きつけるというのは並大抵の業ではありません。しかも、平土間にいる客なんていうのはみんなたいてい酔っぱらっていますから、そういう連中相手に場所や状況を説明しながら芝居を展開するには、やはり言葉に力を込めて書かないと不可能です。シェイクスピアほど、言葉、せりふに重きを置いた人はいません。そうやって悪戦苦闘しながら、劇場の中での芝居の基礎をいきなりつくってしまったんですね。

その後時代が進んで近代劇が始まりますが、近代社会が行き詰まると同時に近代劇も行き詰まってしまう。そこで見直されるのがシェイクスピアです。そうやって過去、何回も何回も見直されてきて、いまでも常にシェイクスピア作品が現役で最高の上演数を誇っているわけです。

［二日目］二〇〇二年十二月二十三日

九つのプロットを駆使した複雑な構成

昨日はシェイクスピアの年譜に沿って、当時のロンドンの街のことや新しくできた劇場について細かくお話ししたので、皆さん、もうシェイクスピアを簡単に読めると思います（笑）。

そこで今日は、個々の作品について話していきたいと思います。

最初に『ハムレット』を取り上げます。昨日、イプセンをはじめとする近代劇は、「三統一の法則」という原則を打ち立てたとお話ししましたが、『ハムレット』はその原則に反する極端な例です。

三統一の法則のひとつは「行動の統一」、つまり劇の筋、ないしは劇的行動が単一であるというものですが、『ハムレット』にはダブルプロットどころか、単一でないいくつもの筋が見事に織りなされています。

第一に、ハムレットの父親は、腹黒い叔父のクローディアスに耳に毒薬を注ぎこまれて殺されてしまう。このことでハムレットは、父の復讐を使命づけられた青年ということになる。

ところが、ハムレットが〝青年〟かどうかは大問題なんです。シェイクスピアの全作品の中で、年齢がわかっている人物は三人いるんです。これは、ぼくしか研究していないのですが（笑）。

一人はジュリエットで、たしか十四歳目前だと思います。もう一人はリア王で、八十歳以上。残る一人がハムレットです。では皆さん、ハムレットはいくつだと思います？

テキストをちゃんと読みますと、三十歳だということがわかります。昨日申し上げたように、当時の男性の平均寿命は四十一歳ですから、実際はけっこうオジンなんです（笑）。

なぜわかるかというと、第五幕の墓掘りの場で、ハムレットが、第一の道化、つまり墓掘り人に向かって、「墓掘りになってから何年になるな？」と問いかける。すると道化は、ハムレットが生まれたときからで、それは三十年前のことだと答えているんですね。[*22]

ところで、シェイクスピアの作品の中で、このハムレットの役だけは女性が演《や》るケースがあります。一番有名なのはサラ・ベルナール[*23]で、その他にもいろいろな女優がハムレットを演っています。これは、ハムレットが父の仇の正体がわかっているのになかなか復讐できない女性的な人物だという解釈ですね。でも、

＊22　一六〇三年刊行の第一四つ折り本版《クオート》『ハムレット』には「三十年」というせりふがなく、死んだ道化師のヨリックが十二年間埋まっていたとあり、そこからするとハムレットは十九歳ということになる（河合祥一郎『謎解き『ハムレット』』前掲書）。

＊23　一八四四〜一九二三。パリ生まれ。コメディ・フランセーズやオデオン座で演じた後、自ら劇団を旗揚げ。世界各地で公演した。一八九九年、『ハムレット』を上演。その姿はミュシャのポスターにも描かれた。

これは大きな間違いです。優柔不断なのはむしろ男性のほうですから（笑）。それはともかく、第一のプロットは、父親を腹黒い叔父に殺されたデンマークの王子ハムレットが父親の復讐を使命づけられて、それを果たすまでの話です。

第二のプロットは、ハムレットの父親に父王を殺されたノルウェーの王子、フォーティンブラスの仇討ちの物語です。さらに、デンマークの宰相である父・ポローニアスを殺された、息子のレイアーティーズの仇討ちの話が第三のプロットになっている。つまり、三つの仇討ちが重なっているんです。これはもう、近代劇のつくり方としてはまったくの邪道ですね。でも、ぼくはこっちのほうがずっといいと思います。

単一の筋、単一の劇行動という制約のもとで、芝居がどんどん痩せてきてしまった近代劇とちがって、登場人物の数だけストーリーがあって、それを正確に、しかも力量をもって描いていくからこそ、いくつものプロットを重ねられるわけです。

それから、この芝居における「狂気」も実はダブルプロットになっているんです。ひとつは、にせ狂人のハムレットです。昨日お話ししたように、ハムレットが狂人を装っている場面は普通の散文でせりふが書かれていて、一人になって狂人を装う必要のないところでは、ブランク・ヴァース（無韻詩）でせりふをいう。

一方、本当の狂気に陥っていくのがオフィーリアです。狂気を装うハムレットと、本当に気がおかしくなり、最後はヤナギの木に登ろうとして川に落ちて死んでしまうオフィーリア。このオフィーリアの死が自殺かあるいは事故死か、シェイクスピアは結論を出していません。

トリプルプロットの仇討ちの復讐譚に、正気か狂気かというダブルプロットが加わって、五つのプロット、ペンタプロットという複雑な構成になっているのですが、そこへさらに、家族崩壊のプロットが二つ並んでいる。ひとつはデンマークの王室ですね。王さまが毒殺され、お妃は誤って毒杯を呷《あお》って死ぬ。王子も剣術試合に臨み、毒を塗った剣が入れ替わり、その剣で傷を負い、死んでいく——一家全滅ですね。

可哀相なのは、宰相のポローニアス家です。宰相といえば、デンマーク王国の総理大臣みたいなものですが、この家も全滅してしまう。ハムレットと王妃が話しているのを立ち聞きしていたポローニアスはクローディアス王と間違えられてハムレットに殺され、息子のレイアーティーズはハムレットとの剣術試合で死に、娘のオフィーリアは気がおかしくなって死んでいく。つまりこの芝居は、一家が全滅していく二つの家庭の話でもあるんです。

これだけでもなんとも複雑ですが、さらにもうひとつ、二組の友情のダブルプロットが進んでいく。一組は、ハムレットと学友のホレイショー。もう一組は、やはりハムレットの幼馴染みのローゼンクランツとギルデンスターン。後者の組は、結局、クローディアスの悪巧みに加担して、ハムレットを殺す手伝いをしていくことになる。二人の友だちが悪友に化していくプロットと、友情をひたすら保ちながら自分の腕の中で死にゆくハムレットを見守り、友情を全うするホレイショー。この友情のダブルプロット。

くり返しますと、復讐を使命づけられた三人の青年のトリプルプロットが第一にあって、次に正気か狂気かのダブルプロットが加わり、さらに家族崩壊・全滅と友情の二つのダブルプロットが加わる。これだけ複雑なプロットをどんどん埋め込んでいくというのは、ほとんど神業です。イプセンがこれを読んだときに気絶しなかったか、心配ですよね（笑）。

いま挙げただけでも九つのプロットがそれぞれグループをつくりながら、同時に進行している。これを凡百の劇作家がやると、絶対まとまらない。どこかひとつは解決しても、後は全部未解決とか、そういうふうになってしまう。それをシェイクスピアは、すべて見事に解決する。これは、『デヴィッド・カッパフィールド』[*24]の奇跡どころではない（笑）、もう人類の奇跡ですよね。物語作者としてのシェイクスピアには、やはり天才という言葉を捧げたい。いわれなくても、みんな捧げてますけど（笑）、出し渋る必要はない。これは、やはり世界演劇史の奇跡です。チェーホフの『三人姉妹』とこのシェイクスピアの『ハムレット』、この二つは世界史の奇跡でしょう。

＊24　イギリスの作家、チャールズ・ディケンズ（一八一二〜七〇）の自伝的小説（*David Copperfield* 1849-50）。高校時代に読んだ井上ひさしは、自分もこういう作品を書きたい、と作家を志した。

そういう意味でも、この『ハムレット』には、天才の物語のつくり方の精髄が詰まっている。ところが、最近の小説家も劇作家もみんな、物語を非常に馬鹿にしてかかって、物語を抜いた小説や芝居を書いたりしている。しかし、「何いってるんだ、ちゃんとした物語をつくってからいってくれ」といいたいですね。物語というのは一番面白いんです。というのも、わたしたちはある歴史なり伝説なり、すべて物語になったときにはじめて理解するわけです。何かしら混沌として訳のわからないところへ物語のかたちを当てはめ、それをパターン認識していく。物語というのは本当に大事なんです。物語がないと、人は動かないんですね。

そして、いい芝居にはいいストーリー、いい物語がある。そのことを、シェイクスピアはこの『ハムレット』で強烈に目の前のお客さんたちに訴えているんです。なぜそんなことをする必要があったかといいますと、昨日示した地図を見るとわかります（一四頁）。

下にテームズ川がありますよね。ロンドンを囲む丸はシティ・ウォール（ロンドン・ウォール）、ローマ時代に建てられた城壁です。ウォールには市街に通じるいくつかの門があり、その中のひとつにニューゲートがあります。ニューゲートからストラッドフォード＝アポン＝エイヴォンまではシップストン街道でつながっていることは、昨日説明しました。

江戸の町にはウォールのような城壁こそありませんでしたが、朱引《しゅびき》といって、江戸の町の地図に赤い線を囲って、その内側は朱引内、つまり幕府が決めた江戸の町の範囲ということになります。同様に、ロンドンもウォールの内側が「シティ」という中心部になっています。そのウォールのすぐ外側に「リバティ（自由）」という特別行政区があります。市の管轄外にある自由な地区で、ここに売春宿、見世物小屋、劇場といった、世の良識からするとちょっと眉をひそめるようなものは全部、シティの外のリバティに追いやったわけです。

そのリバティ地域に世界初の本格的な常設劇場「シアター座」がつくられ（一五七六年）、シェイクスピアがそこで仕事していたことは昨日お話ししたとおりです。その後同じ地区にいくつかの劇場ができますが、当時シェイクスピアたちにとっての一番の競争相手は「熊いじめ」なんです。ベア・ガーデンと呼ばれる、ほとんど劇場と同じ構造の「熊いじめ場」があって、そこに三千人から四千人もの客をぎゅうぎゅうに入れる。平土間の真ん中にリングをつくり、中央に杭を立ててそこに熊をつなぎます。お客さんが集まったところで、マスティフなどの猛犬数匹を一斉に放す。熊はロープで結ばれているので多少は動けますから、襲ってくる犬たちを張り倒したりしますが、一匹の犬がやられると代わりの犬を補給していくので、結局熊は力尽きてしまう。お客はどの犬がもっとも勇敢に闘うのかを賭けていて、この見世物に熱狂するわけですね。

この地域にやってくる連中は、そうした見世物や売春宿目当て、あるいは酒を飲みにやってくるのがほとんどですから、シェイクスピアはそういう人たちに観せる芝居を書かなければならなかった。つまり、劇場には芝居好きだけが来たわけではなく、憂さ晴らしになにか面白いことをやってみせろという人たちも大勢来ている。その人たちをねじ伏せるには、もうストーリー、物語しかないんです。

歌舞伎でも、『忠臣蔵』とか曾我物みたいな仇討ちものをいい役者がやれば、酔っぱらいでも「おおっ」と観始めるでしょう。それと同じように、シェイクスピアたちは、言葉の力と物語の力とで、そういうとんでもないお客さんたち、しかも無学の職人から貴族やインテリまでのあらゆる階層を打ちのめす芝居をつくらざるをえなかった。ですから、なんとしてでも面白いものを見せてやろうという馬力、活力、戦闘心といったものがシェイクスピアの芝居には表れている。つまり、一部のインテリだけが感心するといった吹けば飛ぶような芝居ではなく、どんな人をも感動させる芝居だったからこそ、時代を超え、国境を越えて残ってきたわけですね。

'To be, or not to be, ~' の謎

さて、『ハムレット』です。やはり、一番問題になるのは 'To be, or not to be, that is the question.' です。このせりふがブランク・ヴァースになっていることは

＊25 一八五九～一九三五。小説家、翻訳家、評論家。『沙翁全集』（全四十巻。一九〇九～二八年）でシェイクスピアの全訳をなした。

さきにお話ししましたが、これをどう訳すか。この芝居が日本に最初に紹介されたのは、明治に入ってからですが、坪内逍遙[*25]以来、福田恆存[*26]、小田島雄志[*27]さんに至るまでいろんな形で訳されてきました。この訳について、どう翻訳するか、どう解釈するか、日本人はずうっと悩んできたんです[*28]。なぜこんなに悩むのかというと、それは 'To be, or not to be' だけを考えるからわからないんです。実は『ハムレット』の中に答えがある。今日、ぼくがズバッと答えを出します。なんだか、ほとんど香具師《やし》状態になってきましたけど（笑）。

この独白が出てくるのが第三幕第一場。クローディアスへの復讐を誓うハムレットが、確たる証拠をつかめずに、どう出るべきか思い悩むわけですね。福田恆存さんの訳では、「生か、死か、それが疑問だ」。

そして第五幕第二場で、ハムレットはレイアーティーズと剣術試合をすることになり、心配したホレイショーが、この決闘は止めたほうがいいのではないかという。するとハムレットは、「それには及ばぬ。前兆などというものを気にかける事はない。一羽《いちわ》の雀《すずめ》が落ちるのも神の摂理。来るべきものは、いま来《こ》なくとも、いずれは来る――いま来れば、あとには来ない――あとに来なければ、いま来るだけのこと」と。そして、「肝腎《かんじん》なのは覚悟だ。いつ死んだらいいか、そんなことは考えてみたところで、誰にもわかりはすまい」。続いて、「所詮、あなたまかせさ」というところがあります。この「あなたまかせ」というせりふ、原文では 'Let

＊26　一九一三～九四。劇作家、演出家、翻訳家。シェイクスピアの主要戯曲を翻訳・演出した。

＊27　一九三〇年生まれ。英文学者、翻訳家、演劇評論家。全三十七戯曲を翻訳（『シェイクスピア全集』全七巻、一九七三～八〇年）。

＊28　「世に在る、世に在らぬ」（坪内逍遙）、「生か、死か」（福田恆存）、「このままでいいのか、いけないのか」（小田島雄志）。その他に、「このままにあっていいのか、あってはいけないのか」（木下順二）、「生きてとどまるか、消えてなくなるか」（松岡和子）などがある。

be’です。

つまり、‘To be, or not to be’と‘Let be’をつなげればすぐ答えが出てくる。‘Let be’が「なりゆきまかせさ」「あなたまかせ」という意味ならば、「なりゆきにまかせるか」「それとも自分で動き出すか」、それが問題だ、といっているわけです。

日本人がよくやるように、自然のなりゆきに任せるか、それとも自分が主体性をもって自らの宿命を切り開いていくかを迷っているのであって、死を怖がっているんじゃない。死んでもいまの苦しみから逃れられるのか、それが怖いんです。

‘To be, or not to be’のせりふのすぐ後に「死は眠りにすぎぬ〔中略〕いや、眠れば、夢も見よう。それがいやだ。この生の形骸《けいがい》から脱して、永遠の眠りについて、ああ、それからどんな夢に悩まされるか、誰《だれ》もそれを思うと」というせりふが続きます。ハムレットにとって、死ぬということは眠ることで、眠れば夢を見るはずだ。いま自分が苦しんでいることが夢だったらどうしよう……。つまり未来永劫、ぐるぐるまわる苦しみの中に閉じ込められることが怖くて、ためらっている。

いまこうやって言葉で説明していますが、この芝居を観ている桟敷の誰かがこのハムレットの悩みをきちんと理解したとすると、その瞬間に劇場の全員が理解するという、劇場特有のものすごい魔法の仕掛けがある。それが劇場の魔法なんです。誰か一人が理解したものを全員に分け与えるという不思議なメカニズムというか魔物が仕込まれている。こういう魔法は映画館でもライブのコンサートでも多少起こりますけど、演劇で一番よく起こる。ですから、みんな演劇を大事にしていくわけですね。

さきほどいったように、平土間には、故郷を捨てて新しい可能性を求めて大都会にやってきて、成功した人もごくわずかいますが、どうもうまくいかないという人がたくさんいて、そういう人たちがみんな観ている。「そうだよな」「実に楽じゃないよ」とか、いろいろな思いで観ている。高い桟敷のお客も安い平土間のお客もみんなで劇場をひとつにしていく。だから、どんなお客さんにも対応できるプロットをいくつも揃えて、劇場全体を動かしていくんですね。シェイクスピアという人は、そういう劇場の魔法、生理、メカニズムをよく知っているということが、『ハムレット』を読むとよくわかります。

すべてを言語化していくシェイクスピア

では、次に『リア王』です。

一番最初に有名なシーンがあります。引退を決意したリア王が、三人の娘に領地を分け与えようとして、「お前達のうち、誰が一番この父の事を思うておるか、それが知りたい」と訊く。すると、一番目と二番目の娘は自分がいかに父を愛しているかということをいうのですが、末娘のコーディーリアだけは、なにを訊かれても「何も（ナッシング）」という。

これがまたシェイクスピアのすごさなんです。つまり、言葉が豊富で、いいせりふを書く劇作家はたくさんいるのですが、同時に、言葉なんてものは決して真実ではない、という立場で書かないと駄目なんです。

それは、実際皆さんも体験なさっているはずです。いますごい局面になって、自分は何かいっているけど、それは本心とはちょっと違うという。たとえば、こういうふうに考えてみてください。脳細胞がありますね。言葉で「宇宙」といった瞬間、この小さな脳は宇宙にまで広がる。言葉によって、宇宙というこの世で一番広いものを思い浮かべられるんです。

このことでムチャクチャ感心したことがあります。TBSラジオの「全国こども電話相談室」の無着成恭[*29]さんという人がいますね。ある少女が電話で「無着先生、この世で一番大きな数はなんでしょう」と訊いたんです。これは難問ですよね。そしたら無着先生が、あの山形訛《なま》りで、「あなた、いまね、一番大きな数を考えてご覧」と。しばらく間があって、女の子が「はい、考えました」と。すると無着先生が「それに、一足してごらん」って（笑）。一番大きな数から一増えたわけです。

つまり、無限に時間さえあればいつまでも一を足していって、どんな大きな数でも頭の中に描ける。わたしたちの脳は、広げると表面積は新聞紙四枚ほどしか

＊29　一九二七年、山形県の寺院に生まれる。教育者、僧侶。山形県の僻地校赴任時に刊行した子どもたちの作文集『山びこ学校』が大きな反響を呼んだ。TBSラジオの「全国こども電話相談室」の回答者として一九六四年の番組スタート時から二十八年にわたって出演を続けた。

ありませんが、その中に宇宙まで全部入っちゃう。そして、この脳に言葉、言語があるんです。

ところがこの脳とは別に、心という部分があって、心で起こることすべてを言語化することはできない。無着先生の素晴らしいところは、まず言葉のぎりぎりの範囲を子どもに想像させたところです。言語能力で、一番大きな数字は何かと訊いて、それに一を足すことで、それまで表現できなかったところへピュッと飛び出していくんですよね。言葉によって宇宙の果てまで飛んでいくことができる。でも、心というものは言葉ですべてを表現することはできない。

その、心にあったけれど言葉にできなかったところを、シェイクスピアはすべて言語化していくわけですから、すごい感動を受ける。ふつうなら言葉がそこまで届かない心の部分を、シェイクスピアの特別な才能が言語にしてしまった。だから、シェイクスピアを初めて読んだ人、観た人が、「おお、これこそ、おれ／わたしがいいたかったことなんだ」と感心するわけです。

『ハムレット』の第二幕第二場で、ハムレットが本を読んでいる場面が出てきます。ポローニアスが何を読んでいるのかと問いかけたときに、ハムレットが「言葉だ、言葉、言葉（Words, words, words)」という。そのハムレットが一番最後に言う言葉は「もう、何も言わぬ（The rest is silence)」、サイレンス（沈黙）で、コーディーリアはナッシング（無）。つまり、沈黙と無。ここからもシェイクスピアが饒舌《じょうぜつ》の構図をよく知っていたことがわかります。

あっ、大事なことを忘れていたので、ここで申し上げます。

シェイクスピアは、中身は面白いんだけど、結論は秩序の回復ではないかという人がいます。まあ、これはしようがないといえばしようがないんです。当時のイングランドは、薔薇戦争（一四五五〜八五）などで国内がめちゃくちゃになっていて、ヘンリー七世、八世、そしてエリザベス一世に至ってようやく国力が増してきて、秩序の回復がなされたわけです。

それともうひとつ、当時の考えでは、天上の大宇宙《マクロコスモス》と地上の小宇宙《ミクロコスモス》は互いに照応し合っていて、天界に整然とした動きがあるように地上にも整然とした秩序があるはずだ、と。そして、この秩序を保持しなければならない。これが保守主義《コンサバティズム》ですね。

シェイクスピアにとっては、秩序が崩れることが悲劇なんです。天上らしさ、地上らしさ、その「らしさ」が崩れたときに悲劇が起こるわけです。ハムレットもそうですし、リア王もそうです。リア王も、王様らしさをちゃんともっていれば、あんな馬鹿なことはしない。自分の娘に領地を分けるなんて、こんな危険なことないですね（笑）。娘にはそれぞれ亭主がいるわけですから、そこで対立が生まれて秩序が崩れてしまう。

その崩れた秩序を元に戻すには、ものすごい犠牲やさまざまな不幸が捧げられなければならない。これがシェイクスピアの悲劇の基本的な考え方です。だから、デンマークの国王が腹黒い弟に殺されてしまったことで、王家らしさがなくなり、混乱が起こる。その混乱を収めるために、数多くの人が死ななければならなかった。それが、シェイクスピアの悲劇の基本的な構造です。

あれ？『リア王』の話のはずが、なんでそこを説明する気になったのか、と思われている方もおられると思いますが、言葉の説明をしているうちに、ちょっと説明したほうがいいだろうと思ったわけですね。

たばこを猛烈に吸いたくなったんで、ここで休みましょうか（笑）。

劇中劇という仕掛け

依然として『ハムレット』の話ですね（笑）。非常に複雑なプロットを組み合わせて、平土間のお客さんから桟敷の国王まで含む、イングランドのあらゆる階級の人たちすべてが興味をもつような仕立てでたくさんの筋をつくり、それをひとつにしていくというすごい腕力についてはお話ししました。

加えて、『ハムレット』の中には芝居に関する新しい仕掛けがたくさん入っています。劇中劇がそうです。第三幕第二場に旅役者たちが登場して、新王のクローディアスの目の前で、「ゴンザーゴ殺し」という旅劇団がよくやる芝居を披露します。昼寝で横たわっている男の耳に毒を注いで殺すという、クローディアスの王殺しを模した内容なのですが、まず最初に黙劇であらすじをひと通り演ってから、次にハムレットがせりふに手を加えた劇を演《や》る。ハムレットは、父の亡霊に「父を嚙み殺したその毒蛇が、現在、頭に王冠をいただいておるわ」、つまり〝私は弟に殺された〟と聞かされるのですが、確たる証拠がない。自分の手で証拠をつかまないといけませんから、劇中劇というかたちを仕組んで、叔父の反応を試す。

これは非常に面白い構造ですね。劇中劇といえば、劇の中にさらに劇があって、普通ならそれで終わりなのですが、『ハムレット』ではさらに複雑な構造になっている。最初に黙劇をやっておくというのは、黙劇でおかしな仕草をしますから、平土間のうるさい連中も、ちょっと黙るわけです。それに「ゴンザーゴ殺し」というのは、当時の有名な狂言ですから、それを芝居の中で観られるということで、平土間はさらに黙る。

しかも舞台の上には、その劇中劇を観ている国王夫妻を観察している、ハムレットとホレイショーがいる。その構造は素晴らしいですね。

これはメタシアター、つまり芝居の中の芝居ということですが、そのメタシアターをさらにメタしていますから、メタメタシアター（笑）。

＊30　一八九七年にスタニスラフスキーとダンチェンコが創設。チェーホフ作『かもめ』の再演が成功したことで、一躍有名になった。これを記念して、かもめの姿をデザインしたものをシンボル

そして、チェーホフは実はこの『ハムレット』が大好きなんです。チェーホフの四大戯曲のひとつ、『かもめ』は、最初（一八九六年）ペテルブルクのアレクサンドリンスキー劇場で上演されるのですが、従来の演技術ではああいう自然な芝居が演れなくて、大失敗する。二年後の一八九八年、創設間もないアマチュア劇団のモスクワ芸術座[*30]が『かもめ』の再演をします。モスクワ芸術座は自然な演技を心掛けていた劇団で、今度は大成功を収めます。そのモスクワ芸術座の名を一躍有名にしたのが『ハムレット』なんです。二十世紀における演劇史に大きな影響を及ぼすスタニスラフスキー[*31]とゴードン・クレイグ[*32]の二人が共同演出していて、歴代の『ハムレット』上演においても特筆すべきものです。

すみません。またまた脱線してしまいました。劇中劇に戻りましょう。

第二幕第二場で旅の一座が着いて、役者たちがハムレットに挨拶するところ。ポローニアスが「ハムレット様、御注進、御注進」――一国の総理大臣が「御注進」というのも、ちょっと問題の翻訳ですね――といって、役者たちが到着したことを告げる。そして四、五人の役者たちがハムレットのもとへ駆け寄ってくる。ハムレットが「よく来た、よく来てくれた――なつかしいぞ――本当によく寄ってくれたな――なんだ、お前か！〔中略〕これは、これは、うらわかき御女中様！　そこもとも、このまえお見うけしたころよりは、どうやら靴《くつ》の踵《かかと》ほど、おつむが

マークに採用している。

＊31　コンスタンチン・セルゲーヴィチ・スタニスラフスキー（一八六三～一九三八）。俳優、演出家。独自に考案した俳優の教育法は、スタニスラフスキー・システムと呼ばれて、日本の新劇やアメリカのアクターズ・スタジオなどにも大きな影響を与えた。著書に『芸術におけるわが生涯』など。

＊32　エドワード・ゴードン・クレイグ（一八七二～一九六六）。イギリスの俳優、演出家。一九一一年、モスクワ芸術座で『ハムレット』をスタニスラフスキーと共同演出で上演した。

天に近《ちこ》うおなりの御様子。このうえはせめて声にひびが入らぬよう、せいぜいお祈りでもすることだ」と続けます。でも、なぜ劇団に御女中がいるのか不思議だと思いませんか。

これは、昨日お話しした少年俳優ですね。しばらくぶりに会ったら、少年俳優が急に背が伸びてしまったというわけです。少年俳優というのは、一五九〇年代からシェイクスピアが死ぬ（一六一六年）くらいまでが全盛です。教会には聖歌隊がありますが、聖歌隊の少年歌手たちがそのまま少年劇団を結成するので、みんな歌が上手なんです。いまでいうと、ジャニーズ系統の少年隊とか男闘呼《おとこ》組とかでしょうか。でも、あんなもんじゃない。もっと歌がうまくてボーイソプラノの美少年たちがたくさんいました。

なかでもチャペル・ロイヤル少年劇団とセント・ポール少年劇団が有名で、とてもすごい人気になっていました。テームズ川の南岸のサザックにあるひとつの劇場を占拠して、満員のお客さんの前で芝居をする。これは、想像しただけでもちょっと面白い光景ですね。

考えてみると、シェイクスピアの芝居にはお婆さんが出てこない。女優がいないのでお婆さん役はできないんです。だから、ジュリエットしかり、デズデモーナ、ガートルード、オフィーリアまで、すべて少年がやる。昨日、シェイクスピアの芝居には娘が男に変装する芝居が多いといいましたが、もともと少年なのですから、それをうまく使っているわけです。そういう、実に不思議な構造をシェイクスピアは多用しています。ところが、その少年たちもやがて声変わりしてしまう。ハムレットは「このうえはせめて声にひびが入らぬよう」と皮肉をいっていますが、声変わりすると、劇団を辞めて大学へ行く子もいれば、そのまま俳優になる子もいれば、あるいは職工さんになる子もいるなど、さまざまだったようです。

ハムレットと旅の一座のやりとりがひとしきり終わったところで、第二幕が終わる。続く第三幕になり、国王と王妃がハムレットの幼馴染みのローゼンクランツとギルデンスターンからハムレットの様子を訊き、彼の狂気が本物かどうかを確認するためにオフィーリアを偶然会わせることにする。そこへ足音がし、皆壁掛けの後ろに隠れたところで、あの有名な'To be or not to be'のせりふが出てくるわけです。このハムレットの独白が終わるとオフィーリアが登場し、これもまた有名な「尼寺へ行け」というせりふが出てきます。そこでハムレットは狂ったふりをするのですが、陰で二人の会話を盗み聞きしていた国王は、ハムレットは狂人を装っているのではないかと疑い、芝居が終わったらイギリスへ追いやる計画を口にする。

そして劇中劇がおこなわれる第三幕第二場です。ト書きを読んでみましょう。

《城内大広間　両側は見物席のように椅子《いす》が並べてある。正面、奥は高く、幕の

うしろが内舞台になっている。ハムレットと役者三人がカーテンのうしろから現われる。》

　この場面に出てくるハムレットのせりふが、実はモスクワ芸術座の基本になるんです。実際に彼らの記録を読んでいくと、ハムレットが第一の役者にいった、「わかったな。今のせりふは教えたとおり、ごく自然の調子で、さりげなく言うこと。お前たちの仲間がよくやるように、大口あけてわめきちらされるくらいなら、むしろ町のひろめ屋に頼むからな」というせりふにポイントを置いていることがわかります。モスクワ芸術座は、それまでの十九世紀のモスクワあたりの普通の芝居のレベルに満足できなくて、シェイクスピアへ戻ったんですね。

　要するに、シェイクスピアは自分の芝居の中で演劇論をやっているわけで、これはなんともすごい手です。わたしなぞも、シェイクスピアの真似をしてそれをやっているのですけどね。『連鎖街のひとびと』[*33]もそうですし、『黙阿彌オペラ』[*34]もそうです。芝居の中で演劇論をやるというのは、実はすごく面白いんです。もちろん、シェイクスピアほど面白くはできませんけれど、誰がやってもその人の演劇論が出てきますから、大体そこで、「こいつはすごい」「こいつ、たいしたことないや」というのがすぐわかる。

　シェイクスピアのこの劇中の演劇論も、実は当時ロンドンで流行《はや》っていた芝居の批判なんです。その頃はリアリズム演劇なんて発想はなく、できるだけ大袈裟

＊33　二〇〇〇年六月、こまつ座の制作、鵜山仁の演出で初演。舞台は敗戦後の満洲・大連。ソ連軍の命令で芝居をつくることになる劇作家、音楽家、女優たちが演劇の力で困難をのりこえてゆく。

＊34　一九九五年一月、こまつ座の制作、栗山民也の演出で初演。明治維新をはさんだ河竹黙阿彌の評伝劇。上からの経済改革と西洋演劇の押しつけを重ねながら、演劇とは何かを問う。

に飛んだり跳ねたりという芝居がほとんどで、シェイクスピア自身もそういう芝居を書いていますが、劇中劇はリアリズムでやってほしいという、当時としては飛び抜けた考えをここに出している。これには、当時の人もびっくりしたでしょうね。

ついでにいえば、チェーホフは『ハムレット』を手本にして『かもめ』を書いているんですね。このことは誰もいわないので、ぼくがいいますけど、『かもめ』を読んだ方はよくわかるように、あの芝居には非常に多感なトレープレフという青年が出てきますが、お母さんのアルカージナは美しい未亡人です。この母子《おやこ》は、ハムレットとガートルードの母子関係とそっくりなんです。

母親のアルカージナにはトリゴーリンという中年の小説家の愛人がいて、このトリゴーリンは完全にクローディアスです。そしてオフィーリアに当たるのが、トレープレフの恋人ですごく幸せの薄い恋人ニーナ。そう、チェーホフの前には『ハムレット』があったんです。『ハムレット』の人物構成をすっかり『かもめ』に移し替えている。なおかつ、チェーホフの『かもめ』の最初のほうにも劇中劇がある。

『ハムレット』では、劇中劇が自分のことを当てこすっているのを知り、現国王のクローディアスは怒って途中でいなくなってしまう。『かもめ』もトレープレフが大女優である母親に自慢しようと、自分が書いた芝居を庭で上演するのですが、母親がそれを腐して、怒った息子が芝居を中断してしまう。

もっといえば、このときにチェーホフはトレープレフに同時代の演劇界を痛烈に批判させていますが、これも、シェイクスピアがハムレットの口を借りて、グローブ座の周りで流行っている芝居の批判をしているのと同じです。つまり、劇中劇の中でいま流行している芝居を批判するというかたちを、チェーホフは『かもめ』の中にそっくりもち込んだのですね。

チェーホフはシェイクスピアと並ぶ演劇の完成者ですけれど、その若きチェーホフ――『かもめ』を書いたのは三十五歳ですから「若き」ではなくて中年の入り口ぐらいですけど――は、直感でシェイクスピアの『ハムレット』を手本にして書けばいいと思ったのでしょうね。少なくとも、『かもめ』が『ハムレット』によって準備されたということは、明らかだと思います。

道化と海

もうひとつ、シェイクスピアの芝居で大事なのは道化です。シェイクスピアにはいろいろな道化が出てきますが[*35]、ハムレット自体、狂人を演じているときは、ほとんど道化の方法を使っています。ギルデンスターンやローゼンクランツ、クローディアスをからかうときや、さきほどのオフィーリアに「尼寺に行け」とい

＊35　『ハムレット』の墓掘り人、『リア王』のフール、『ヘンリー四世』のフォルスタッフ、『十二夜』のフェステ、『夏の夜の夢』のボトム、『から騒ぎ』のドグベリー、『お気に召すまま』のタッチストーン、『ヴェニスの商人』のゴボー、『マクベス』の門番、『アントニーとクレオパトラ』の田舎者、『冬物語』の羊飼いの息子など。

うところなど、あの辺は全部道化の方法です。

道化にはジェスター（宮廷道化師）とクラウンの二種類があります。ジェスターというのは、本来、賢い男が道化役をしている場合を指します。王様に忠告できるのは、宮廷道化師だけです。「あの金、貸してはいけない」「あの家来は信用するな」「王様の決断、間違っている」とか、他の人がいえないことを、道化師が冗談にまぎらせてみんなの笑いを誘いながら忠告していく。家来を代表して王様、主人にもの申すわけですから、直球じゃなくて、ものすごくクセの強いカーブとか、フォークとか、スクリューボールとか、シンカーを投げながら、王様も笑っちゃうような忠告をするのが、このジェスターの務めなんです。これは、相当に頭が良くないとやれない。

一方のクラウンというのは、別に頭が良いわけではなく、ただただふざけているという役です。シェイクスピアは、この二通りの道化を実に上手に使っていますが、道化で一番面白いのは『リア王』です。

リア王は道化を抱えていますが、その道化が娘たちに領土を分けるなんてとんでもないと、冗談まぎれにずけずけいう。まさにジェスターですね。ところが、途中でこの道化がいなくなってしまう。というのは、リア王自身が道化、フール、愚か者になってしまうからです。リア王自身が道化化しちゃった以上、もう一人の道化は要らない。おそらくは、書いているうちにリア王があまりに馬鹿なことばかりやるので、本来の道化が要らなくなってしまったのではないでしょうか。

この突然の道化の消失に関してはさまざまな議論がありますが、まあ、シェイクスピアのことですから、リア王の老いの哀しさ、苦しみを表現するときに、ストレートに表現するのではなくて道化のかたちで表したほうがいいと、きっと計算したのだと思います。

『ハムレット』の場合は、ハムレット自身が賢い道化になるんですね。狂ったふりをして、ズバズバ真理をいっていく。そのハムレットが今度は本物の道化（第一の道化と第二の道化）と墓場で会って、道化たちは、どうもこの墓の人間（オフィーリア）は自ら入水《じゅすい》したらしいが、ふつうなら自殺は大罪だから教会の墓地には埋葬してもらえないはずなのに、お偉いさんの娘だからお目こぼしされるんだなと皮肉る。金持ちを諷刺するこの辺りは、観客に大いに受けたでしょうね。

道化のふりをしていて素顔に戻ったハムレットと本物の道化。その関係は、道化論としては面白いところで、ここを中心にいろいろな学者が道化論を書いています。

さきほどチェーホフの『かもめ』に触れたので、シェイクスピアにおける海の問題をちょっとお話しします。

イギリスは日本と同じ島国ですね。そして、シェイクスピアが生きた時代は、大航海時代の真っ最中です。シェイクスピアが亡くなって四年後の一六二〇年には、メイフラワー号が新大陸に到着し、ニューイングランドという植民地をつくる。それがアメリカ合衆国の始まりになるわけですね。そうやって、海の向こうにこれまで知らなかった新しい世界が次々に見えてくる。そういう時代です。

海は希望であり、未知なるがゆえに恐ろしいところでもある。この海を、シェイクスピアは本当によく使っていて、海と嵐はシェイクスピアの二大専売特許といってもいいほどです。そのものずばり『あらし（テンペスト）』という芝居があるくらいですし、一家・一族の離散に海が介在し、反対に海のお陰で再会したりと、さまざまな仕掛けで海を使っている。昨日も申し上げたように、スペインの無敵艦隊を破ったイギリス海軍は海の向こうへ進出していき、やがて世界を股にかける大英帝国をつくっていく。

さっき少しいいましたが、ハムレットがクローディアスの企みで、ローゼンクランツとギルデンスターンと一緒にイギリスへ追いやられます。クローディアスは、ハムレットを殺してほしいという手紙をイギリス国王に送るのですが、それを見たハムレットは手紙を書き換え、逆にローゼンクランツとギルデンスターンを殺させてしまう。その後、ハムレットは海賊に遭ったりしますが、海を見ているうちに、復讐の決心を固める。そういうふうに、シェイクスピアは海を実にうまく使っている。

シェイクスピアの海と嵐、これからシェイクスピアをお読みになるときには、是非チェックしてみてください。

『ハムレット』の後日談

次に、悲劇と喜劇の違いをお話ししたいと思います。どうも近代の悪い癖で、悲劇は尊くて、喜劇のほうはそれよりランクが下という価値付けがあります。涙は貴重で、笑いは使い捨て、みたいな間違った価値観があるものですから、悲しそうで深刻な話を書くとみんな有難がって、面白い話を書くとちょっと馬鹿にするところがある。

わたしは、人間が笑うということに基本的な価値があると思っています。この世の中には苦しいことや辛いことや惨めなことは、天然自然に具《そな》わっていますが、笑いは自然には具わっていない。だから、笑いだけは人間がつくらないといけない――というのが、わたしのものを書くときの基本的な立場なのですが、シェイクスピアの場合は喜劇と悲劇をすべて混ぜ合わせてしまっている。

では、シェイクスピアにとっての喜劇と悲劇はどういうことかというと、ひと言でいえば、いまでいうアイデンティティです。ぼくはある芝居[*36]で、アイデンティティとは、「アイデテテと、痛みを感じて自分が自分であることを確認することだ」と書いたのですが、簡単にいうと「らしさ」なんです。彼らしさ、わたしら

*36 『日の浦姫物語』。一九七八年七月、文学座の制作、木村光一の演出で初演。

しさ、これがアイデンティティの一番こなれた訳だと思います。

シェイクスピアにおける喜劇というのは、「らしさ」を失った人たちがどういう結末になるかを描いたものなんです。たとえば、『十二夜』のアンドルー・エイギュチークという男は、誰も彼のことを美男子だとは思っていないのに、自分だけはすごく美男子だと気取っている。そういう人、いっぱいいるでしょ。なにを偉そうに歩いてるんだと思って見ていると、パチンコ屋に入ったり、颯爽とした青年が、やにわに「少年ジャンプ」を読み始めたり（笑）。

そういう、「らしさ」のずれというか、「らしさ」を失った人たちの破滅ぶりを割と明るく描いているのが、シェイクスピアの喜劇なんです。そして、「らしさ」を失った人たちが、艱難辛苦《かんなんしんく》の末に元の「らしさ」を取り戻すというのが、悲劇の基本です。これって、シェイクピアはひとつの芝居の中でこの二つを混ぜ合わせているわけです。これって、イプセンなどの近代演劇の作劇術《ドラマツルギー》から見たら、とんでもないことなんですね。

さきほどもいいましたように、ぼくが芝居を書き始めた頃には、喜劇というのは悲劇に比べて一段低いという考えがまだありました。でも、その頃のいい芝居とされていたのは、みんな終わりが暗いんです。だから、芝居を観終わると、みんな暗い顔をして劇場から出てくる（笑）。

でも中には、どうせ芝居を観たなら、ニコニコ顔で、幸せそうな顔で、出てきてもらいたいと思う人が、当然出てくるわけですよね。まあ、ぼくもそのうちの一人なのですが。だから、こまつ座のお客さんは、帰りにはみんなすごくいい顔で、赤ちゃんみたいな顔になるんです。笑い過ぎて幸せな顔にするわけですから、わたしたちの芝居は整形美容演劇といってもいいでしょうか（笑）。

すみません。『リア王』を話すといっておきながら、結局『ハムレット』だけで時間が来てしまいました（笑）。

ということで、『ハムレット』の話で締め括らせていただきます。

実は、もう二十年以上も前のことですが、ポローニアスを森川信[*37]さん、レイアーティーズを小沢昭一[*38]さん、ハムレットが渥美清[*39]さんという配役で、日生劇場で『ハムレット』をやろうということになっていたんです。ポローニアスの森川信っていいでしょう？　ポローニアスがフランスへ行く息子のレイアーティーズにフランスの上流階級での心得をあれこれいうわけですが、あそこなんか、森川信にやらせたらすごく面白いですよね。是非やりたかったのですけど、渥美さんは肺が片方しかないので肺活量がなく、長いせりふが続かないんです。ハムレットには長い独白が四つあるので、「おれ、これやれないよ」ということで、結局沙汰止みになってしまいました。

その代わり、『ハムレット』の後日談を書きたいと思っているんです。

＊37　一九一二〜七二。横浜生まれ。浅草で演劇活動をした後、各地を転々とする。三四年、森川信一座を旗揚げ。四八年から岸井明との「のらくらコンビ」でも活躍。テレビドラマ『サザエさん』の波平役、映画『男はつらいよ』の初代おいちゃん役でも知られる。

＊38　一九二九〜二〇一二。東京生まれ。早稲田大学在学中に俳優座養成所に通う。六〇年、俳優小劇場の結成に参加。七五年には芸能座を旗揚げし、八二年には俳優が小沢ひとりの劇団・しゃぼん玉座を創設。俳号は変哲。

＊39　一九二八〜九六。

『ハムレット』の一番最後に、フォーティンブラスというノルウェーの王子が登場します。クローディアスとレイアーティーズの奸計《かんけい》により毒の付いた剣で刺されたハムレットは、その死に際に、フォーティンブラスを次なるデンマーク王に指名します。このフォーティンブラスの父親は、実はデンマーク王であったハムレットの父親との領地争いに敗れて命を失っている。そして、息子のフォーティンブラスは失った領地を取り返すとともに父の復讐を果たそうとしていた。その彼にハムレットは国を託したわけです。この物語に先行する復讐譚が一番最後で決着が付き、複雑なプロットがひとつにまとまるのですね。

この最後の場面に、フォーティンブラスと一緒にイギリス使節がやってくる。そしてそのイギリス使節が死にゆくハムレットを見て「目を蔽《おお》うむごたらしさ」というわけですが、もし〝すごく効く毒消し薬がある〟といったらどうなるか。場内で倒れている、ハムレット、クローディアス、レイアーティーズ、王妃ら全員に強力な毒消し薬を飲ませ、手当てをする。すると、みんな生き返って、さて、どうなるか……というのを書きたいんですよね（笑）。

例によって寄り道ばかりで、個々の作品に関しては『ハムレット』しか取り上げられませんでしたが、シェイクスピアがいかに天才であったかは、十二分にご理解いただけたのではないかと思っております。

五一年、浅草六区のストリップ劇場フランス座などのコメディアンを経て、テレビ『夢であいましょう』で一躍有名に。五四年には肺結核で右肺を切除。主人公の車寅次郎役を務めた映画『男はつらいよ』シリーズは、四十八作まで続いた。

＊本文中に引用したシェイクスピアの作品の翻訳と登場人物名は左記による。
『ハムレット』福田恆存訳（新潮文庫、一九六七年）
『リア王』福田恆存訳（新潮文庫、一九六七年）
『夏の夜の夢・あらし』福田恆存訳（新潮文庫、一九七一年）

イプセン

［一日目］二〇〇一年十二月二十二日

近代の市民社会から生まれた市民のための演劇

本日はイプセンを取り上げるわけですが、イプセンについては、どんな辞書にも「近代演劇の始祖」と書いてあります。演劇の形式というのは、人類の発祥と同時に出てくるといってもいいほどです。たとえば、五人ぐらい集まると、あいつはいつも面白いことをいって、あいつがいると退屈しないね、っていう人が必ずいるでしょ。その人は、すでに演劇をやっているわけです。地球が明日滅亡するというとき、いまから小説を書いたって間に合わない、音楽をやろうったって間に合わない。ところが演劇というのはその場でできる。五人のうち二人ぐらいがおかしいことをやって、みんな楽しく笑いながら死んでいく……。

演劇は最初に興った表現形式ですから、一番最後まで残る。その演劇の歴史の中で、主力になっていたのが悲劇です。古代ギリシャの悲劇などは、だいたいが王様とか王女様とか王子様といった偉い人を扱っている。で、その王様や王女様や王子様が運命と闘うんです。いくら闘っても運命には絶対敵《かな》わないのですが、王、王女、王子が人類の代表として運命と闘い抜いて、結局は敗れる。つまり、人間は運命のただの召使いではなく、運命とも闘えるんだぞというところを観て、お客さんは勇気を得たり鼓舞されたりするわけですね。

ギリシャ悲劇はだいたいそういうかたちを取っていて、その形式がずうっと続いたわけですが、それら表の大悲劇の裏には必ず喜劇があるんです。日本でも能と狂言がセットになっているように、悲劇があれば、そこには常に喜劇が伴走している。悲劇と喜劇は一見正反対のようですが、実は両方とも構造は同じなんですね。

運命と果敢に闘うエリートたちがいて、あわや運命を動かしかけるのだけれども、最後はなんとも人間的な動機で敗れてしまい、王や王女や王子が死んでいく。その死によって、よくやったという客席の共感と、人間は敗れはしても運命と闘えるんだ、という感動が残る。一方、喜劇のほうはそれと対をなして、ごく普通のつまらない人間が何かの拍子にお姫様の恋人の座に収まって王者のように膨れ上がっていくのですが、結局は萎《しぼ》んで元のつまらない人間に戻ってしまう。シェイクスピアの喜劇もみんなそうですね。これが喜劇のパターンです。

わたしは今年（二〇〇一年）、『夢の裂け目』[*1]という東京裁判を題材にした芝居を書いたのですが、紙芝居屋の親方が「おれは東京裁判の真相をつかんだ」と錯覚して、大きく膨れ上がっていくのですが、結局は進駐軍に脅されて急に萎んで、

＊1　二〇〇一年五月、新国立劇場の制作、栗山民也の演出で初演。『夢の泪《なみだ》』（二〇〇三年）、『夢の痂《かさぶた》』（二〇〇六年）と合わせて〈東京裁判三部作〉を構成する。

また元の紙芝居屋の親方に戻るという、完全にギリシャ以来の喜劇の骨法を使ったものです。

ここでちょっと寄り道をします。シェイクスピアと同時代のイギリス人でトマス・ホッブズという政治思想家がいます。シェイクスピアが生まれたのは、〈ひとごろしいろいろ〉の一五六四年。ホッブズはそれより二十年ほどあとの一五八八年に生まれています。その当時のイギリスは、カトリックとプロテスタントの対立もあって戦争に明け暮れていました。ホッブズは、オックスフォード大学を出て、田舎の牧師さんになるのですが、人間というのは、なんでこんなに性懲《しょうこ》りもなく争いばかりしてるのだろう、と考えたんですね。そこから出てきたのが「社会契約論」という考え方――むずかしいと思われるかもしれませんが、これはイプセンがなぜ出てきたのかということと関係がありますから我慢して聞いていてください。

で、この「社会契約論」が近代国家の基礎になるわけです。どういうことかというと、人間というのは何をやるにも自由であるという基本的な権利を天から授かっている。だから、わたしはあなたを殺してもいい自由があり、あなたがわたしを殺す自由もある。いってみれば万人の万人に対する戦争状態、それが人間の基本だというふうにホッブズさんは考えたんですね。別な言葉で「人は人に対して狼である」という言い方もしています。これは彼の代表作の『リヴァイアサン』

（一六五一年）に出てきます。

しかし、誰でも殺す自由があるからお互いに殺し合ってもいいとなると、いつ自分が殺されるか、不安で生きていけない。であれば、人間のもっている、人を殺す自由というのをいったん何かに預けてしまおう、と。何に預けるかというと、それが法律です。法律をつくってお互いに殺せないようにしようというわけです。つまり、ホッブズという人は、人間には勝手放題にやる自由と権利があるのだけれども、それをそのまま行使してしまうと、実は何もできなくなってしまうという矛盾に気づいたんです。

たしかに自由は大事だけれども、それをいったん法律に預けて、普通の生活をちゃんとできるようにしよう、ということです。自由を法律に預けるという契約を社会と交わしたにもかかわらず、もし人を殴ったり、殺したりした場合には、法律がその人を罰する。ですから、法律はよほど強くないと駄目なんですね。五、六人である決まりを考えても、それに反対する人が八人いたら役に立たない。みんなで法律自体をグッと強くしようというところから、国家というものが生まれてくるわけです。

ですから国家というのは、最初からあったわけではなく、人間がさんざん考えた末に出来上がったものなのです。自分たちの勝手をやる自由を封じるために法律をつくり、その法律を強いものにするために、今度は国家というものをつくる。

そして、この国家の物理的な強制権を代表する人として絶対君主というものが生まれてきます。

ところが、絶対君主たちがやたらと滅茶苦茶をするので、みんなで憲法をつくって、憲法によって絶対君主のやりたい放題を抑え、そして議会も憲法でつくっていく。そうやって国民が主役となる国民国家というものができてくる。そこでは、ギリシャ以来の王様や王女様、王子様といったエリートたちだけが運命と闘うということが通用しなくなる。やはり、主役である国民の芝居を観たくなる。おまけに、これまでの喜劇の主人公のように、身の丈以上に変な膨らみ方をしたと思ったらすぐに萎んでしまうような人間ではなく、一所懸命に生きている人間を芝居で表現しようという気運が出てくる。

そうした気運からイプセンが出てくるんですね。つまり、近代の市民たちがどういう悩みをもち、どういうふうに生きていくのか。まだ歴史の浅い近代社会ですから、女性と男性の権利は、本来平等であるはずなのに、実際は、女性は家において夫の付属品のような関係性だったり、いろいろ不備なところが残っていた。イプセンは、そういう社会の不備なところを全部芝居にしていったんです。だからイプセンを評するのに「問題劇を書き始めた人」という言い方もあります。それは近代社会が生まれ、市民というものがはじめて歴史の表舞台に出てきて、その市民が憲法をつくり、憲法を支え、力のある人たちをその憲法で抑えていくという動きとまさに呼応しているわけです。

またまた脱線しますが、皆さんは憲法というものをちょっと誤解しているんじゃないですか。たとえば、仙台市には市の条例があり、宮城県には県の条例があり、また国の法律もある。憲法というのは、それらの条例や法律の上位にあるものだと思っていませんか？　実はそうじゃないんです。憲法というのはわれわれの側にあって、市や県が条例を出したり、国が法律をつくるというときに、われわれは憲法を基に、その法律が憲法に適《かな》っているかどうかを絶えずチェックしていくわけで、そのために憲法があるのです。

よく「憲法は法の中の法」だといわれますが、でも、これもまた違うんですね。衆議院議員のことを「代議士」といいますが、これは国民に「代わって」政治をおこなうという意味です。われわれ国民は、こういう講座に出たり、パチンコやったり、マージャンやったり、仕事したり、大変忙しいので、行政のことはわれわれの税金を使って代わりの人に委託しているわけです。市長を選ぶ、知事を選ぶ、それから国会議員を選ぶというかたちで任せている。ところが代理であるにもかかわらず、その任せた人たちが権力を握って、国民にとってとんでもない法律をつくる恐れがある。そのときに、憲法に照らし合わせて、これはおかしい、この法律は憲法違反である、という場合には、われわれは裁判所へ訴える権利がある。

つまり、憲法というのは他の法律の上にあるのではなく、われわれの側にある唯一の法律なんです。憲法だけがわたしたちの法律なんです。わたしたちが選んだり委託したりした人たちが、一部の人たちだけの利益になったり、有利になるような法律をつくったとしたら、わたしたちはそれを憲法でチェックするわけです。憲法は政府のものでもないし、県のものでも市のものでもない、わたしたちのものなんです。その意味でも、憲法を使いながら、憲法をこっち側のものにしておかなくてはいけないわけです。

さて、だいぶ遠回りしましたが、そうやって近代的な市民社会が生まれ、同時に近代的な小説や演劇が生まれてくる。演劇というのは昔からある表現形式ですが、その表現形式も市民社会に合わせて変わらないといけない。でも、いきなり変わることはできないので、惰性で昔ながらの芝居を市民社会においても演《や》っているうちに、「どうもそれでは自分たちの考え、感じ方、悩み、苦しみ、楽しみが全然出ていないじゃないか」という声が上がってきて、誰かがそれを書かなければいけなくなる。そこで一番最初に出てきたのが、イプセンなんです。

さきほどもいったように、新しい市民社会になって男女同権の考え方が出てきたものの、男女の位置づけはなかなか変わらない。金持ちの男はきれいでおとなしいお人形さんのような女の人と結婚し、普通の男の人は自分のいうことを黙って聞いてよく働く女の人と結婚するとか、結局女性を自分の持ち物みたいに扱う性がどういう悲劇に陥るか、ということを書いていくわけです。

こういう「問題劇」は、問題が解決したらもう古くなって読まれなくなるのではないか、もう上演されなくなるのではないか、と思われるかもしれません。でも、イプセンの場合はそれでも読む価値があるんです。なぜかといえば、イプセンの生い立ちを見ていくとわかります。簡単に生い立ちをたどってみましょう。

なぜイプセンなのか？

イプセンは一八二八年にノルウェー東部の港町シェーエンに生まれました。父親は裕福な商人でしたが、イプセンが七歳のとき破産して上級学校に進むことが叶わず、十六歳でノルウェー南岸の港町グリムスタの薬局の徒弟となります。この薬局はいまも残っていて、イプセンが住んでいた部屋などもありますから、もしノルウェーへ行く機会があったらご覧になるといいと思います。で、その薬局の女中さんとできてしまい、私生児（非嫡出子）を産ませるわけです。そんなこんなで薬局を辞め、首都のクリスチャニア（現オスロ）へ行く。イプセンは大学に入るつもりで勉強していたのですが、結局、入試に失敗して、編集者をやりながら

＊2 一八八一年発表。アルヴィング夫人は、亡き夫を記念した孤児院の落成式の準備に忙しいが、その前夜、火の不始末で建物が全焼してしまう。放蕩な父親の病気を受け継いだ息子オスヴァルは、最後の発作を起こして廃人になる。家名を守るために、ひたすら醜聞を隠し通してきたアルヴィング夫人のもとに、再び因襲という「幽霊」が現れる。なお、亡くなったアルヴィング大尉は放蕩者で、息子のオスヴァルは父親の梅毒が感染した状態で生まれて、母親から病気は「遺伝」によるものだと告げられる。

る。その人にベルゲンという町に創設された「ノルウェー劇場」の座付き作者兼舞台監督として招かれます。

イプセンは、その劇場で仕事をする中で、劇場のメカニズムというか、いかにテーマが良くて会話がうまく書けていても、芝居になるとあまり効果がないんだ、というようなことを、失敗を重ねながら勉強していく。イプセンの偉いところは、大衆演劇を勉強しはじめたことです。「ウェルメイド・プレイ」という言葉がありますね。十九世紀初頭にヨーロッパに生まれた演劇で、筋立てや技巧が優れているけれども内容が空疎な芝居といった意味で使われることもありますが、筋立てが面白くて、普通の人たちが素直に楽しめる芝居なんですね。イプセンはそれを一所懸命勉強するんです。お客さんは一体どんなときに笑って、どんなときに泣くのか、あるいは、どんなときにつまらないといって舞台に腐った卵を投げつけるのか。

これ、日本でもやったらいいと思うのですが、その当時の向こうの劇場は、入り口で腐った卵や腐ったトマト、リンゴなんかを売っていたそうです。劇場側が、お客さんに「もし芝居がつまらなかったら、どうぞ投げてください」というわけです。お客のほうも、「よし、つまらなかったら投げてやろう」と買い込むのですが、本当にいい芝居だと、投げるのを忘れて観入ってしまう。そうするとお客さんの負けですよね。逆に、つまらない芝居は、舞台が腐った卵の臭いであふれかえって困ったという話もたくさん残っています。

形式の中で、何がうまくいって何がうまくいかないのかを一所懸命勉強したわけです。そこで発見したことのひとつが、舞台で幽霊を出すと絶対うまくいくということなんですね。舞台に限らず、小説も絵も音楽も全部そうですけど、わたしたちが見ないで済ましていることとや、見ようとしても見えないものを舞台に表したり小説に書いたり絵で描いたり音楽にすると、それを見たり聴いたりした人たちは、自分の心の奥のほうにあって、普段はなるべく見ないようにしていることに気づかせられる。そのひとつが幽霊なんですね。

イプセンは、高尚な芝居だろうが大衆演劇だろうが、舞台というひとつの表現

イプセンの場合、常に私生児というものに悩まされています。自分が女中さんに産ませた子どもに十四年間ぐらい養育費を送っていますし、イプセン自身が私生児だという噂もあります。[*3] そうした心の闇を抱えていますから、男性というのは誰しも、ぎりぎりのところで留まるか、ずっと手前で留まるかは別として、どこかで子どもができてもいいと思って女性にしがみつく気持ちをもっている、ということにイプセンは気がついている。

この手の問題を芝居で出していくと、それを観ている男の客たちは、「ああ、あれはおれの姿だ」と、自分が女性をそんなふうに扱っているんだということを突

＊3　原千代海『イプセン——生涯と作品』（玉川大学出版部、一九八〇年）によれば、両親の不和が大きくなった頃、母親が結婚前に付き合っていた男と結婚後も関係があり、イプセンはその男との間にできた子どもだという噂が耳に入った。しかし、それは「憂さを酒にまぎらせ、次第に粗暴になっていった」イプセンの父親を軽蔑した者たちが無責任に流したものであって、確たる証拠があったわけではないという。ただし、イプセンは生涯この「私生児」という烙印につきまとわれることになったようだ。

きつけられる。これ、大事なことなんですね。日常の中では絶対に出てこない人間存在の本質がかたちとなって、あるいは人物となってパッと出たとき、舞台は成功する。演劇の本質というのは、いまの社会の中で生きている人たちがもっている心の中の、何か見ないふりをしている大事な問題を舞台に出すことであって、手法はあまり関係ない。それがないと、お金を取ってお客さんに観せる、お金を払わせてお客さんに読んでもらうという、作者と観客あるいは読者との契約から外れてしまう。

いずれにせよ、さきほど申し上げたホッブズがつくった社会契約論の土台の上に近代的な国民国家ができ、市民という存在が台頭してきて、演劇においても市民の問題を扱わねばならなくなったときにイプセンが現れたということです。

イプセンの生い立ちについては、ベルゲンの劇場で座付き作者になったところまでお話ししました。才能を認められて張り切ったものの思うようにいかず、五年あまりで首都のクリスチャニアへ戻り、新しくできた「クリスチャニア・ノルウェー劇場」の芸術監督に就任します。ただ、ここでも運営がうまくいかず、劇場は閉鎖に追い込まれてしまう。その間に牧師の娘と結婚して一児をもうけるのですが、失業や生活難なども重なってイプセンはノイローゼに陥り、一八六四年、三十六歳のときにノルウェーを脱出して、ローマに向かいます。そして以後二十七年間、ヨーロッパ各地を転々としながら、その間に『人形の家』(一八七九年)、

『幽霊』(一八八一年)、『民衆の敵』[*4](一八八二年)といった作品を書き上げました。

ノルウェー語はもちろん、英語、ドイツ語、イタリア語などに翻訳されて一躍ヨーロッパを代表する大作家となっていきます。また日本の文学にも大きな影響を与え、明治の末から大正時代、昭和の初めにかけて、イプセンを勉強しないかぎり小説は書けない、イプセンを読まないうちは芝居を書いてはいけないといわれるくらい、そのテキストは大いに活用されました。

ここで、もうひとつの問題が出てきます。それほど高い評価を得ていたにもかかわらず、なぜいまの若い作家はイプセンを読まないのか? たとえば、わたしが「イプセン、イプセン」と盛んにイプセンの名前を出すと、「なぜイプセンなのか?」と訊かれます。これこそが今回のテーマそのものなので、まずはその話をしたいと思います。

*4 一八八二年発表。十九世紀後半、ノルウェーのある地方都市が温泉の効用を宣伝して町おこしを図るが、温泉水が工場廃液で汚染されていたことが発覚。それを告発する医師と黙殺しようとする役所や町民との対立を描く。

群を抜く導入の見事さ

戯曲の世界において、イプセンがいまだに世界のナンバーワンだというのは、端的にいえば、導入部のうまさなんです。これは現代の芝居のレベルをはるかに超えている。やはり偉大な劇作家ですね。芝居でも小説でもなんでもそうですけれど、最初の出だしがむずかしいんです。こういうことを書こうとさんざん考えた、資料も全部自分の血肉になった、人物も決めた。さて、どこからどういうふうに書いたらいいか——というときにイプセンを読んでいただきたい。イプセンの幕開きの技術というのは、これはもう、いま読んでも大変に参考になるどころか、戯曲作法の基本が各作品の冒頭にあります。それを細かく調べるために、実はイプセンの作品をじかに読んでいただくことが、今回の講座の参加の資格だったんですね。

とくに『ヘッダ・ガーブレル』の導入の見事さは、イプセンの作品の中でも群を抜いています。『人形の家』では、いきなりノラが出てくるでしょう。あれももちろんうまいのですが、主人公をいきなり出すというのは、相当に自信がないとなかなかできません。『ヘッダ・ガーブレル』は最初に主人公が出てこないんです。主人公が出るまでに、どういうふうにイプセンは書いているか、そこをよく見てもらいたい。あたかも煉瓦《れんが》を組み上げていって家をつくるように、ある煉瓦をまずひとつポンと置く。そして次に全然違う煉瓦をまたポンと置く。せりふひとつひとつが煉瓦の一個一個なんです。それをずうっと積み上げていって、気がつくと立派な家が目の前に立ち現れている。

ところで、皆さんは芝居、戯曲を読むのを面倒くさいと思われますか？　そうでもないですか？　ああ、すごいですね、そうでもないという方がけっこういらっしゃる。ぼくは、いまでも面倒くさくて仕方がないんです。小説であれば文章の始まりからずうっと単線的に読みながら、その情報を頭の中に入れられる。でも、芝居というのは、イプセンが代表例ですけど、あることが起こったと思ったら、次々にとんでもないことが起こっていき、気がつくといつの間にか見事な煉瓦づくりの壁ができていて、やがて一軒の家が出来上がる、というふうなつくり方をしている。この技術はすごいものですね。

ですから、面倒くさいと思っても、まず読まないと駄目なんです。芝居を書こうとか、役者になろうとか、舞台関係の仕事をしようと思っている人は、とにかくまず脚本《ほん》を読んでください。そこで肝心なのは、たとえば芝居の一週間前くらいに脚本《ほん》を読んで、いったん忘れる。脚本《ほん》を忘れて芝居を観ると、俳優の力、演出家の力、照明の力といったものがはっきりわかってくる。それで、観終わったらもう一度読む。

つまり、戯曲というのは音楽のスコアと同じなんです。指揮者や作曲家がスコアを見れば、ああ、これはこういう曲だなとか、ここはすごいなとか、演奏しなくともわかりますよね。でも、実際に演奏した場合にどういう音になるかは、どんなプロでもスコアを見ただけではわからない。ここはこういう和音が移動してくるとかの理屈はわかっても、実際にコンサートで音にして初めて「あ、こんなことを作曲家は考えていたんだ」ということに気づいたりする。N響のようないいオーケストラがやれば、技術の高さだけで聴き入ってしまうことがありますけど、帰ってきてもう一度スコアを見ると、「でも、自分だったらこうする」というのが出てくる。ですから、名作の戯曲というのは、読むたびにどんどんと解釈が深まっていくので、面白いんです。

それから、ト書きをしっかり読むことです。岸田國士[*5]さんは、日本の近代演劇を発展させた人ですが、ト書きを書かないという主義で、彼の芝居にはト書きがあまりありません。一方ぼくは、ト書きをたくさん書くほうなんですね。書くから偉いとか偉くないとか、そういう問題ではなくて、ト書きが書いてあったら、これは本当に大事にしてほしい。なぜト書きが大事かといえば、そこにはこれから展開する道具立てが全部書いてあるからです。というより、劇作家は全部書かないと駄目なんです。

もうひとつ、戯曲を読むときには、読み手がまずプロデューサーにならないといけません。本屋へ行くと、棚に戯曲の本が並んでいます。それを見て何を読もうかなと思うのは、今度何を上演しようかなということと同じなんですよ。その本の前に立ったらプロデューサー、本を抜き出したら上演決定です。それで今度は読み始めるわけですが、読み始めたら演出家にならないといけない。この芝居を頭の中の劇場でどういうふうに上演しようか、と読みながら決めていく。また、照明の指定や音の指定が出てきたときには、舞台装置家、音響家になる。俳優さんが着るものの説明が出てきたら、衣裳を考えなきゃいけないし、理想のキャス

＊5　一八九〇〜一九五四。劇作家、小説家、評論家、翻訳家、演出家。一九二八年、第一書房より演劇雑誌『悲劇喜劇』を創刊。三七年、久保田万太郎、岩田豊雄（獅子文六）と三人で、劇団文学座を創設。代表作に『チロルの秋』『牛山ホテル』他多数。

ティングもやらなければいけない。そういう目で戯曲を読んでいくと、理解がもっと深まります。

さて、『ヘッダ・ガーブレル』の出だしです。主人公が出てくるまでに、どういうふうにイプセンは書いているかを呑み込んでいただければ、もし芝居を書こうと思っている方には大変参考になると思います。実は、ぼくもこれで勉強したんですね。では、頭のト書きから一緒に読んでいきましょう。

［第一幕　冒頭のト書き］

くすんだ色合いの飾り付けで、趣味よく整えられた、立派な客間。奥手に広い間仕切りの戸口があり、カーテンが絞ってある。その向こうに、客間と同じスタイルの、やや小さな部屋。客間の壁は、右手に両開きのドアがあり、玄関ホールに通じている。反対の、左側の壁にはガラス戸がはまっていて、これもカーテンが絞ってある。そのガラス越しに屋根付きのベランダの一部と、はるかに、秋の色をたたえた木々が見える。客間の前方に、厚地のクロースを掛けた楕円形のテーブル。その周囲に若干の椅子。右手、壁の前寄りに、黒味がかった陶製の大きなストーブ。背の高い肱掛け椅子、オットマン式の足のせ台が各一脚と、スツールが二脚。奥手、右の隅にコーナー・ソファーと小さな丸テーブル。前景、左手の壁からやや離れてソファーが一脚。ガラス戸の奥手にはピアノがある。奥手の戸口には左右に飾り棚があり、テラコッタやマジョリカ焼きの置き物が飾ってある。——奥の間、背後の壁に寄せてソファー、テーブルが各一脚、椅子が二脚。ソファーの上に、将官の制服を着けた年配の立派な男の肖像が掛かっている。テーブルの上のほうには、すりガラスの火屋《ほや》を掛けた吊りランプ。——花瓶やコップに生けた花束が、客間のあちこちに置いてある。テーブルなどにも載っている。どちらの部屋にも、厚い絨毯《じゅうたん》が敷きつめてある。——朝の光。ガラス戸越しに日光が差し込んでいる。

ユリアーネ・テスマン嬢がホールから入ってくる。帽子をかぶり、パラソルを手にしている。ベルテが、紙にくるんだ花束を持ってついてくる。テスマン嬢は六十五歳ぐらい、やさしそうな感じの、美しい婦人である。こぎれいだが質素なグレーのコスチュームを着ている。ベルテは年配の女中。平凡な顔だちで、物腰にやや田舎じみたところがある。

まず最初に「くすんだ色合いの飾り付けで、趣味よく整えられた、立派な客間」とあります。舞台装置家としては、これだけじゃわからない。続いて、「奥手に広い間仕切りの戸口があり、カーテンが絞ってある」。つまり、この芝居は舞台正面の奥にカーテンが下がっている大きな戸口があり、そこからどこかへ行けるわけですね。「その向こう」、つまり奥手の向こうに「客間と同じスタイルの、やや小さな部屋」がある。ここまで来たら舞台装置家はびっくりしないと駄目ですね。舞台というのは、なるべくお客さんに近づけるために、部屋を二つ用意するときは横に並べるんです。ところがここでは、まず大きな立派な客間があって、その正面奥にもうひとつ小さな部屋がある。実は、これがこの芝居の大変なからくりになってくるのですが、舞台装置家としては、まずここに線を引きます。

そして、お客さんから見て客席の壁の右手に「両開きのドアがあり、玄関ホールに通じている」。つまり、上手《かみて》に両開きのドアがあって、そこから出ると玄関のホールがある。泥棒以外は、ここから人が入ってくるということがわかります。で、反対の左側、下手《しもて》側には「ガラス戸がはまっていて、これもカーテンが絞ってある」。こっちはガラス戸ですね。「そのガラス越しに屋根付きのベランダの一部と、はるかに、秋の色をたたえた木々が見える」。季節の設定は秋です。左側にガラス窓があってその奥のほうに木が見える。そして「客間の前方――つまり舞台中央のあたり――に、厚地のクロースを掛けた楕円形のテーブル。その周囲に若干の椅子。右手、壁の前寄りに、黒味がかった陶製の大きなストーブ。背の高い肱掛け椅子、オットマン式の足のせ台が各一脚と、スツールが二脚」。

次は奥手の右のコーナーです。そこにはコーナー・ソファー、小さな丸テーブルがあり、ガラス戸の奥手にはピアノがある……という具合に、さきほどいったように、優れた劇作家は舞台にあるものを全部書き出していく。で、読むほうは、その芝居がどういう場所で展開されるのかをそこから分析するわけです。この場合のポイントは、「どちらの部屋にも、厚い絨毯が敷きつめてある」と書かれていることです。つまり、靴の音がしないというのが大事なんです。誰かがもし部屋に入ってきても気づかない。これが後で大きな問題になってきます。

そのすぐ後に「――朝の光。ガラス戸越しに日光が差し込んでいる」というト書きが続いて、舞台設定は終わります。そうすると、舞台装置家であるわれわれ読み手は、朝日が差し込んでくる方角が東で、その反対側が西。東に向かって右手が南で、左手が北だということがわかってくる。

今度は照明家になって、「すりガラスの火屋を掛けた吊りランプ」というのが出てきますから、ランプの光が問題になってくる。それに、もし場面が夕方になってこの扉を開けたとき、玄関から西陽が差してくるかもしれないし、こないかもしれない。そこは演出家と相談して、差してくるように演出するか、それだと金がかかるからやめよう、とか。そうやって、まずト書きを十分に読み込んで、舞台装置家になって具体的な配置図を紙に書いてみる。芝居というのは、そういうふうに読まないと、なかなかわかりにくいというのがわたしの実感です。

問題は、イプセンはこの『ヘッダ・ガーブレル』で、なぜ二つの部屋を奥へ重ねてしまったのか、ということです。

ここまでの話で、日本でこの芝居をやる場合、この客間をしっかりつくらないと成功しないということが、だんだんわかってきたかと思います。で、朝の光がガラス戸越しに入ってきていますが、朝といっても何時頃なのか。この段階ではまだ書かれていません。そして、このト書きの後、いよいよ舞台の幕が開きます。

ぼくだったら、どういうふうにしましょうか。まず、真っ暗なところへ朝の光がすうーっと入ってきて、その後、ゆっくり明るくしていくという手はありますというか、それしかないですかね。光って、一瞬にやってきそうなものですけど、実際には〇・五秒かもっと細かい差で、いろいろに明かりが変化していますから、朝の六時なら下手《しもて》のほうから光がすうーっと入り込んでくると同時に明るくなって、この豪華な居間が一気に目に入ってくる。

と、そこへ二人の人物が玄関から入ってくる。一人はユリアーネ・テスマン嬢。「帽子をかぶり、パラソルを手にしている」「テスマン嬢は六十五歳ぐらい、やさしそうな感じの、美しい婦人である。こぎれいだが質素なグレーのコスチュームを着ている」。ここで舞台装置家は消えて、衣裳デザイナーに早変わりします。ここでイプセンが「嬢」と書いているのは大事です。この六十五歳の美しい老婦人は結婚していないんだな、ということをまず感じないと駄目です。もう一人のベルテは「年配の女中。平凡な顔だちで、物腰にやや田舎じみたところがある」。この辺がまあ、イプセンの古いところですね。なんで、女中というと田舎っぽくて平凡だということになるのか、このパターン化した描写はけしからん、なんて思いながら読むわけですが、そんなのいちいちやっているとも前へ行きませんので、先へ進みましょう。

まず、テスマン嬢がちょっと立ち止まって家の中の気配を探る。そして声をひそめて「おや、まあ、まだ起きてないんだよ!」という。しかし、このせりふ、よろしくないですね。翻訳者の原千代海さんは、イプセンに一生を捧げたような人で、全戯曲の全訳を成し遂げていますから、尊敬すべき人ではあるのですが、翻訳はあまりよろしくないんですね(笑)。このせりふだと実際に上演するときに困るんです。つまり、テスマン嬢は、いいところのおばあさんです。その人が「おや、まあ、まだ起きてないんだよ!」なんていいませんよね。せめて「まだ起きてないわ」とかね。

そうすると、ベルテという女中さんが同じく声をひそめて「そうでございましょう。あんなに遅く船が着いたんでございますもの、昨夜《ゆうべ》は。それに、まあ、そのあとが! まあ、」というのですが、こっちのほうが上品そうな気がする(笑)。その後「――たくさんなお荷物をお片づけになったんでございますよ、おやすみになる前に、若奥さまは」というせりふが続きます。

イプセンの芝居には大体、一作につき九百~千二百くらいのせりふがあります。もし全部で千のせりふがあるとすると、千分の二、五百分の一のせりふがこの二つで終わったわけです。ここで何がわかりますか？　部屋の中には、まずテスマン嬢が「まだ起きていない」と文句をいっている誰かがいる。ベルテのせりふからは、その人は昨夜の遅くにこの町に着いた、ということがわかる。

ここがうまいんですよね、イプセンという人は。ぼくらですと、ここに来るのが初めてという人を連れてきて、この家をよく知ってる人にバタバタッと説明させちゃうんです。何も知らない人はお客さんと同じレベルですから、よく知ってる人に説明させてお客さんにわからせる。でもイプセンがこういうことをやってくれたおかげで、いろいろな方法を考えることができる。イプセンが「近代演劇の父」といわれるのはこういうところなんです。

人事問題で芝居を進めていく

イプセンの登場人物は、説明的な思い出話はしない、過去を語らずにいまの感覚でものをいっています。そのせりふ＝煉瓦をお客さんがひとつひとつ受け取っていきながら、一幕の終わりの、これからすごいことが起こりそうだというところまで、ぎゅーっと煉瓦を積み上げていく、この見事さですね。芝居をお書きになりたい方は、この『ヘッダ・ガーブレル』の最初のところを暗誦できるぐらい覚えておくといいでしょう。この調子で書いていけばいいんですから（笑）。いやいやホントですよ。そうやって勉強していくわけです。

もうひとつ、ベルテのせりふで、「あんなに遅く船が着いたんでございますもの、昨夜《ゆうべ》は。それに、また、そのあとが！　まあ、」というところでやめている。ここがイプセンの偉いところです。ぼくらだと、続けて「着いてから歓迎パーティかなんかで」とやっちゃうのですが、それだとお客さんが情報過多になってしまうので、あえてその先はいわない。こういうところがうまい。

次に、「たくさんなお荷物をお片づけになったんでございますよ、おやすみになる前に、若奥さまは」というせりふから何がわかります？　昨日、たくさん荷物をもった若い奥さんが誰かと帰ってきて、その荷物をすぐに片づけたというから、〝その若奥さんは整理好きのよく働く人じゃないか〟とか、〝もしかすると、旅行というのは新婚旅行じゃないか〟とか、観客は必死になって想像していくわけですね。

三番目のせりふはテスマン嬢です。「まあ、まあ、好きなだけやすませてやりましょう。でも、起きてきたら、新鮮な空気が吸えるようにしといてやらなくちゃね」とガラス戸を開ける。最初の「まあ、まあ」というのは、ベルテがしゃべっているうちにだんだん声が高くなってきたので、それをテスマン嬢が〝まあ、まあ、寝てるんだから騒がないで〟と抑えているのですね。で、起きてきたら新鮮な空気が吸えるようにしておいてあげよう、といってガラス戸を開けるわけです。

でも、「新鮮な空気」というこの訳も、演出家の立場からすると、ちょっと引っ掛かりますね。普通の会話なら、「いい空気」とか「きれいな空気」でしょうか。もし「新鮮な空気」でやるとなると、このテスマンというおばあさんは、相当モダンで学のあるおばあさんとして設計していかないといけない、と演出家としては思うわけですよ。

ま、それはひとまず措いておいて、先に行きましょう。テスマン嬢が戸を開けたあと、ベルテがテーブルのそばで花束をもっているのですが、部屋の中にある花瓶には全部花が挿してあって、その花束をもて余している。これは、いま休んでいる誰かと若奥さんが帰ってきたことを歓迎しているということですね。そこで観客は、舞台にあるあちこちの花瓶に花が飾られていることに、何か特別な意味があるのではないかと気がついてくる。

ベルテは仕方なしに「じゃ、ここへ置いときましょうね」といって、ピアノの上に花束を置きます。このピアノも、後ですごい働きをするのですが、ストーブでもなくテーブルでもなく、わざわざピアノの上に花を置いた瞬間に、特別な意味をもってくる。こうやってイプセンは、芝居の始まりからピアノに注意を集めさせているんです。

ベルテは花束を置くまでの間、ピアノを見ていますから、それを観ているお客さんも、このピアノ怪しいぞとか、この後で誰かが弾くんじゃないかとか、それぞれ頭の中に思い浮かべる。そうやって煉瓦を一個ずつ置いていくわけです。

では、五番目のせりふに行きましょう。テスマン嬢が、「さあ、さあ、これでお前も新しい御主人ができたってわけだ、ね、ベルテ」と。ここで初めてベルテという女中さんの名前が出てきます。そして「本当につらかったんだよ、お前さんと別れるのは」と続く。ここは重要なせりふですね。品の良い六十五歳くらいの老婦人と年配の女性が入ってきて、二人の話から片方が主人でもう片方が女中さんだということをお客さんは何となく感じ取っている。そこへ「これでお前も新しい御主人ができた」というせりふが出てきて、あ、この女中さんは年配の婦人のところで長い間働いていたらしいけれど、昨日帰ってきた人たちがこの女中さんの新しいご主人になるんだ、ということがわかるし、老婦人が彼女と別れることを辛く思っていることもわかる。ここまでまったく無駄がない。余計なことは何もいっていません。

そして六番目のせりふ。「(ベルテが)泣き出しそうになり」というト書きがあって、「わたしこそ、お嬢さま、何と申し上げてよろしいやら!」ここで初めてお客さんは——本にある「テスマン嬢」の「嬢」の字は見えませんから——六十五歳の老婦人がベルテに「お嬢さま」と呼ばれていることを知る。これ、お客さんには大変重要な情報ですね。老婦人が「お嬢さま」といわれていたときからこの女中さんはいて、お嬢さまは結婚せずに老婦人になるまでそのまま家にいる。そして女中さんはずうっとその世話をしてきたことがわかる。すると、この女中さんの歳もおおむね決まってきます。こうした二人の関係を「わたしこそ、お嬢さま」というだけでわからせてしまう。うまいですよね。

となると、こんなに長いあいだ親密に暮らしていたベルテを、老婦人はなぜ昨日着いたばかりの若奥さまとその相方のもとに置くことにしたのか？　これがお客さんにとっては大きな問題になります。これは、いってみれば人事問題です。間取りとかの問題ではなしに、人事問題で芝居を進めていくというのは、当時としては非常に新しい手なんです。われわれも人事問題が大好きですよね。会社の人事から始まって「今度の忘年会、幹事、誰にする？」とか、「次の首相は誰だ」とか。人の動きに興味をもつというのは当たり前で、正しいんです。この人事問題で芝居が進んでいくところがすごいんですね。

こうなってくると、二人が入ってきたときの態度などが全部逆算できる。二人はけして楽しそうではなくて、別れを前に緊張しているということですね。そして、さっきの「何と申し上げてよろしいやら！」の後に続きます。「本当に長いあいだお世話になってまいりましたんですからね、あなたさまや、リーナさまに」

ここでまた新しい名前が出てきました。リーナって誰だ？　ここも人事問題で迫ってくるわけですね。このリーナという人がこの女中さんと一緒にいたということで、老婦人とリーナの関係は何だろうという疑問が浮かび上がってくる。それに対するテスマン嬢のせりふがこうです。

「できるだけ我慢しなくちゃね、ベルテ。どうしようもないんだから。イェルゲンの面倒は、お前でないと勤まらない。本当にそうなんだよ。子供のときから世話になってきたんだからね」。ここでまた新たにイェルゲンという人が出てきます。

それを受けて、「でも、お嬢さま、リーナさまのことだって心配でございますからね、ベッドにおつきっきり——ここは「寝たっきり」のほうがいいでしょうね——ですもの。本当に、もう、お気の毒で。そこへ今度は、新米の女中でございましょう！　あんな娘《こ》にお世話ができるもんですか、御病人の。できませんですよ」とベルテが高い声でいう。ちょうどここで一段落終わったところです。

ここまで芝居が進むと、たくさんのことがわかってくる。「イェルゲンの面倒は、お前でないと勤まらない。本当にそうなんだよ。子供のときから世話になってきたんだからね」というところで、若奥さまの相手はイェルゲンということがはっきりわかる。また、そのイェルゲンは昔からベルテの世話になっていて、だから老婦人のところからここへ来ることになったのだということもわかる。

で、イェルゲンという男——ノルウェーの人たちはこれが男の名前だということはすぐわかります——は、子どものときからずうっとベルテの世話になっていて、ひょっとしたら、その彼が若奥さまとどこかへ行って、昨日戻ってきたんじゃないか……。お客さんは、ここまでのせりふを聞きながら、どんどん話を組み立てていくわけですね。

次の「でも、お嬢さま、リーナさまのことだって心配でございますからね、ベッドにおつきっきりですもの。本当に、もう、お気の毒で。そこへ今度は、新米の女中でございましょう！」というベルテのせりふで、リーナというお嬢さんは病気で寝たきりらしいこと、そして、自分がここへ移るために老婦人は新しい女中さんを雇ったのだが、あんなのに奥さまの世話はできっこないとベルテが思っていることがわかるわけですね。

このわずか八つのせりふの中に、こんなにたくさんの情報を込めながら、しかもまったく自然なんです。こういうところを見ると、本当に素晴らしい劇作家だと思います。これが書かれたのは十九世紀の末（一八九〇年）ですから、百十年ぐらい経っていますが、これほど見事な幕開きというのは、そういくつもない。たいしたもんだと思います。

さきほどいいましたように、ぼくは芝居を書くときに必ずイプセンを読むんです、とくにこの始まりを。ですから、ぼくの幕開きもけっこううまいんですよ（笑）。いや、ホントに。これは自慢じゃなくて、いいお師匠さんがいるからです。お師匠さんを選ぶのは本当に大事なんです。伊能忠敬[*6]だって、お師匠さんがあれほど偉くなければ、ただのおじいさんですからね。彼のお師匠さんは高橋作左衛門至《よし》時《とき》という幕府の天文方で、忠敬に、「おまえさんはこの仕事をしなさい。あなたに

＊6　一七四五～一八一八。十七年かけて日本中を測量し、大日本沿海輿地全図を作成。実測に基づく日本地図を初めて完成させた。井上ひさし『四千万歩の男』（全五巻、講談社、一九八六～八九年）は忠敬を主人公にした長編小説。

はこの仕事が向いています。この仕事を誰もやれてません。あなたならできます」ということをいいます。忠敬は先生のいっている意味を理解し、ただひたすら歩き続ける。伊能忠敬さんは半分ぐらいしか偉くなくて、後の半分は師匠の至時が偉いんです。お師匠さんがいいと、力をもった人がすんなり伸びていくわけですね。

ですから、わたしもこのイプセンをお師匠さんにしているので、すんなり伸びていく……のかどうかわかりませんが。すんなりという割には原稿が遅れてるじゃないか、という声もどこからか聞こえてきます（笑）。というところで、ちょっと休憩を取ります。

小道具を徹底的に使いこなす

さて、八番目のせりふまで終わりました。この『ヘッダ・ガーブレル』という芝居はたしかせりふの数が九百かそこらですから、もう百分の一ぐらい終わったことになります。ここまでの間、人事問題だけでうまく説明しているわけですね。では、九番目のせりふに移ります。ベルテが新しい女中に対して「あんな娘《こ》にお世話ができるもんですか」といったのに対して、テスマン嬢が答えます。

「そりゃ、仕込むまでは大変でしょう。でも、たいていのことはわたしがやるから、病人のことは、そんなに案じなくても大丈夫だよ」

次に、ベルテ。「ええ、でも、もう一つ気がかりなことがございまして、お嬢さま」。お嬢さまは二回目ですね。ここでイプセンは、観客に〝この人は六十五歳ぐらいの女性ですけれど、お嬢さまと呼ばれていて、ずうっと独身でここまで来たんです〟ともう一度念押ししているわけです。この劇作家は無駄なことは書きませんので、この「お嬢さま」には、ちゃんと意味がありますよね。

ベルテのせりふは続きます。「わたし、こちらの若奥さまに、気に入っていただけないんじゃないかと、そりゃ、ビクビクしておりますんですよ」と。ここで「若奥さま」というのがはっきりしてきます。そして、この若奥さまがヘッダ・ガーブレルであるというのを、ほとんどのお客さんは知っている。『ヘッダ・ガーブレル』という芝居を観にきているんですから、ハムレットが出てくるはずはないですよね（笑）。この後のやりとりを引用します。

テスマン嬢　そうね、――そりゃ、まあ、はじめはもちろん、そう、しっくりとはね――

ベルテ　とても気むずかしいお方のようで。

テスマン嬢　そりゃそうよ、ガーブレル将軍のお嬢さんだもの。将軍が生きておいでになったころは、あのひと、大変だったからね！　お父さまと一緒に、よく、馬を乗りまわしていたでしょう？　ほら、あの黒い乗馬服？　羽根の付いた帽子をかぶって？

ここで「ガーブレル将軍のお嬢さん」というのが出てきます。そうすると、テスマン家の嫁になったわけですから、「ヘッダ・テスマン」になっていていいわけですよね。ところがタイトルが「ヘッダ・ガーブレル」ですから、ここでお客さんはちょっと違和感をもつと思います。実は、この辺で少し過去へ踏み込んでいくんです。老婦人と女中さんとが一所懸命に主役のヘッダ・ガーブレルという主人公のイメージをどんどんつくり上げていくところですね。いわばタイトル・ロールです。

そうすると、ガーブレル将軍――将軍というと軍人だと思ってしまいますが、当時のノルウェーでは貴族なんです。つまり、このせりふを聞いたノルウェーの人は、その若奥さまが貴族のお嬢さんだとわかる。一方のテスマンという老婦人は品がいいし、女中さんもしっかりしていますが、実はテスマン家は中流階級なんですね。つまり、イェルゲンは、上流階級のお嬢さんと身分違いの結婚をしたということです。

そして、このイェルゲンという男の子は誰の子なのか？　私生児か？　貰いっ子か？　イプセンはまだ手の内を明かしていません。これに対してベルテは「そうおっしゃれば、本当に！　――でも、それがどうでしょう、旦那さまとご夫婦におなりになるなんて、夢にも思いませんでした、あのころは、まったくね」と。この「旦那さま」という訳語も、観客・読者をちょっとミスリードしてしまいますね。ベルテにしてみればご主人ではなく〝坊ちゃん〟ですよね。

それはともあれ、老婦人はベルテをたしなめます。「わたしだってさ。――それはそうと、ね、ベルテ、いまのうち言っとくけど、これからは、イェルゲンのことを旦那さまと言うんじゃないよ。ドクトルとお呼び」と。続いてベルテ。「はい。若奥さまもそうおっしゃいました――昨夜、――お帰りになりますと、すぐに。じゃ、本当なんでございますね？」

ベルテは昨夜すでに若奥さまに会っています。会った結果、「ドクトルって呼びなさい」といわれた。その言い方から、ベルテはこの若奥さまに気に入ってもらえるだろうかと心配していることがわかりますが、このベルテの心配は観客の心配でもあるんですね。

というのも、芝居を観ているお客さんには「刷り込み」――生まれたばかりの鳥のひななどが最初に動いたものを母親と思って付いて行ってしまうというものですね――によって、一番最初に現れた人に愛着をもつんです。古代ギリシャ劇には、コロスというコーラス隊がいて、その劇の情況を説明したり批評したりするのですが、そのコーラス隊の後に最初に出てくる人に対して観客は好意を寄せる。

長谷川一夫[*7]の芝居が、これと同じことをやっています。まず最初に捕り手みたいなのがバァーッと出てきて、〝あいつを捕まえないとえらいことになる。あっちを探せ、こっちを探せ〟と、何か大変な人を探しているという情報をまずお客さんに与えておいて、サッといなくなる。そこへ天水桶の陰から長谷川一夫がすうっと出てくる。長谷川一夫って、そういう出方をしますよね。で、被っていた手拭いを取って、それをパッと叩《はた》く（笑）。

この「刷り込み」によって、最初に出てきたベルテの心配がお客さんの心配にもなるわけです。次に「ドクトル」の問題があります。イェルゲンがドクトルになって帰ってきたのは本当なのか、とベルテが老婦人に訊きます。

テスマン嬢　本当だとも。そうなんだよ、ベルテ、――向こうの大学でドクトルになったんだよ。外国でさ、ね。わたしだって、そんなこと、まるで知らなかったんだからね、――桟橋であれの口から聞くまでは。

ベルテ　まあ、何でもおできになるんじゃないかと思ってはおりました。頭がおよろしいんですから。でも、病人までお治しになるなんて、まさかね。

テスマン嬢　いいえ、そのドクトルとは違うんだよ。――（意味ありげにうなずいて）とにかく、もっと立派な名前で呼ばなけりゃいけなくなるだろう

＊7　一九〇八〜八四。俳優。戦前から戦後にかけて、日本映画を代表する二枚目俳優として活躍した。

よ、近いうちに。

ベルテ 本当でございますか！　じゃ、どんなお名前で？

テスマン嬢 （にこっとして）ふふ、――そのうちにわかるよ！　――（感動的に）ああ、ああ、――死んだ兄が草葉の陰からのぞけたらね、そして、息子がどんなになったか、ひとめ見られたら！……

ここで、「旦那さま」といった理由もすべて解決します。テスマン家は三人兄妹《きょうだい》で、一番上が男、二番目、三番目が女。長男が家の主人で、そこに子どもが一人生まれた。それがイェルゲンであり――イェルゲンのお母さんについてはいまのところわかりませんが――、二人の妹たちは結婚せずに、仲のいい三人兄妹として生活しているうちにお兄さんが死んで、遺されたその息子を二人の妹とベルテが一所懸命愛情を注いで育てた。それが将軍の娘さんと結婚して、長い旅から昨日帰ってきてここに住むことになり、ベルテは二人の女中になる……。こんな複雑なことが、これだけでわかっちゃうんですよ。

もうひとつわかるのは、このイェルゲンという青年は女性だけに育てられたということです。叔母さん二人と女中さんに育てられた、甘ったれな――こう決めつけていいかどうかわかりませんが――、頭が良さそうで、学者の道を進んでいるらしい、と。しかも叔母さんの話だと、近いうちにもっと立派な名前で呼ばれるようになる。ドクトルの上は何かというとプロフェッサーですね。つまり、この青年は近いうちにこの町にある大学の教授になるはずだとこの叔母さんは信じていますし、それを死んだ兄が知ったら、どんなに嬉しいだろう、と。

この先をお読みになればわかるように、ヘッダ・ガーブレルは、目的もなく人を不幸にしながら結局自殺してしまうという、とんでもない女性です。となれば、あまり早くに登場させると、「刷り込み」によって観客は彼女に感情移入してしまう。そこで、まずテスマン嬢とベルテという二人の女性を出しておいて、ヘッダ・ガーブレルは遅れて出すわけです。でも『人形の家』の場合は、お客さんがノラの側に立ってほしいと作者は考えているので、なるべく早く出すんです。

さっき、ピアノには特別な意味があるといいましたが、一幕が終わって二幕の幕が上がったときに、ピアノのあった場所には机があり、ピアノは奥に下がっている。邪魔になっていらないから奥の部屋へ移したわけではありません。舞台の上ではすべてのことが計算されていて、偶然そこにあるということはありえないんです。

俳優の演技なら、たとえば昨日転んで右手が動かなくなったときには、昨日と今日とでは演技の意味は同じでもかたちは違ってくる。しかし、装置が変わるというのは大変なことですから、お客さんは二幕目になって、なぜピアノは奥のほうへ行っちゃったんだろう、これはもっとすごい意味がありそうだな、というふうに考えていく。

ちょっ先取りしてしまいますが、最後の四幕目の一番終わりで、ヘッダ・ガーブレルは将軍のお父さんが残してくれたピストルで自殺してしまう。そこでピアノがまた登場する。この辺のイプセンの堂々たる作劇術というのは大変なものです。確信をもってピアノを移動させて、それによって、ピアノにより深い意味を与えていく。最初にベルテがピアノの上に花束を置きますね。黒いピアノの上に花を置いたのは、お墓に花を供えたことだということが、芝居を観終わるとわかる。すぐれた劇作家というのは、いったん出したものを徹底的に使いこなすんです。

だから使わないものは出さないほうがいいんです。観客の想像力というのはすごいもので、たとえばジーパンを穿いて片っぽの肩にひらひらの黄色い将軍の肩章を付けただけで、ジーパンを穿いていようがいまいが、「これは将軍だ」といえば必ず信じてくれる。信じない人は途中で帰っちゃう。あるいは、行灯《あんどん》をひとつポンと置いただけでもう江戸時代の屋敷だか長屋になってしまう。置いたものは必ず意味がある。椅子一脚でもポンと置いてあったら、それは大変な装置になってくる。イプセンのピアノの動かし方、これは上手ですね。

近代の結婚制度へ疑問を投げかける

さて、せりふに戻りましょう。

ここまでテスマン嬢とベルテの二人だけで話が続いています。これ、相当うまい役者じゃないと駄目ですね。この二人だけで、芝居を観るのに必要な情報を人事問題にかこつけて展開していくわけですから。で、テスマン嬢が「息子がどんなになったか、ひとめ見られたら！」と兄を思うところまで行きました。その後、テスマン嬢は辺りを見回すのですが、これは、お客さんも一緒になって見回しているわけですね。そして「あらまあ、ベルテ、——何だって、こんなことしたんだい？　カバーをみんなはずしてしまって？」と。するとベルテが、「奥さまのお言いつけで、椅子にカバーをするのは、お嫌いだとおっしゃいまして」という。

これも大変な情報ですね。普通、椅子にはカバーがしてあります。若奥さまはそういうのが嫌いなんですね。つまり、みんなカバーをつけて大事に大事に使おうとしているのに、それを外すというのは、これは相当な浪費家で金遣いが荒い、常識とはちょっとかけ離れている人だということを意味しています。そんな、じゃじゃ馬の金持ちのやりたい放題の常識外れで、椅子にカバーを掛けるのが嫌いだなんていうお嬢さんと、女手で育った、頭は良さそうだけど甘えっ子の青年がうまくいくだろうか、というのが観客の最大の問題になってくるわけです。

最大の問題になったところで、そのイェルゲン・テスマンが鼻歌を歌いながら奥の間から入ってくる。ここ、うまいですね。先にテスマン嬢が「まあ、まあ、好きなだけやすませてやりましょう」といっていましたから、奥の間のほうに寝室があるわけですね。つまり、奥の間には寝室や台所、食堂があって、彼女たちがいまいるのは控えの客間であるということですから、ずいぶん大きな構えの家になっている。

そして、ト書きにイェルゲン・テスマンの説明が書いてあります。「口の開いた空《から》のスーツケースを持っている」。この空のスーツケースが後でちゃんと効いてきます。「三十三歳。中背で、若々しく見える。やや太り気味。無邪気で、快活そうな丸顔」。こんな役者いますかね。書く側ではもちろんいいわけですが、キャスティングが大変ですね。「髪と口髭はブロンドである。眼鏡を掛け、ゆったりとした部屋着を、ややだらしなく着ている」

さっそく老婦人が、「おはよう、おはよう、イェルゲン！」といって、イェルゲンは間仕切りの戸口で立ち止まる。そして「ユッレ叔母さん！　やあ、ユッレ叔母さん！」といいます。ユッレというのはユリアーネの愛称です。さっきリーナという名前が出てきましたね。つまり、ここにいるテスマン嬢の名前はユリアーネで、家で寝たきりになっているのがリーナだとわかる。

もうひとつ、イェルゲン青年が三十三歳だと明かされますが、三十三歳まで女三人の中で育って、ようやく今度結婚する。まあ無邪気には違いないけれど、それが鼻歌なんか歌いながら入ってくるのだから、お客さんは「これはなあ……」と感じますよね。演出次第では、この芝居の前途を案じながらもワクワクしてくるわけですね。

これ、一行一行やっていると時間がなくなるので、少し早足でいきます。イェルゲンが「どうしました――こんなに早く！　え？」というと、叔母が「だって、様子が知りたいじゃないか、うまく落ち着いたかどうか」てなことをいう。さっき、叔母が甥《おい》と桟橋で会ったという話が出てきましたが、次にイェルゲンが「それで、お帰りは心配なかったわけですね、桟橋から？」といっているので、桟橋からこの若夫婦は友だちか誰かと一緒に帰って、迎えに行った叔母さんは別に帰ったらしい。それに答えて、「判事さんが門口《かどぐち》まで、ちゃんと、送ってくださったの」という。この判事は後で大活躍するのですが、ここでちらっと出してくるんですね。

では、なぜユッレ叔母さんはイェルゲンたちと別に帰ったのか。それはイェルゲンのこのせりふで明らかになります。「どうも、あなたを馬車にお乗せできなくて。なにしろ、あの通りでしょう――。ヘッダの荷物がどっさり着いたもんですからね」。作者はこうやって、だんだんヘッダのイメージをつくっていくわけです。後でわかりますけど、イェルゲンとヘッダは新婚旅行に出かけて半年ぶりに帰ってきた。それで、叔母さんもベルテも桟橋へ迎えに行ったのですが、ヘッダの買った荷物でいっぱいだったので馬車に乗れなかった。そうすると、お客さんはますますヘッダという人物に対して心配になります。

この辺りで、そろそろベルテを退場させなくてはいけません。お客さんは、ずうっとベルテとテスマンの会話だけを聞いてきたので、もう限界が来ている。そこでチェンジング・パートナーしないといけないのですが、叔母さんを引っ込めるわけにいかないから女中さんのほうを処理する。そのために空のスーツケースをもってこさせるんです。ベルテのこの家での最初の仕事が、例の「空のスーツケース」を片付けにいく、つまり退場することなんですね。そこで今度は、叔母さんと甥っことという違う組み合わせの話が聞けるわけです。

こういうところ、なんでもないのですが、「じゃ、ちょっと失礼します」なんていって引っ込んでは駄目なんです、それは作者の都合ですから。われわれは「仕事」といってますけど、登場人物を登場させたり退場させたりするには、必ず仕事を与えないと駄目なんです。その仕事をさせるためにいなくなるとか、その仕事をするために出てくるというふうにしないといけない。イプセンの場合も、市民社会を写実的に映そうということで、登場・退場にも必ず意味があります。

ここで甥っこが、「どうです、叔母さん――」、あの鞄には、写本がいっぱいつめ込んであったんですよ。古い文献をあさって、僕が掘り出したものなんですが、まったく信じられないくらいでね。とても貴重な資料なんです」という。貴重な資料を自分の部屋にちゃんと整理しておいて、空になったスーツケースをもってきたわけです。叔母さんが、「じゃ、新婚旅行の間も、時間を無駄にしなかったってわけね、イェルゲン?」と訊くと、「そうですとも」と甥っこは答える。

つまり、この男は新婚旅行のあいだも、古い文献を漁って研究をやっていたんです。そんな夫との新婚旅行に、ヘッダ・ガーブレルという、やんちゃないいところのお嬢さんが満足したのだろうか。いま、二十七、八歳で三回目の結婚をする女性もけっこう多いですよね。彼女らは、結婚するまでが楽しい、といいます。結婚式がピークなんです。新婚旅行もそれなりにいいのですが、結婚して、子どもができて、それを育てていうと、うんざりっていう人が多いらしい。それで別れて、また恋愛をする。恋愛のあいだはすごく楽しいわけですが、結婚してしまうと、またうんざりとなる。だから、三回ぐらい結婚、披露宴をやらないと収まらない。そういう例をいくつか聞きます。

『ヘッダ・ガーブレル』が、いまでも面白いのはその問題なんです。つまり、結婚してしまうと目標がなくなってしまう、この悲劇ですね。近代の結婚制度というのは果たしていいものなのか、というすごいテーマが入ってきているんです。結婚すると、結局魂を抜いてお互いに自由を奪い合うわけです。そういう中で生涯ずっと添い遂げていくのは可能かどうかという、すごく先見的な問題を扱っている。そういう面からこれを上演したら、いまの人にもぴったりくるんじゃないですか。

まあ、ぼくにしたってそうですよ。いや、自慢しちゃいけないですね（笑）。ぼくは二回だけですけど、やっぱり結婚まで……いや、いや、いまは結婚してからも面白おかしくやってますけど（笑）。イプセンの芝居じゃないですけど、一挙手一投足からどんどん相手側の情報を積み上げていく。これ、芝居の入りと同じですよね。一言一句せりふを聞きながら、この人はこういう少女時代で、こういう娘時代で、というイメージをつくっていく。われわれも日常的に情報を取りながら積み上げていくことをやっているんです。そういう意味で、芝居は非常にためになるんです（笑）。

この調子で行くと明日の朝ぐらいまでかかりますので、急ぎます。甥の話を聞いて、叔母が「じゃ、新婚旅行の間も、時間を無駄にしなかったってわけね」「そうですとも。まあ、帽子をお取りなさいよ、叔母さん。さあ！　紐を解いてあげましょう。え？」すると叔母さんがされるままになって「おや、おや――まるで、一緒に暮らしてたときみたいだね」。甥っこが、脱がした帽子を見ていいます。「やあ、やあ――こりゃ、いい帽子だ、すてきですね！」ここで叔母さんが「ヘッダのために買ったのさ」というと、甥っこはびっくりして「ヘッダのために？　え？」「そうよ、そうすりゃ、ヘッダが恥ずかしい思いをしなくてすむだろう、ひょいと一緒に出かけるようなことがあったって」。それを自分で被ってきたんですね。なんかいい加減な叔母さんみたいですけど（笑）。

　この帽子をイェルゲンがテーブルの脇の椅子に置く。この帽子がまた後で効いてくるんです。それはひとまず措いておいて、ここで叔母さんが改めて甥っこの顔を眺めて、いう。「まあ、本当によかったね、また会えて、昔のようにさ、しかも元気で、ね、イェルゲン！　ああ、――亡くなった兄さんのかわいい坊や！」日本人には自分の甥っこをつかまえて、こんなせりふ、いえないですよね。「僕だってうれしいですよ！　またお目にかかれてね、叔母さん！　僕にとっちゃ親代りの、大事な叔母なんだから」。この辺、イプセンくどいですね。もうお客さん、わかってるんだから。でもまあ念押しをして。

「でも、リーナ叔母さんは、さっぱりよくないんでしょう？　え？」「そうなんだよ、――よくなる見込みはないだろうね。寝たきりなんだから、ずっと、あのまま。でも、死なれちゃ困るんだよ、まだ！」ここでお客さんは、リーナという叔母さんはきっと死んでしまうのだろうな、と思います。リーナ叔母さんの死がこの芝居のどこかで起きて、ヘッダ・ガーブレルとこの旦那さんの悲劇をつくっていくだろうという予感を、お客さんはもつわけです。

　芝居を読むときは、こういうふうに読み込んだほうが面白いんですよね。慌てて読まずに、ゆっくり、演出家になったつもりで、俳優になったつもりで、自分なりの舞台図を描いてそこで人物を動かしてみる。たとえばユンケルなんかの空き箱を利用して三角柱を作って、そこに自分の好きな俳優さんの写真を貼り付けて、机の前に並べてそれを動かしてみると、芝居の面白さがよくわかると思います。*8

そうですね、叔母さん役でぼくが思いつくのは渡辺美佐子さん、女中さんは、ぼくの趣味でいくと梅沢昌代さんとかね。イェルゲン、これはむずかしいですね。お客さんを集められる人がいいですね。柄本明か？　いや、彼じゃ歳を食ってるからもっと若い人がいいんですけど、ぼく、若い人あんまり知らないので……いずれにせよ、そうやって自分の好きなキャスティングでやっていくと、さらに楽しいわけです。

お金の問題を扱った新しさ

さきへ進みましょう。叔母さんが「旅行のことだけどね、――ずいぶん、お金がかかったろうね？」と訊くと、甥っこは「ええ、費用は、――奨学金をあんなにもらったので、大丈夫、うまくいきました」と。奨学金をもらってるということから、相当優秀な学者だということになります。「二人分の費用には足りるわけがない、とわたしは思うんだけど」という叔母さんに、「でも、ヘッダを置いてい

*8　井上ひさし手製の『ロマンス』（一八六ページ脚注12参照）の空き箱でつくった登場人物たち。

くわけにはね、叔母さん！　そうはいかなかったんですよ。仕方がなかったんです」と。つまり、イェルゲンは六ヵ月間、奨学金をもらってどこかへ研究に行くはずだったのを、その奨学金を使って新婚旅行を一緒にやったというのが、ここではっきりしてくる。

納得した叔母さんが「何かい、――この家は、すっかり見てまわったかい？」と訊くと、実は明け方起きて見て回ったことを打ち明ける。「実にいいですよ！」といって、間取り説明会をやるわけですが、お客さんの中には、奨学金を新婚旅行に使うような人がこんな立派な家をどうやって買ったんだろう、という疑問をもつ人もいるでしょうね。でも、これも実にうまく説明しています。甥っこが、奥の間とヘッダの寝室の間に二つも空き部屋があって使い道に困る、と。贅沢な悩みですよね。すると叔母さんが「その本のことを考えてたのよ」といって、「何と言っても、ヘッダのためにうれしいですよ。結婚前から、いつもそう言ってたんですからね、あの国務大臣ファルクさんの未亡人の別荘以外に、住みたいと思う家はない、なんて」という甥のせりふが出てくる。

つまり、この坊やは相当背伸びをして、ヘッダと結婚する前に〝わたし結婚しても国務大臣の未亡人の別荘以外住まないわよ。結婚するならそれを手に入れてほしい〟みたいなことをいわれていたらしい。ここもまた後で引っ掛かってくるのですが、甥っこはそう思い込んでます。だから非常に無理して買ったんですが、その手続きなどを全部やってくれたのがさっき出た判事、ブラック判事なんです。この後、この判事がだんだんと姿を現してきます。

で、「家具や敷物の分には、わたしが担保を入れといたんだから」と叔母さんがいいます。甥っこが驚いて「いったい、何を入れたんです?」というと、「わたしたちの年金だよ」「え! 叔母さんと――リーナ叔母さんの年金?」「そうよ、ほかに仕方がなかったからね」。つまり、この叔母さんとリーナという寝たきりの叔母さんの年金をブラック判事のところに担保に入れて、こんな立派な敷物や家具を用意してくれたわけです。

ここで、叔母さんが前にいった、「もっと立派な名前で呼ばなけりゃいけなくなるだろうよ」というのが生きてくる。この甥っこは頭もいいし研究熱心だから、きっと将来教授になって、その収入で叔母さんたちに年金を返してくれるだろう、と。でも、一方では、馬車いっぱいに買い物してくる奥さんがいる……さあ、どうなるんだろう、と観客はますます心配になってくる、というか楽しみになってくるわけですね。

で、「あの年金は、――あなたとリーナ叔母さんの全財産じゃありませんか」「まあ、まあ、そう騒ぐんじゃないよ。ほんの形式だけのことなんだから。ブラックさんも〔中略〕形式だけのことだ、っておっしゃってるんだから」。「形式だけ」って、バブルの時代に、よく銀行がいっていたせりふですね。この後、このブラックさんという人がかなり問題になってくる。無論、形式だけということはないですよね。要はお金の問題なんです。

当時におけるイプセンの新しさというのは、お金の問題を扱ったということです。シェイクスピアの登場人物は王様とかですから、どうやって食べているのかわからない人ばかりですけど、近代になると個人経済の時代が始まるわけですから、こういうお金の問題をイプセンは細かく扱うんです。それが結局常識になって、わたしたちも登場人物の収入なんかを計算しないとせりふも書けないことになるのですが、イプセンはこの点でも新しい方法を編み出したわけです。

そして、現にこの担保が後で切り札になってくる。「叔母さんたら、よく飽きもしないで、僕の面倒を見てくれますね！」というと、「何の楽しみがあるんだね、あんたの出世に手を貸す以外、そうだろう？　頼りにする両親《ふたおや》がいないんだしさ？　それが、やっと、どうやらね！　ずいぶんつらい日もあったけどさ。でも、おかげで、やっと切り抜けてきたんだからね！」と、ちょっと昔話になって、ここからが重要になってきます。

「まったく、不思議な気がしますね、こうなってみると」「そうよ、――あんたの邪魔をしたり――あんたを押し退《の》けようとした人もたくさんいたけど、――みんな、あんたに出し抜かれてしまったからね。みんな降参したわけよ！　あの、いちばん手強《てごわ》い、あの人なんか、ことにひどかったね。――自分で自分の穴を掘ったようなもんで、――すっかり堕落しちまったからね」

学者の強敵がたくさんいたのですが、みんないろいろな理由で降りたり負けたりしていって、いま彼が教授に一番近いところにいる、というのがこれでわかってくる。

その中の「いちばん手強い、あの人」が新しい本を出したという話になってくる。甥っこは「何ですって？　エイレルト・レェーヴボルクが？」とちょっと驚きます。このエイレルト・レェーヴボルクが六番目の登場人物です。

最大の強敵が堕落したというので安心していたら、実は本を出した。もし、これでイェルゲンが教授になれなかったらどうなるのだろう、とドラマのゼンマイがぎゅうぎゅう、ぎゅうぎゅう巻かれていくところです。この辺はうまい役者が演《や》ると相当面白いところですね。ドラマというのは、ただでは動きませんから。登場人物たちの人間関係をからめてからめて、ぎゅうぎゅうぎゅうぎゅうぎゅうぎゅう、昔、ゼンマイ時計ってありましたね、それをぎゅうぎゅう巻いてくわけです。巻き上げた瞬間にそれを離すと、ドラマがガァーッと一気に広がっていく。

甥の心配を余所《よそ》に叔母さんはいいます。「あんたの新しい本が出れば、――問題じゃないよ！　どんなことを書くの？」「中世ブラバントの家内工業について、なんです」ブラバントというのは、ベルギーからオランダにかけての地方のことで、その家内工業についての本。なんだか、地味であまり売れそうもないですよね。この辺からやっぱりお客さん——特にノルウェーの人——は感じるでしょうね、〝そういう本を書いちゃ、ちょっとまずいんじゃない？〟って。

しかも、「もっとも、時間は相当かかりますがね、まとまるまでには。資料がなにしろ膨大なんで、まず、その整理をしなくちゃいけませんからね」というから、すぐに本を出せるわけではないらしい。それを受けて叔母さんが「そうね、資料を集めたり、整理したり、——その点じゃ、誰にも負けなかったんだからね。さすがは、兄さんの跡取りだよ！」というところで、お父さんは学者だったのだとわかります。学者の一人息子ですね。お母さんも早く亡くなって、この息子は跡取りなんですね。お父さんは教授でしょう。知り合いもたくさんいるはずです。息子がその跡を追っているわけです。ところが堕落して負けたはずのエイレルト・レェーヴボルクという男が本を出した。この息子も本を書くらしいけれど、なんか冴えない本で時間もかかるらしい。お客さんがますます心配になってきたところで、叔母さんが「それに、何と言ったって、好きな人を奥さんにしたんだからね」といって、そこへヘッダが出てくる。

これまたいいところに出てくるんですよね。ヘッダを全部説明し尽くして、この二人の結婚は格が違いすぎる、旦那のほうが無理を隠してこんな立派な家を手に入れて、さあ、どうなんだろう、というところで、奥の間の左手からヘッダが入ってくる。甥っこのほうは奥の間の右手から入ってきました。ということは、二人の寝室は別なのか、あるいは右手側が書斎になっていて、一緒の部屋に寝ていたけれど、夜明けに起きて家を一回りしてから書斎で寝直した、ということもありますが、やっと新しい家に落ち着いた最初の朝ですよ。それなのに同じ部屋で寝ていないというのは、ヤバイですよね。叔母さんが来たので、慌てて〝おれが出て挨拶しておくから化粧直して後から出ておいで〟なんていうのが普通でしょ。それが別々のところから出てくるというのは、やっぱり問題が起きてくるんですね。

ただ、お客さんのためにも別々のほうがいいんです。ものすごい美人の女優がヘッダをやったとして、もし同じ部屋から出てきたら、お客さん、息子に焼き餅を焼く（笑）。この辺のバランス感覚って、なかなかむずかしいんですね。

ヘッダは、ト書きに「二十九歳」とあります。これ、大事です。当時、女性が結婚するのは二十五歳以前でしょうから、遅い結婚です。ト書きを読んだ瞬間に、ヘッダ・ガーブレルは、なぜ二十九歳まで結婚しなかったのか、というのが次の問題になってきます。

「容姿端麗な気品のある女。皮膚が蒼白い。青みがかった灰色の目は、あくまで澄みきって、冷たい光をたたえている。髪は栗色で、美しい陰影はあるが、そんなに豊かではない」。髪の色が栗色だけれどあまり豊かじゃない。もう一人女性が出てくるのですが、これが髪の毛が非常に豊かな女性なんです。つまり、ヘッダ・ガーブレルは少女時代から髪が薄いのですが、下級生に髪のすごく豊かな女の子がいて、彼女はその子をいじめる。そのいじめられた下級生が後で現れてきます。けして無駄なことは書いていない。そして「品のよい、ややゆったりした部屋着」を着てヘッダが登場します。

「おはよう、ヘッダ！　本当に、ご機嫌よう！」叔母さんがいうと、「いらっしゃい、テスマンさん！」と、ヘッダは姓で呼んでいる。自分の夫をずうっと育ててくれた、母親代わりといってもいい人ですから、普通だったら「叔母さん」というはずなのですが、「テスマンさん」といっている。これは要注意ですね。で、「若奥さまは、よくおやすみになれましたか、新しいお住まいで？」と、叔母さんがいう。ここ、訳者の原さんは相当苦労なさったと思います。つまり、甥っこの嫁さんに対して「若奥さま」といわせていることで、身分が全然違うということを表しているわけですね。

それに答えて、ヘッダが「ありがとう！　まあ、どうやらね」といって、学者の卵の夫が、「どうやら！　こいつはよかった！　君は、グウグウ寝てたじゃないか、僕が起きたときだって」と返す。二人は一緒に寝ていたということが、ここでわかるわけです。そうしてみると、彼は朝早起きして、家の中を見て回った後、奥さんが寝ている部屋に戻らずに何かやっていたんですね。こんなところで、本人は気がついていないけれど、奥さんと距離がありそうだな、ということがわかる。

それでヘッダが、「いいあんばいにね。それでも新しい環境には、慣れるようにしていかなくちゃなりませんわ、ねえ、テスマンさん。ま、おいおいとね」。そして窓のほうを見て、「まあ、あの女中ったら、ベランダの戸をすっかり開けてしまって」という。ここが問題ですね。ベルテという名前をいわずに「女中」といってしまう。ベルテも叔母さんです。昨日栈橋に迎えに来ていたし、知っているはずなのに、な大事な女中さんです。昨日栈橋に迎えに来ていたし、自分の夫を小さいときから育ててきた大事な名前を呼ばずに「女中」といって、「ベランダの戸をすっかり開けてしまって。陽《ひ》が当たりすぎるじゃないの」と文句をいう。

この後いろいろあるのですが、時間の関係で飛ばしまして、スリッパの場面に行きましょう。旅行中、この甥っこが一番気にしていたのは、自分が使っていたスリッパなんです。リーナ叔母さんが刺繍してくれたスリッパを置き忘れて旅行へ行ってしまい、旅行中ずっと気にかかっていたという話があって、それを叔母さんがもってきてくれた。

「そうだよ、なくしちまっていたんだからね」って、ヘッダのそばへ行って「そら、見てごらん、ヘッダ！」と、スリッパを見せる。すると、ヘッダはストーブのほうへ逃げる。「たくさん。興味なんかないわ、あたし」。それで甥っこが「ねえ、――リーナ叔母さんが、ベッドの中で刺繍をしてくれたんだぜ。病気だっていうのにさ。いや、まったく、いろんなことを思い出すな、こいつを見ると」「関係ないわ、あたしには」。この辺、とんでもない連続です。

それで叔母さんが「そりゃ、ヘッダの言う通りだよ」と、とりなす。でも甥っこは、リーナ叔母さんも家族の一人だからというのですが、それを遮って、ヘッダがいいます。「あの女中、とても家においとけないわ」「何だってそんなことを言い出すんだ?」「ほうら! あんな古ぼけた帽子を椅子の上におっぽり出して」。そこでテスマンは面食らって大事なスリッパを落とすんです。日本の歌舞伎でいうと、若旦那がいい花魁《おいらん》かなんか見たときに、あんまりきれいで一目で好きになっちゃって、それを表現するために着ていた羽織がスルッと落ちるという表現がありますが、それと同じです。

さきにいったように、この帽子は叔母さんがヘッダのためにわざわざ新しく買ったものです。ここで完全にすべてが表れてくる。叔母さんが刺繍してくれたスリッパとか、叔母さんが新しく買ってくれた帽子とか、それらがヘッダにはまったく興味がないということがはっきりして、実は、ここからこの悲劇は始まるわけですが、時間が来てしまいました。

始まりでおしまいになりましたけれど(笑)、機会があったら、ぜひ『ヘッダ・ガーブレル』を図書館でご覧ください。これほど細かく分析したのは生まれて初めてですけど、戯曲を読むときには覚悟をしてきっちり読めばすごく面白いんですね。そして実際に『ヘッダ・ガーブレル』の舞台を観る。そうすれば、この分析よりもっと深い分析を演出家がしている可能性が十分にあります。あるいは、自分の分析のほうがこの舞台よりは深かったなとか、いろいろあります。いろいろ教えられながら芝居がもっともっとよくわかってきます。

芝居を書くというのは、実は今日ここまでやってきたことを逆にやるだけなんです。まず、主人公は髪の薄い子にしよう、と頭の中にイメージをつくる。そこから、小さいときに髪の豊かな子に焼き餅を焼いて、いじめていたという設定が出てくる。それが後から関係が逆転していって……。そうやってすべてを関係づけたものを、劇作家は文字にしていくわけです。その文字になったものを、今度は読み込んで、さらに深く掘り下げていく――それは演出家の仕事、俳優の仕事ですね。そうやって出来上がったものをわれわれが観る。こういう具合になるわけです。

せっかくですから、この後の展開をザッとお話ししておきます。

さきほどのテスマンの競争相手のレェーヴボルクが盛り返してくるんですね。レェーヴボルクが二作目の素晴らしい原稿を書いてるのですが、その原稿を酔っぱらって落としてしまう。偶然にも、テスマンがこの原稿を拾う。さあ、それをどうするのか。つまり、それが出たら教授の座をレェーヴボルクに奪われてしまう。この原稿さえなければ、まだ勝負ができる。結局、ヘッダがその原稿をストーブで焼いてしまうんです。ストーブも伊達に出ているわけじゃないんですね。

そうやって、ヘッダ・ガーブレルというのはみんなを不幸にしていく。なぜならば、彼女自身に人生の目標がないからなんです。このお芝居の裏にあるのは、なぜ女性には結婚の適齢期なんてものがあるのか、そういう常識に対するプロテストなんです。いつ結婚したっていいじゃないか、と。ヘッダは二十九歳ですから、三十になったらちょっとヤバイということで、そんなに好きじゃないけれど悪意ももたない、将来有望な青年と結婚したというのが事の始まりなんです。

七人目のエルヴステード夫人というのは、さきほどの、小さい頃にヘッダがいじめていた女性で、家庭を捨ててまでレェーヴボルクの仕事に協力しているという、ヘッダとは逆の女性で、彼女が登場することでものすごいドラマになってくるんです。

ですから、イプセンを「近代演劇の父」というのは当然ですね。日本では小山内薫[*9]が築地小劇場[*10]でイプセンを一所懸命やるわけですよ。その前に松井須磨子[*11]も『人形の家』をやっていますが、築地小劇場では、その当時の問題作家といわれる第一線の作家の芝居を集中的に上演して、それを観た小説家や若い劇作家たちが芝居の書き方の基本を勉強していく。そこから久保栄[*12]、三好十郎[*13]、岸田國士といった日本の新劇の黎明期の作家が出てきて、すごくいい仕事をしていく。その後戦争があり、一時中断しますが、その後もずっとイプセンは演られていたのです

＊9　一八八一～一九二八。広島生まれ。劇作家、小説家、演出家。一九〇七年、文芸雑誌『新思潮』を創刊。〇九年、市川左團次（二代目）と自由劇場を結成。二四年には築地小劇場を創設。

＊10　一九二四年、土方与志と小山内薫が創設した日本最初の新劇の劇団で、築地に常設劇場があった。演出、演技、舞台技術など、新劇運動の拠点となり、戦後の演劇界を担う人材を多く輩出した。建物は四五年の東京大空襲で焼失。

＊11　一八八六～一九一九。長野県生まれ。一九〇九年、文芸協会演劇研究所の第一期生になる。

が、最近はあまり演らない。でも、実はイプセンから始めないと、近代劇は書けないと思うんですね。

今日は以上です。明日は『人形の家』をやります。

一一年に『ハムレット』のオフィーリア、『人形の家』のノラを演じた。一三年、島村抱月や澤田正二郎らと芸術座を旗揚げ。一四年には『復活』が評判になり、劇中歌『カチューシャの唄』が大流行した。

＊12　一九〇〇〜五八。北海道生まれ。劇作家。代表作に『火山灰地』『日本の気象』など。

＊13　一九〇二〜一九五八。佐賀県生まれ。劇作家。代表作に『斬られの仙太』『炎の人』など。

［二日目］　二〇〇一年十二月二十三日

家庭の中の言葉だけで芝居をつくる

今日は『人形の家』です。

［『人形の家』第一幕　冒頭のト書き］
気持よく品のいい居間だが、飾り付けに贅沢さはない。舞台奥、右手のドアは玄関ホールへ、左手のドアはヘルメルの書斎に通じる。これら二つのドアの間にピアノ。左手壁の中央にドア、ずっと離れて前方に窓。窓のそばに丸テーブルと二、三の肱掛け椅子、小さなソファーがある。右手の壁、やや奥手にドア、同じ側の前手寄りに暖炉があり、肱掛け椅子二脚とロッキングチェアが一脚置いてある。暖炉とドアの中間に小さなテーブル。壁にはいくつもの銅版画。焼き物や、ちょいとした工芸品などを載せた棚。豪華版の本を並べた小さな本棚。床には敷物、――暖炉には火が燃えている。冬の昼間。

玄関口でベルが鳴る、——間もなく玄関のドアが開く音。ノーラが楽しげにハミングしながら入ってくる。外出用の衣服にたくさんの買い物包みをかかえているが、それらを右手のテーブルに置く。玄関のドアは開けたままにしてきているので、クリスマスツリーと籠を持ったポーターが見える。ポーターはそれらの品を、ドアを開けた女中に渡す。

ト書きにあるように『人形の家』は、一番最初にベルが鳴り、ドアが開く音がします。客席が暗くなって幕が開きます。すると、ここに書かれている舞台装置が見えてくる。特別派手なところのない、趣味の良い、落ち着いた客間、そしてドアがいくつかある。そして、このドアから鼻歌を歌いながらノラ——原さんの訳では「ノーラ」ですが、今日は馴染みのある「ノラ」にしましょう——が入ってくるんですね。

皆さん、劇作家が芝居を書くとき、なにかが突然湧いてきたのでワァーッと書くと思っているでしょ。小説やエッセイはそれで書けますけど、芝居は書けない。たとえば、この芝居は、最後、このドアからノラが出ていくところで終わります。最初、誰もいないところへノラが登場して、そのノラが一番最後に同じドアから出ていく、しかもたくさんの買い物包みを抱えていた人が、最後はほとんど手ぶらで出ていく。最初からそういう計算がないかぎり、この芝居はできなかったと思います。しっかりした芝居というのは、一番おしまいが見えないかぎり書き出せないんです。わたし個人の経験でいいますと、おしまいがあやふやだと必ず途中で止まってしまう。おしまいまで読み切ってから書かないといけないから、一気呵成に書くことはできないんです。

イプセンだってそうでしょう。『人形の家』は四ヵ月ぐらいかかっています。[*14] 何回も書き直しながら、細部まで徹底的に詰めていく。昨日もいいましたが、このドアのように、舞台に出したものはすべて効果的に使い切るのが芝居の醍醐味なんです。そこがわからずに芝居を書いても全然駄目なんです。

ということで、いよいよ具体論に入りますが、昨日のやり方、初めてやってみたのですが、わりといいですね。あの後、二、三の方から、「芝居の面白さがわかりました。本を読む、戯曲を読む面白さがわかりました。ありがとうございました」といっていただきました。

それで『ヘッダ・ガーブレル』の奥の部屋の問題を言い忘れていましたけど、それまで舞台の前方にいた人があの奥の部屋へ引っ込む。そこである秘密について話している。で、今度は、お客さんに近いところには別の登場人物がいて、実は同じことを話しているとしましょう。つまり、この二人はある秘密をもっていて、秘密のある事柄についてそれぞれ別々にしゃべっている。この二人しか知らないトップ・シークレットをお客さんも聞いているわけですから、この二人とお

＊14　書き出したのは一八七九年五月二日、完成は同年九月（原千代海『イプセン』前掲書）。

客さんが共謀者なわけです。何かの拍子に、奥の部屋にいた人たちがきっかけをつくって前へ出てきて、秘密を知らないで同じことを話しているうちに、ものすごく面白いことが起こるんですね。これは芝居でしかできない面白い仕掛けです。

ぼくの芝居に『きらめく星座』[*15]というのがあります。戦時中のレコード屋の長男が脱走兵になり、それを絶えず憲兵が追っ掛けるという話です。で、場面が変わるたびに、逃げている脱走兵と憲兵の距離が縮まってくる。舞台でいうと時間が縮まってくる。最後ついに憲兵は脱走兵に追いつくのですが、クライマックスは、「チャイナ・タンゴ」という二人とも好きな流行歌がかかっていたために、お互いのことを気づかないで二人が組み合って歌いながらダンスする。これがつまり、劇的アイロニーというやつなんです。

お客さんはすべてを知っている。本当だったら憲兵は捕まえなきゃいけないし、脱走兵は逃げなきゃいけないのに、その二人はそれを知らずに〝お、あんたもこれ好きですね。わたしも好きです〟といって、音楽が鳴り始めると、顔を見るひまもなくパッと踊り出して、踊っているうちに写真を取り出してそれを見て〝あれっ？〟と気づく。で、脱走兵のほうも慌てて逃げ出す――こういうのを劇的アイロニーというんです。舞台の上の当人たちは知らない。でも、それを知っている観客から見ると、可哀相やらおかしいやら、人間てのは可憐な生き物だなとか、さまざまな深い感情をもつわけです。その効果をどれだけ上げられるか。これ、

＊15　一九八五年九月、こまつ座の制作、井上ひさしの演出で初演。『闇に咲く花』（一九八七年）、『雪やこんこん』（同）と合わせて「昭和庶民伝三部作」を構成する。

芝居の最高のテクニックなんですね。

そういう効果を具体的に作劇術のテクニックとして意識的にやり出したのが、イプセンなんです。昨日いったように、イプセンは三十六歳のときにノルウェーを出てから、ローマ、ドレスデン、ミュンヘンなどヨーロッパ諸国を渡り歩きながら多くの芝居を書くのですが、『ペール・ギュント』[*16]が一応の評価を得たものの、それ以外は成功とはいいがたいものでした。本格的にイプセンがイプセンになったのは、この『人形の家』（一八七九年）からです。

『人形の家』は、ごく普通の家庭の中の問題を扱いながら、その後ろにある社会の問題点を鋭く衝いていくというやり方を、イプセンが初めて意識的な手法として書いたものです。これも昨日いいましたが、イプセンはヴォードヴィル、娯楽劇をたくさん勉強していく中で、芝居の基本中の基本のルールのいくつかを発見していく。

その基本中の基本は何かというと、イプセンの場合は、まずひとつは市民の家庭の中から社会の問題を書いていくということです。それを、イプセンの第三期[*17]ぐらい、つまり、『人形の家』を書いた頃から気がつくわけです。『人形の家』はその最初の具体例です。産業革命が起こって以来、近代的な社会基盤——印刷、海運、輸送、銀行制度など——が出来上がって、人間はどのような問題に直面しているのかを、大所高所から考えるのではなくて、一軒の家の出来事の中から時

＊16　一八六七年発表。夢見がちなホラ吹き男ペールは、元カノを結婚式から略奪するが、その場で出会ったソルヴェイグに恋をし、そのうえ魔王の宮殿で娘との結婚まで約束してしまう。母親の死後は、船で地中海の旅に出かけて大金持ちになったり全財産を盗まれたりといった波瀾万丈の人生を描く。老人になり、無一文で帰国すると、故郷ではソルヴェイグがペールを待つ歌声が聞こえる。

＊17　第一期はベルゲンの国立劇場に座付き作家兼舞台監督として招聘される。第二期はクリスチャニアに新設されたノルウェー劇場の支配人にな

代が抱えている問題を表現することに、イプセンは成功したわけです。

そうしてくると、当然せりふに概念語は使えない。「いや、天下はですね」とか「世界は」なんてことは絶対にいえない。昨日、「新鮮な空気」という訳語を問題にしましたけれど、そういう意味で、「新鮮な」という概念語は使っては駄目なんです。家庭の中で使われる言葉を練り上げて、家庭の中の言葉だけで芝居をつくってみよう、というのが第二の着目点。これもイプセンが初めてです。モリエールにも少しありますけれど、モリエールの場合はちょっと方向が違います。モリエールの時代にはすでにブルジョワジーが誕生していますから、ブルジョワジーを背景にした喜劇をモリエールは書く。

しかし、この『人形の家』は、普通の家で使われる言葉で、どうやって社会の奥の奥の奥まで進めるかということをやっている。これが近代演劇の基本中の基本になってくるわけです。で、わたし自身を顧みると、やはりイプセンの影響があって、『頭痛肩こり樋口一葉』[*18]でも『きらめく星座』でも、全部ある一家の話でやっていくわけですね。一家の話に天下の問題が降りかかってきて、普通の人間がそれによってどう歪み、どう戦い、どう切り抜けていくかということをやっている。つまり、百何十年も前にイプセンがつくり出した考え方で、われわれも依然として書いているわけです。

三つめは、「レトロスペクティヴ・テクニック」という手法です。いい訳語がな

り、古代北欧サーガの影響を受けた作品を描く。第三期は『青年同盟』『社会の柱』など、社会の虚偽不正を暴く作品を描き、その延長上で『人形の家』は書かれた。問題意識は『幽霊』『ヘッダ・ガーブレル』と引き継がれる。

＊18　一九八四年四月、こまつ座の旗上げ作品。演出は木村光一。

いのですが、無理やり日本語に訳しますと「懐古分析法」とでもいいますか。で、この分析法を利用して、アーサー・ミラーが『セールスマンの死』[*19]を書くんです。芝居に出てくる登場人物は誰しも過去をもっていて、その過去が問題になる。この『人形の家』もそうです。後で詳しく見ていきますが、過去の問題が現在に甦ったときに、とんでもないことになってくる。たとえば、人を殺した男が公園のベンチでぼんやりしている。それを知らないおばあさんが男に話しかけて、すごく優しい人と話をしたと思っている。それを観ているお客さんは、男が自分の母親を殺してきたのだということを知っていたら、その会話はものすごく深い、面白い、あるいは気味悪いものになってくる。

人を殺したという極端なものではなくても、みんな過去があるわけです。芝居を書くと、どの程度その人の前歴を押さえているかがよくわかります。わたしは芝居でも小説でも、その人の履歴を細かく書いていくんです。もちろん、実際に書くのはそのうちのポイントだけで、ほとんどは使わないのですが。ところが、イプセンが出る前までは、登場人物の履歴を誰かが一気に説明していたんです。昨日、綿密にやりましたけれど、レトロスペクティヴ・テクニック、懐古分析法というのは、その人の履歴・過去をバラバラにして、必要なものだけを普通の会話の中にうまく嵌めていく。これはイプセンが初めて採用した方法です。

夫婦が家庭の中で普通にしゃべっているとき、旦那さんが奥さんに「ぼくは生

＊19　一九四九年初演。六十歳を過ぎてもセールスマンとして働きつづけるウィリー・ローマンが体験した夢と挫折を描く。ピューリッツァー賞受賞。

まれは山形で、中学校は東仙台中の一期生で、それから仙台の高校へ入って」なんてこといわないでしょ。そんなことをいったら、「どうかしたの？」っていわれますよね。それを、「昨日、帰り遅かったけど、どうしたのよ、あなた」と奥さんに訊かれて、旦那さんが弁解する五分間で、この夫婦の前歴となれそめからすべて表現しようということなんです。それができないと劇作家になれない。これが、芝居のせりふの初歩にして最後の秘術ですね。これはずっと廃れないと思います。

それからもうひとつ、昨日いったように、イプセンはお金の話をよく出してきますが、とくに『人形の家』には金銭関係が克明に書かれています。これについては、あとでせりふを一行一行、昨日の方式で詳しく見ていきながら説明します。それから親子、夫婦の家族問題をイプセンは徹底して書いている。これも新しい着眼ですね。加えて、男性のセックス観と女性のセックス観をきっちり問題意識として考えて、それを芝居の中で展開しています。

それから最近はあまり問題になりませんが、イプセンは遺伝の問題をすごく気にしている。昨日申し上げたように、『幽霊』などは、ほとんど遺伝の問題です。それから、いま「自己実現」というのが流行っていますね。イプセンはそれをすべて不毛だという結論を出すんです。しかし、不毛だからといって自己喪失してはいけない。つまり人生の目標を失っては駄目だ、と。これは現在の問題ですね。遺伝問題を除いて、イプセンが取り上げた問題は、すべていまのわたしたちが悩んでいる問題です。

演劇的アイロニーを楽しむ

ということで、例によって大分遠回りしてしまいましたが、本文をていねいに読んでいきましょう。

まず舞台装置のことが書いてあり、一行空いて、ベルが鳴ります。えっ、空いていない？　新潮文庫では空いていない。余談ですが、新潮文庫の翻訳者は矢崎源九郎さん（一九二一〜六七）といって、俳優の矢崎滋[*20]さんのお父さんです。矢崎源九郎さんは東京教育大学教授の言語学者で、十二ヵ国語ぐらいできる言葉の天才です。矢崎源九郎さんが残した本の処分に困っていると滋さんがいうので、ぼくが一括して買い取って、山形県川西町の遅筆堂文庫[*21]に収蔵しています。滋さんは東大英文科を中退して俳優になったという変わり種です。あの人は、役者としてもすごい才能があるのに、いまちょっと違うほうへ行ってますよね。舞台をやらずに、テレビのコマーシャルに出たり、バラエティに出ているでしょ。あの人の喜劇センスは角野卓造さんと並ぶものがありますから、惜しい俳優が道草食ってるなとぼくは思っています。源九郎さんの本が読みたければ、川西町のフレンドリープラザにいらしてください。大事に保管してありますので。

＊20　一九四七年生まれ。劇団四季を経て、九三年に東京芝居倶楽部を旗揚げ。五月舎制作の『小林一茶』（一九七九年）『イーハトーボの劇列車』（一九八〇年）では主役を演じた。

＊21　井上ひさしが生まれ故郷に蔵書七万冊を寄贈し、一九八七年に開設。九四年、図書館と劇場からなる川西町フレンドリープラザが完成し、この一階に移設。現在では約二十二万点を超える資料・蔵書が収蔵されている。

話は横へ行きましたが、ト書きにまず家の様子が書かれています。さきほど一行アキの話をしましたが、ここはちょっと間が空いたほうがいいんです。しばらく誰も出てこないところで、玄関のベルを聞かせるために。その後にドアが開く音がする。問題は玄関のドアの開閉で、ここが大事なんです。わたしたちは、もう最後まで読んでいますから、最後、可哀相な旦那さんをひとり残して、ノラは出て行くのがわかっている。そのときドアは「どんという重い音」を響かせるんです。それを考えて、最初のドアの音をどうするか。ト書きにはどういう音かは書いてありませんが、たとえば、「ガーン」という音にすれば、なんと建て付けの悪い家だという感じを与える。音響効果係としてはまずその辺のことを考えるところです。

そこへ「ノーラが楽しげにハミングしながら入ってくる」。最後、ノラはまったく違うかたちで家を出るわけですが、ここは本当によく考えられている。当たり前と言えば当たり前ですが、こういうふうに芝居は書いていくわけですね。で、外出用の衣服にたくさんの買い物包みを抱えたノラが玄関のドアを開けたままにしてきているので、クリスマスツリーと籠をもったポーターが見える。クリスマスツリーということで、季節、時期はピシャーンと出ています。

『ヘッダ・ガーブレル』では、主人公のヘッダがなかなか出てきませんでしたが、ここでは最初に現れるのがノラなんです。そのノラが最初にいうせりふが、「そのクリスマスツリー、うまく隠しとくのよ、ヘレーネ」。ここがすごいんですよ。後でわかりますが、ノラは夫に内緒で借金したことを隠しているんです。夫を療養させるために南の暖かいところへ行かなくてはいけない。そのためにお父さんにお金を借りようとするのですが、お父さんは瀕死の状態でとても相談できないでいるうちに、お父さんが死んでしまう。そこでお父さんのサインを偽造してクロクスタという人からお金を借りる。でも、そのことを夫には隠している。

それを踏まえて、「うまく隠しとくのよ」という最初のせりふがあるわけです。しかし、結局は隠しおおせることができずに、秘密がばれてしまった女性が、やがて違う生き方を選んでいく――。この一行で芝居が終わってもいいくらいの見事なせりふです。

ヘレーネというのは女中さんの名前です。続く「子供たちに見せないように、今晩、飾り付けをするんだから」というところで、まだ何日とはわかりませんが、とにかくクリスマスイブだということがわかる――第一幕の中盤過ぎで、今日がクリスマスだというクリスマスが近いということがわかります。で、付いてきたポーターに「おいくら?」と訊いて、ポーターが「五十エーレです」という。ここでズバズバズバズバッとお金を出してくる。ここがすごいんです、この芝居はお金の芝居ですから。ここまで徹底して計算された芝居を書くのは、やはりそう簡単ではありません。イプセンは二十七作くらいの芝居を書いていますが、こういう見事なものはわずかです。おまえは五十も書いてどうした、っていわれると困るのですが（笑）。で、ノラが「はい、一クローネ。いいのよ、お釣りは」と、倍の額をやる。そうするとお客さんは、クリスマスだからたくさんの買い物をして、ポーターにもチップをはずんだのだとわかる。でも、倍というのはやりすぎで、この女の人は買い物好きで、お金にちょっと無頓着なんじゃないか？　こんなところまで考えてしまいますよね。

ノラは、ポーターがいなくなってからマカロンの袋を出して一つ二つ食べます。それから忍び足で夫の部屋に近づいて聞き耳を立てる。「ああ、いるいる」といって、またハミングを始めます。すると、トルヴァル・ヘルメルという旦那さんが声を出すのですが、ここがまたすごい。

ヘルメル　（自分の部屋から）うちのヒバリかい、そこでさえずっているのは？
ノーラ　（せっせと包みを開けながら）そうよ。
ヘルメル　うちのリスかい、そこで跳ねまわってるのは？
ノーラ　そう！
ヘルメル　リスはいつ戻ったんだ？
ノーラ　たったいま。（マカロンの袋をポケットにしまい、口を拭いて）いらっしゃい、トルヴァル、買ってきたもの見てちょうだいな。

ヘルメル　うるさいね！（やがてドアを開け、顔を出す。ペンを握っている）買い物、だって？　それみんなかね？　うちのかわいいカネクイドリは、また無駄遣いをしてきたな？

後でわかりますが、ノラは旦那さんに、歯が悪くなるからマカロンを食べるのは禁じられているんですね。ですから、夫が出てきそうなので、隠れ食いしているお菓子を隠して「買ってきたもの見てちょうだいな」っていう。旦那は「うるさいね！」といいながら、「うちのかわいいカネクイドリは、また無駄遣いをしてきたな？」と、頭から、お金、お金、お金ですから、観ているお客さんはびっくりしたでしょうね。

もうひとつ、旦那さんは奥さんに対して小鳥扱い、小動物扱いしている。かわいいのだけれど、金を食う鳥を飼っている、つまり飼い物なんです。もちろんノラは人間ですが、旦那さんは常に親しみを込めながらも、まともな人間として相手にしていない。こういう言葉をババババッと出すことで、妻への愛情がカッコ付きの愛情であるということを見せていく。この辺、あざといくらいうまいですよね。

ここで大事なのは、なぜノラがそんなに楽しそうで、買い物をたくさんしてきたかという理由のひとつとして、「お給料だってずっとふえて、どっさり、どっさりお金が入ってくるんですもの」というところです。それに対してヘルメルは、「ああ、新年からね、——しかし給料が入るまでには、まるまる三ヵ月あるんだぜ」と。この芝居の時点はクリスマス近くですよね。ヘルメルは新年の一月一日から銀行の頭取になるのですが、それまでの弁護士稼業に比べれば収入は安定するし給料も上がる、しかし、給料が上がるのは三ヵ月遅れだと。ここはそう解釈しないと。ここ、新潮文庫の源九郎さんの訳では「給料が手に入るまでには、まだまる三月も間がある」ですが、こちらのほうがわかりやすいですね。

これに対するノラの「何よ、——借りればいいわよ」というのが、またすごいですね。この人はあまりにも世間知らずで、「借りればいい」というのはなんとも無責任な言い方です。しかし、まだお客さんは知らないのですが。すでにノラは借金をしてそれを返すという経験をしている。その辺の微妙なニュアンスを、イプセンは細心の注意を払って書いている。逆にいうと、劇的効果を増すために書いてるということですが、「借りればいいわよ」というのが、ポイントのひとつです。

ここでわかるのは、ノラの考えとご亭主の考えはまったく違うということです。ノラは借りればいいというけれど、ヘルメルは自分が借金をしたとして、「おれに貸したほうはどうかね?」というと、ノラが答えます。「貸したほう?　知るもんですか!　他人《ひと》のことなんて!」

楽しげに鼻歌を歌ったり、お菓子を盗み食いしたり、お客さんはこれまでのところ、ノラに対して可愛らしいイメージをもっていたはずなのですが、このせりふをいわせることで、イプセンはノラとお客さんとの距離をわざと置かせるわけです。この言葉を聞いたヘルメルは、「ノーラ、ノーラ、やっぱり女だ!」といって、「金は借りない!」というのがヘルメルの生きていく上での主義《プリンシプル》だということを示す。「負債があったり借金があったりすると、そういう家は、何かいじけたものになってくる」。この言葉、われわれはムカッときます。客席にいる皆さんは、多かれ少なかれローンを抱えていますよね。いまの世の中、それが当たり前です。わたしたちは、ローンという借金の元に幸せを追求しているわけですが、ヘルメルは、借金がある家は、何か変でいじけていると思っている。

こういうことも何度か読んでいくと見えてきます。いい芝居は何回も観ないと駄目なんですね。こういう複雑な芝居のもっている演劇的アイロニーという一番大事なものを十分に楽しむためには、脚本《ほん》を読むだけではなく、やはり実際の芝居を観て、演劇でしかできないアイロニー、二重写し、皮肉といったものを味わないと駄目なんです。

次に、ヘルメルが「おれだってわかってるよ、クリスマスには物入りだってことぐらい」といって財布からお札を出してノラに渡す場面になります。ノラがいいます。「十、二十、三十、四十……。まあ、ありがとう、ありがとう、トルヴァル、――これだけあれば、当分やっていけるわ」。目の前でお札の受け渡しをさせることで、経済主体は旦那さんであり、奥さんはなんの経済力ももっていない、ということをしっかりお客さんの目に染み込ませている。この女性が、こうした構造からどういうふうにして逃れて、家を離れていくのか――というのが、実はこの芝居のテーマなんです。

お金をもらって喜んでいるノラは、三人の子どもたちのために買ってきたものを次々に取り出して旦那に見せていくのですが、やがてノラはその子どもたちを捨てて家を出て行く。そこはぼくはちょっと疑問で、ぼくだったら、子どもを連れて行くことにします。そこがイプセンの厳しいところでしょうね。女性の方に訊きたいのですけれど、こんな簡単に三人の子どもを捨てられますか？　実は、『人形の家』は女の人に評判悪くて、現に、『人形の家』の批判は、ほとんどが女性によって書かれています。ぼくもちょっと引っ掛かるんですね、女の自立ってのは子どもを捨てないとできないのか、と。まあ、多少は個人的な体験もありますけど（笑）。

いずれにせよ、ノラは、いま自分は幸せであり、そのために最善を尽くしていると思っている。だから、借金のことを夫に隠しているのも、さほどたいしたことではないと思っている。お金が足りなくなったら借りて、それを返せばいい、と。そして必要なお金は全部夫から一枚一枚手渡してもらう。この瞬間というのは、女性はいやでしょう。このごろは共働きが多いですけれど、昔は月給袋を旦那さんが家にもって帰ってきて、その日だけは、旦那さん、威張ってましたよね。「おう、給料」なんていって。その、お金を渡すという関係が、実は人間の関係を変えていくわけです。そこをちゃんと見せておく。それに後でわかりますが、彼女が買ってきたのは子どものものばかりで、自分のものは何も買っていない。

ここで少し休憩しましょうか。

なぜノラはお金にこだわるのか?

この後、なぜこのノラという女の人はお金にこだわっているのか、その理由がだんだんわかるように書かれています。たとえば、旦那さんが「無駄遣い屋さん、お前、自分には何を買ったんだい?」と訊きます。ここが大事です。山のように買ってきたものを開けていくと、子どものばかりで、「ああら、あたしは何も要らないのよ」。ここも大事です。旦那さんは彼女のことを小鳥扱い、小動物扱いしてますから、「そんなばかな。さあ、言ってごらん、あまり高くないもので、欲しいと思うものをさ」と。ここら辺がせこいんですけど、一般家庭ではこんな感じですよね。で、ト書きに「(夫の服のボタンをいじり、その顔は見ないで)」とある。これ、甘えてるわけですよ。甘えながら「もし何か下さるんなら、それじゃね――」といって、口早に「お金をちょうだい」となるわけです。このノラという人は自分のものも買わずに、どうしてそんなに金、金、金、金というのだろう、とお客さんの中にだんだん疑いが湧いてくるように書かれている。見事なものですね。おお、さすが巨匠、って感じです。

「お金をちょうだい」といわれた旦那は、「このカネクイドリはかわいいが、どっさり金を食うんでね」と。それに対してノラは、「できやしないんだ」「できるだけ倹約してるじゃありませんか」と返す。亭主のほうは「できやしないんだ」といって、こう続ける。「おかしなやつだな。お父さんそっくりだ。あらゆる手を使って、何とか金をせしめようとする、〔中略〕まあ、仕方がないさ。血統なんだ。そうだよ、ノーラ、そういうことは遺伝するんだ」。これが当時、イプセンが凝っていた遺伝問題です。この次に『幽霊』を書くのですが、さきほどもいいましたように、『幽霊』では、遺伝が本格的にテーマになっていくわけですね。

この言い方、一番いやですよね。奥さんが旦那さんに「あんたのそれって、お母さんそっくりだよ」とかいわれたりすると、なんだかね。ぼくが一番困るのはものの食い方です。たとえば、ミカンをヘタのあるほうから食うのか、お尻から割るのか。ぼくはヘタから取ると筋がきれいにむけると思い込んでいて、おふくろもそうだったんです。ところが、東京の下町あたりではお尻から割るんですよ。しかもパカッと二つに割る。ぼくらが育ったのはミカンの乏しい国ですから、それをパカッと割っちゃうと、ものすごく不愉快になってくる。向こうは向こうでぼくのむき方が気に食わない。ぼくが意地張ってヘタからむいてると、「なによ、そのむき方」って始まるわけですね。それで「いや、おまえたちのほうが間違ってる」。どちらが正しいとか正しくないとかいうのではないのですが、でも、自分の肉親のことをいわれると、ホントにいやなんですよね。

ここは、俳優の演技にもよりますが、「おかしなやつだな。お父さんそっくりだ」というところで、かなりのショックを受ける人もいるでしょうね。つまり、あらゆる手を使って金をせしめようとする性格は遺伝するものだ、というふうに。これは当時のイプセンの知識であって、いまではこういう考えは間違っていることがわかっています。もし、お父さんお母さんの遺伝で、生まれる前から子どもの運命が決まっていたら、子どもは全然努力しないでいいわけです。

『人形の家』は、女性解放の芝居として読まれることが多いのですけれど、大間違いです。そうじゃないんです。表面的には、女性が解放されると男性が解放されるというふうに見えるのですが、でも、そうじゃない。解放もへったくれもなくて、自分が一体何者であるか。それをつかまないうちは次に進めない、というのがテーマなんです。

最近、「自己実現」や「自己表現」という言葉が流行っていますが、「実現する自己って何ですか?」「表現する自己って何ですか?」と訊くと、たいていみんな答えられない。それぞれが「自己とは何か」を問い詰めた上で、自己実現、自己表現ができればいいのですが、自己実現、自己表現という言葉だけが先走っている気がします。自分というのは何者か、ということをしっかり考え、その何者かをどう表現していくのか、確かな自分から生まれたある目標にどうやって近づいていこうとしているのか、という手順であるべきなのに、どうもそこを間違えているのじゃないか、というのがこの芝居のテーマなんです。だから単純に女性解放とか、女性が解放されると男性が解放されるとか、そういうレベルでこの作品が論議されるのは不幸ですね。

ですから、この『人形の家』という作品は、その内容よりも、むしろ昨日の『ヘッダ・ガーブレル』と同様に、作劇術、芝居を書くときの手本として読んだほうがずっと役に立つと思っています。テーマは、読んだ人がそれぞれ自分なりに考えればいいわけで、わたしはわたしの結論を皆さんに押し売りしません。わたしが押し売りできるのは、ここから出てきた客観的な芝居の書き方のうまさ、すごさ、それを技術として皆さんにつかんでいただければいいわけで、解釈は皆さんご自身の解釈でいいんです。

そういう意味で、わたしの解釈を申し上げておきます。最初の登場の仕方と逆なかたちで、最後にノラはドアから出て行くわけですが、女性解放的な観点から見たら、なぜ子どもを残していくのかの理由がわからないんですね。子どもを残すという、非常にハードな家出をするわけですが、なぜそうまでしなくてはいけなかったのかといえば、結局、子どもに頼ったり、子どもを言い訳にしたり、そういうことを一切やめて本当の自分に戻って、自分が何者かということをしっかりつかめてから子どもと一緒に暮らしたほうがいい――そういう解釈になると思います。皆さんも何回も読んで、この芝居を書かざるをえなかったイプセンのエネルギーの元は何かということを、お一人お一人が突き詰めてみてください。

さて、本文に戻りましょう。遺伝の話の後にヘルメルがいいます。「この甘党は、今日、町でいたずらをしなかったかね？」「この甘党は、菓子屋をのぞかなかったかね？」お客さんは、ノラがマカロンをポケットに隠していて、すでに一つ二つと食べているところを見ている。ノラは否定しますが、実は旦那は知っているんですね。だから「ジャムをちょっぴりなめなかったかね？」「マカロンを一つか二つ、口にしたろう？」と探りを入れているわけです。ところがノラは、食べてないと断言する。

これが、この芝居の仕掛けなんです。さっきいったように、旦那にマカロンを禁じられているものだから、ノラは思わずうそをついてしまう。ここで、ノラはうそをつく人だということがわかるわけですが、殺人の現場を観客が見ていて、それを犯人が警官に「殺してません、絶対に」というのであれば違ってきますが、マカロンですから罪はない。この辺の感じ、すごくうまく出している。最初は、かわいい人だということでお客さんに引き寄せていって、そのあと金遣いが荒いということで少し突き放し、かと思えば、自分のものは買わずに子どものものを買うという優しさを見せて、今度は小さいけどうそをつく女だ、と完全に突き放す。

昨日のくり返しになりますけれど、芝居を書くというのは、ここまでわかって書かないといけないので、本当にむずかしいんですね。それをまた演出家、俳優、スタッフ、それぞれが自分たちの解釈で掘り下げていき、さらに観客に観てもらうことで、今度はお客さんたちがそれぞれ考えていく。小説は一人の読者を騙せばいいのですが、芝居の場合は、一緒に観ている何百人という人を同時に騙さなくてはいけない。大勢を騙すためには、ここまで計算しないといけない。芝居を書くのは大変ですけど、でも、ここまでむずかしいと挑戦し甲斐があるでしょ。で、才能のある人は軽く書いても、こういうのが自然に出てくるんですよね。

さて、ここは大事なところです。うそつきのノラに対して、お客さんは〝なんだおまえは〟という感じになるわけですが、このノラは、だいたいいい女優がやりますから、栗原小巻や松たか子とかがノラを演《や》れば、〝この娘《こ》は絶対悪いやつじゃない〟と思ってしまう(笑)。つまり、芝居の観客は、俳優自身と俳優がなっている役の両方を観ているところが面白いんです。小説は絶対にそれができない。

だから、ノラにこういうふうにうそをつかせても、お客さんは栗原小巻なり松たか子なりの美しい俳優自身を観ているので、完璧には愛想を尽かされないんです。こうした意識の操作も踏まえてすべてを組み立てて、お客さんの気持ちをバーッと汲み上げていく。汲み上げられない芝居を演っては駄目なんです。演るほうも、こういうのがピピピピピッとどんどん入ってくるような演出や演技でいかなくてはいけない。

時間がなくなってきたので、少しスピードを上げましょうか。話題は今晩の夕食に移ります。ヘルメルが「ああ、何ていい気持ちだ、しっかりと安定した職業についたっていうのは」という。ここもまた翻訳の問題になります。家の中の日常語では、「職業」ではなく、「仕事」とか「勤め口」とかの辺りでしょうね。あえてこの言葉にしたのであれば、日常語とは別のレベルでいっているのだと示すために、「安定した職業」とカッコを付けるとかしたほうがいい。昨日もいったように、イプセンの芝居というのは、家庭の中で話している言葉で天下国家の大問題の一番深いところを考えていこうというものですから、「職業」という言葉では、そこをちょっと逸脱してしまう。おまけに、そのすぐ後に「それに収入もどっさりだ」と続く。「安定した職業」と「どっさりだ」では合わないですよね。

なぜこんなことを指摘するかというと、イプセンの芝居も時代の波をくぐる中で、「古い」といって、誰も見向きもしない時代がありました。それでも、現在の欧米ではイプセンの再評価が始まっています。古いどころか、この作劇術はすごいといって、たくさん上演されるようになりました。東京の隅田川左岸にある「ベニサン・ピット」という劇場をホームグラウンドにしているTPT[*22]という演劇プロジェクトがあって、フランス生まれのイギリス人で、デヴィッド・ルヴォーという演出家がいるのですが、彼がこのごろしきりにイプセンを演りたがって、この間（一九九四年）『エリーダ〜海の夫人〜』という芝居を演っています。それに比して、日本ではイプセンを見捨てたままなんですね。で、この「それに収入もどっさりだ。どうだい、――考えるだけでも愉快じゃないか？」というせりふです。普通、こんなせりふは書かないですよね。こういうところが「古い」といわれていたんです。まあ、欧米で流行っているので、そのうち日本でも再評価の動きは出てくると思いますが。

昨日、イプセンは日本にも大きな影響を与えたといいましたが、夏目漱石もイプセンが好きだったし、森鷗外もドイツ語からイプセンの作品を翻訳をしている。大正時代には、小山内薫を中心に、島崎藤村、田山花袋、正宗白鳥、秋田雨雀といったイプセン好きの作家たちが集まって〈イプセン会[*23]〉というのをつくっています。ただ、白樺派はイプセンが嫌いなんです。なぜかといえば、トルストイがイプセンを大嫌いだったからです。母親であるノラは子どもを残して家出するし、ヘッダ・ガーブレルは人の邪魔をして最後は死んでしまうし、『幽霊』の女主人公

＊22　シアタープロジェクト・東京の略称。一九九三年、英国の演出家デヴィッド・ルヴォーと演劇プロデューサー門井均によって設立。リアリズムを基調とする一方、実験的な試みで知られる。主な舞台に『テレーズ・ラカン』『エリーダ〜海の夫人〜』『背信』など。

＊23　一九〇〇年代初め、柳田國男の私邸に自然主義の文学者が集まる勉強会だった土曜会は、その後、龍土会に発展し、そこから一九〇七年、イプセン戯曲を研究する〈イプセン会〉が生まれ、毎月一度、学士会館に集まり、自由に討議を重ねた。

はみんな遺伝で片付けてしまう。そういうの、トルストイは嫌いそうですよね。

それはともかく、民俗学者の柳田國男もイプセンが大好きで、〈イプセン会〉の中心になって徹底的に読み込んでいます。築地小劇場の小山内薫も、イプセンを盛んに上演しました。仙台には、築地小劇場は、たしか昭和の初め頃に仙台に何回も来ています。仙台には、築地小劇場の旅公演を引き受けるインテリのグループがあったんです。その伝統をぜひ皆さんにも引き継いでもらいたいですね。それから築地小劇場は小樽にもよく行っていて、小樽での築地小劇場の公演に力を貸したのが、当時まだ銀行員をやっていた小林多喜二[*24]です。小樽の築地小劇場の舞台を観て、わたしもそういう芝居をしたいと思ったのが園井恵子[*25]という、原爆で死んでしまう宝塚のスターです。

そういうふうに、芝居というのは人の運命を変えていくんですよね。小説を読んで生き方が変わるという人はあまりいないでしょ。あれは、一人だからです。ところが、芝居を観てみんなで感動したとき、その中から一人ぐらい「よし!」といって、行動へ移す人が出てくる。ですから、危険といえばこんな危険な表現形式はない。どんな考えの人もみんな、いい芝居を観た後は同じ気持ちになって昂揚しますから、ファシストがこれを利用したら、こんな怖いものはないですね。事実、ヒトラーは映画とともに演劇にも力を入れていました。つまり、演劇というのは、毒にもなれば薬にもなるという大変な表現形式なんです。ですから、市

＊24　一九〇三～三三。秋田県生まれ。北海道拓殖銀行に勤務しながら、執筆活動もおこない、プロレタリア文学の旗手として注目を集めた。三三年に築地署で拷問死。著書に『蟹工船』『防雪林・不在地主』ほか。多喜二の虐殺を扱った井上ひさし『組曲虐殺』(二〇〇九年)は井上最後の戯曲。二〇〇九年十月、こまつ座&ホリプロの制作、栗山民也の演出で初演。

＊25　一九一三～四五。岩手県生まれ。三〇年、宝塚音楽歌劇学校に入学。宝塚少女歌劇団、苦楽座を経て、移動演劇「櫻隊」に参加。巡業先の広島で八月六日に被爆し、六日後に死去。井上ひさ

民の方々がしっかり参加して、どっちにも傾かないように、芝居の面白いところだけ、人生を面白くするところだけ、豊かにするところだけを引っ張り出していかないと駄目なんですね。

二組の夫婦が織りなす豊かな動き

すみません、また横に行ってしまいました（笑）。ここまでのところでわかったことは、このノラとトルヴァルの夫婦は一見、非常に愛し合っている理想のカップルのように見える。しかし、お金はすべて旦那さんが握っていて、必要があれば、小鳥に餌を与えるように奥さんにお金を渡している。で、このノラという奥さんはお金のことをしょっちゅういっている。でも妙に気前のいいところもあるし、時にはちょっとしたうそもつく。そんないろいろな情報をすべてお客さんが呑み込んだ――ここで一区切りですね。

そこへ新しい登場人物が新しい問題をもって出てきます。リンデ夫人というノラの幼なじみです。このリンデ夫人は、実はノラと逆の動きをしていきます。これは芝居の常套手段で、主人公があるテーマを通したところで、サブの人間に逆の動きをさせる。ノラが最後、家庭を捨てて野良猫のように家を出て行くのに対して、リンデ夫人は新しい家庭を得るわけです。この芝居には三人の子どもたち

しの戯曲『紙屋町さくらホテル』（一九九七年十月、新国立劇場の制作、渡辺浩子の演出で初演）では、櫻隊の園井恵子が描かれている。

や乳母のアンネ・マリーエ、女中さん、ポーターを除けば、登場人物はわずか五人。[*26] そのうちの四人が夫婦で、その二組の夫婦が、家庭、夫と妻という問題を逆向きに背負いながら進んでいく。二組が逆に進んでいくことで、単線運動ではない、すごく豊かな動きになってくる。

で、リンデ夫人の再婚相手というのが、ノラが借金をしたクロクスタなんです。クロクスタはかつてリンデ夫人に結婚を申し込んだのですが、ふられてしまった。実は、リンデ夫人には病気の母親がいて、おまけに二人の弟の面倒も見なければならず、やむなく財産のある男と結婚したわけです。その旦那が三年前に死に、お母さんも亡くなり、弟たちが自立したいま、今後の人生を考えて何か仕事の口を探そうと、ノラのところへ相談に来たのです。ノラのほうは、旦那さんが頭取になったことで借金も完済できるし、三人の子どもたちもうまく育っている、何もかもうまくいってる。そこへ、職を得られずに困っている昔の友だちを出してくる。常に反対のものをぶつけていくわけです。これも非常に参考になる方法です。

ただし、このノラとリンデ夫人の関係を知らせるのに、さきほどのレトロスペクティヴ・テクニック、懐古分析法は使われていません。ここまでこの手法をずいぶん使っていますから、ここはストレートに、「ずいぶん変わったわね、クリスティーネ（これはリンデ夫人のファーストネームですね――井上）!・」「ええ、そりゃそう

＊26　トルヴァルとノラのヘルメル夫妻と、リンデ夫人とニルス・クロクスタ、そしてヘルメル夫妻の学生時代からの友人、ドクトル・ランクの五人。

よ。九年――十年も――」と、ポポポポーンと、観客に伝えていく。

ノラが今度旦那が銀行の頭取になることをリンデ夫人に告げたときに、「弁護士なんて、生活が安定しないでしょう、特に、何かこう、うさん臭い仕事にでも手を出そうとしない限り」といいます。これは直接には弁護士である自分の旦那さんのことを指していますが、実はノラが借金したクロクスタも弁護士なんです。ここで「特に」といっているのは、この時点ではお客さんは知りませんが、ノラの頭の中には三百代言のうさん臭いクロクスタのイメージがあって、自分は弁護士に対して二通りの印象をもっているということをいっているわけです。ですからノラを演じる女優さんは、そこを意識してせりふを言い分けなくてはいけないんですね。後でお客さんが「なるほど、そうだったのか」とわかるように。

このときのノラは本当に幸せそうです。「年が明けたらすぐにあの人、銀行へ通うの、給料もうんと取るし、配当もどっさり。これからは、ずっと違った生活ができるのよ、――したいようにやれるのよ。ああ、クリスティーネ、あたし、本当にうれしくって、ほっとしているの」。ここが幸せの絶頂で、ここからそれが崩れていく。つまり、うちのかわいい小鳥の友だちがそんなに困っているならなんとかしてやろうと、ヘルメルはクロクスタを辞めさせてそこへリンデ夫人を据える。そこからノラの秘密がばれていくわけですから、このリンデ夫人は大変なドラマをもって登場してくるわけですね。わたしたち劇作家は、そういうドラマを背負わせた人間を登場させるときには、その背負っているものを使ってさらに大きな葛藤を生み出していくということを考えないといけないんですね。

リンデ夫人がノラに向かっていいます。「あなた、相変わらず無邪気なのね?」これは大事な証言です。イプセンはこれまでに観客に対してさまざまなノラ像を見せてきました。うそをついたり、お金のことばかりいったり、夫に甘えたり……。そこへ、小さいときからノラを知っているこの夫人に、ノラに対する間違いない評価をいわせる。ここがうまいとこですよね。さらにこう加えます。「学校時代、ずいぶん無駄遣い屋さんだったわ」

ここで観客はもう一度情報を整理できる。やっぱり小さいときから無駄遣いをしていたんだ、このリンデ夫人の証言は信頼できる、と。観客としてはこの無邪気なノラを最後まで支持しよう、彼女の味方になってこの芝居を観てあげよう、と確信する、すごく大事なせりふです。ここは演出家も、いい役者を使って、さりげないけれどピシッと押さえないといけません。こうやって登場人物をうまく使いながら、情報をばらまいては整理して、はっきりしたノラ像を与えていく。これはお手本のようなところですね。

一方のノラは、リンデ夫人に無邪気といわれたことにちょっと反撥《はんぱつ》して、それがまた後の構造につながっていきます。「みんなが考えているほどばかじゃないわ。だってあたしたち、お金がじゃんじゃん遣える身分じゃなかったんですもの。働かなくちゃならなかったのよ、二人とも」そのために、旦那が働きすぎて病気になってしまい、医者から南のほうへ転地療養に行かないといけないといわれ、一年もイタリアに行っていた――ノラの反撥を梃子《てこ》にして、夫婦の過去がだんだんとわかってきます。

そのイタリア行きのために四千八百クローネという大金が必要だったのですが、これがどのくらいの額なのかよくわかりません。冒頭で、「はい、一クローネ」とノラがポーターにチップを渡している。普通は半分でいいのに二倍の一クローネ渡していますから、仮に五百円のところ千円払ったとすると、四百八十万円。まあ、大金といえば大金ですが、この辺の金額の設定って意外とむずかしいんですね。イプセンも、いくら借りたことにすればいいのか、三日ぐらい計算したんじゃないでしょうかね。八年ぐらいかかって少しずつ払っていくうちに、もうほとんど終わりかけている、というぐらいの金額を設定しているはずです。なにしろ、お金のことをこれだけ書いた戯曲というのはこれが初めてですから。

ノラはここでうそをつくのですが、観客はまだわかりません。「実をいうとね、パパなのよ、そのお金くれたのは」ここから二人の長いやりとりがあって、とうとうノラは、「あたしなんですもの、トルヴァルの命を救ったのは」と打ち明けます。この二人の場面は非常に長くて、三十分か四十分くらいかかるんじゃないでしょうか。この長い場面を退屈させないためにイプセンは、この四千八百クローネを本当にお父さんが遺産として残したのかどうかを、リンデ夫人にうまく誘導させながら、「実はあたしが借りた」とノラに告白させるようにもっていっています。ですから、このリンデ夫人の役は大変重要で、ノラよりも数倍達者な、上手な、表現力のある人でないとちょっとできないですね。

ノラのほうも、リンデ夫人を問い詰めていきます。「怒っちゃいやよ！　――でも、それ本当、御主人が好きじゃなかったっていうのは？　どうして結婚したのよ、じゃ？」と。後でこれは大問題になってきます。ここでのイプセンの大冒険は、リンデ夫人が本当に好きなのはクロクスタだったとしたことです。さきほどもいいましたが、クロクスタに結婚を申し込まれたときには、「母がまだ生きていて、――寝たきりで、身動きもできなかった」から、金持ちからの申し出を断るわけにはいかなかったのだと明かします。寝たきりが好きなんですね、イプセンは（笑）。イプセンは自己模倣が起きないように一作ごとにパターンを変えるように努力したといわれますけど、実は重大なところに同じ手を使っているんです。

ぼくの場合は、女性の出身者がたいてい東北になっちゃうというのがあります。九州の女性は、ちょっとわかりませんし、もちろん東北の女性もわかるというわけではないのですが、何か安心できるんですね。それから主人公をすぐ孤児にしてしまうとか、作家にはそういう癖があるんですね。でも、その癖は愛してやってください、もっと大きいところでいろいろ冒険していますから（笑）。

こうやってノラとリンデ夫人はお互いに触発、挑発し、反撥し合うというかたちで情報を観客に与えているわけです。二人だけで長丁場の場面をぐいぐいぐいぐいやっていく。そういう息の長いところをしっかり書けるのがイプセンの実力だと思います。リンデ夫人が、お母さんが亡くなり、弟たちも自立したことを語ると、ノラが「ほっとしたでしょうね――」といいます。ここがポイントですね。つまり、そういう重荷が取れて、もうあなたの苦労は全部消えちゃったんだから、ほっとしたでしょうね、というわけです。

ノラはそういう人なんです。苦労がなくなったら幸せだと、最初の段階から幸せだ、幸せだといって幸せを大安売りしている。ところがリンデ夫人は、「ううん、ノーラ、なんともいえないむなしい気持ちよ。生きていく目的がないんですもの」と答える。面倒をみる人がいなくなって目的を失い、かえって寂しくなっている。幸福に対する考え方が正反対なんです。この正反対の二人の女性が、対位法のように描かれていく。ここは演出上、重要なところです。

目標がないと人間は生きられない。しかし、その目標を達成すれば幸せかというと、必ずしもそうではない。そういう自己実現というのは、いっさい不毛ではないか。じゃあ、どうしたらいいんだ、と。これは時代の病ですね。これが芝居のテーマで、この辺りからこのテーマが少しずつ出てきます。

ここでイプセンは、二人にちょっとした喧嘩をさせています。ノラが、仕事を探しているリンデ夫人に、疲れているようだから保養地にでも行ったらどうかというと、「あたしには、旅費をくれるパパなんていないわ」といわれる。ノラはうそをついてますから、リンデ夫人に謝って、だんだん就職の話になっていく。リンデ夫人は夫人で、ノラが世の中の苦労を知らないと挑発し、それに乗って、とうとう「あたしなんですもの、トルヴァルの命を救ったのは」という、このドラマのエンジン部分がここで現れる。最初は、お父さんの遺産だといっていたのが、挑発し合いながら観客に互いに過去の説明をしていくことで、ノラに真相を吐かせるようにもっていく。

ここから、劇的アイロニーが始まります。妻がこっそり借りたお金で夫は一年間イタリアへ転地に行き、そのおかげで丈夫になって、しかも銀行の頭取になるという事実を観客は知る。それまではノラとクロクスタの二人だけの秘密だったのが、いまやリンデ夫人が知ることになり、それどころか客席全員がノラの秘密を知ったところで、この芝居の一番最初のネジが巻き終わるわけです。

ネジが巻き終わったところへ登場するのがクロクスタです。こういうふうに、ほとんど無駄がない。常に必要なところに必要なせりふを置きながらノラの性格を見せ、古い友だちを登場させて過去の情報を整理していく。そういう処理の仕方で、現在が過去を決めていくというのが、イプセンの特徴です。普通は、過去がこうだからいまがこうだ、というふうにもっていく。リンデ夫人がそれをやっているわけです。あなたは子どもの頃こうだったからいまもこうでしょ、というふうに。ところがノラのほうは、いまが実はこうであるからと、過去の意味が多少変わってくる。過去の問題についても、この二人は対照的です。イプセンが託したノラの考え方は、過去がいまをつくるのではなく、いまが過去を変えていくという、まったく新しい考え方です。

これは遺伝学をしきりにやった結果でしょうね。遺伝学的な考えが盛んになると、そもそもあの人は出が悪いからこうだ、出がいいからこうだ、という考えをするようになる。イプセンは、ノラに託してそれを批判しているんです。現在の自分の考え方によって、ある意味では過去を変えることができる、と。リンデ夫人はすごく好人物ですが、過去にとらわれているんですね。クロクスタと結婚するとなったとき、過去の自分を好きでいてくれたクロクスタというのは、とてもいい男だと、当然のように思っている。昔ふられた女性が未亡人として現れ、その女性に声を掛けられただけで幸せになって、肝心の証文をある意味で破棄してくれる、こんないい人いないですよね。

でもよく考えると、クロクスタみたいな、こんな可哀相で純情な男はいませんよね。なにしろ、自分が馘《くび》になって、代わりに昔ふられた女の人が入ってくる。彼女は結婚をして子どももいるけれど、いまでも好きなんです。で、幸運にも結婚できることになったので、ノラの文書偽造も見逃すことにする。大変偉い人ですね。読むたびに、このクロクスタという人は、いろいろな解釈ができます。

とにかく、芝居というのはけしてひと通りの解釈だけではなく、いろいろな見方ができるんです。たとえば、亭主のヘルメルだけの視点で観る方法もある。主役のノラだけを観るという見方をやめてみるのもありなんです。商業演劇に少し限界を感じるのは、スポットが主役にしか当たらないからです。そうすると、主役以外はみんなダレてしまう。スタニスラフスキーが、なぜアンサンブル[*27]、アンサンブルと言い出したかというと、芝居を観るというのは一様ではなく、リンデ夫人の側から観たい人もいれば、最後は捨てられる亭主の側から観たい人もいる。きちっとしたキャスティングをすれば、主役の栗原小巻、あるいは松たか子ばかり観ている人にも、他の人に注目する複合的な観方が伝わってくる。演劇の素晴らしいところはそういうところなんです。

みんなで同じ芝居を観ているのですが、みんなそれぞれの得意分野、それぞれ違う場所から観ているんですね。たとえば、さまざまな分野の代表選手が劇場に四百人いると思えばいいですよね。日本一のスリの親分がこっそり観ていたりするかもしれませんし、それぞれが自分の一番感受性の鋭い、感覚のすごいところから観ているわけです。小説などと違うのは、隣の人がその人の得意なところから観た感じが、なぜだかわからないのですけれど、みんなに伝わることです。だからきちっとした稽古をして、亭主役の人がピシッとしていて、ノラも良くて、

＊27　特定のスター俳優を主役に据えるのではなく、誰もが劇中において主体として参画する形式。

他の人たちもそれぞれがいい芝居をすると、いろいろな立場から観た『人形の家』がひとつにまとまり、それがみんなに伝わっていく。これは芝居でしか起こらない不思議な、素晴らしいことなんです。

ぼくが、きちんとした演劇は、人間が考え出した最高の表現形式だとよくいうのは、そういうことなんですね。しかも、こういうよく書かれた脚本《ほん》では、情報が実にうまいこと伝えられていますから、全員がそれぞれのノラ像を組み立てていくうちに、自分の汲み取ったノラ像の正しいところ、いいところが全部伝わっていく。観客席が大事だ、サポーターが大事だというのは、そういうことなんです。お金を払ってくれるから大事なんじゃない。百人集まれば百通り、四百人集まれば四百通りの観方が生まれて、それを互いに感じあって、深く複合的な感動が生まれる。もちろん、すべての演劇がそうだというわけじゃなく、その感動を引き起こすには、この『人形の家』のようにしっかり書かれていないと駄目なんですね。

始める前には、一日に一冊ずつテキスト分析ができると思ったのですが、とんでもない。そういう簡単な本ではなかったですね。容易ならざる本だとは思っていましたけれど、予想を遥かに超えていました。きちんと説明していくと、結局一日につき三十ページしかできませんでした。残りは是非ご自身でお読みになってください。
ということで、イプセンはこれで終わります。

＊本文中のイプセンの作品の翻訳、登場人物名（「ノーラ」を除く）は左記による。
『ヘッダ・ガーブレル』原千代海訳（岩波文庫、一九九六年）
『人形の家』原千代海訳（岩波文庫、一九九六年）

チェーホフ

①講座当日配付されたチェーホフのレジュメ

チェーホフは生涯、ヴォードヴィルを書きたいと思っていた。

ごく平凡なもののうちにかくされた"目立たない美しさ

集団的にも見る＝アンサンブルの原理 ― 生活の流れ、そのものを
観客の目に見える
ようにする

一つの場面《シーン》の内部に、悲劇と喜劇を仕掛ける

喜劇的な型式のうちに現われる悲しい内容、

悲劇的な型式をとってあらわれる喜劇的な内容

夢想するインテリゲンチャ。しかし彼等は、それを実現するために
闘おうとしない。その無能ぶり。

行動するのはナターシャとプロトポーポフ（市会議員）

はかなく滅びゆく美は
……

スタニスラフスキーの理論とチェーホフの戯曲

ナターシャとプロトポーポフがだんだんと三人姉妹たちをこの家から追い出して
ここに君臨するいきさつ、過程《プロセス》。

この家は、美しさと善良の王国から悪劣と低俗の王国ープロトポーポフと
ナターシャの王国に次第に変える。

醜悪が詩を征服し、悪劣さが生活の美しさを征服したという物語

三人姉妹　Три Сестры

戯曲　四幕

イリーナは子ども部屋から追い出されれ
オーリガの部屋に身をよせる
オーリガはこの家を出て行かざるを得なく
なり、中学の校舎へ引っ越す。
イリーナも教師として、どこか遠い
ドっ田舎に去って行く。

フィナーレで私たちが見るのは、なにもかも失い、おたがいにしっかりと抱き合って
いる親のない姉妹たち。……それでも未来はまだある。

②同前

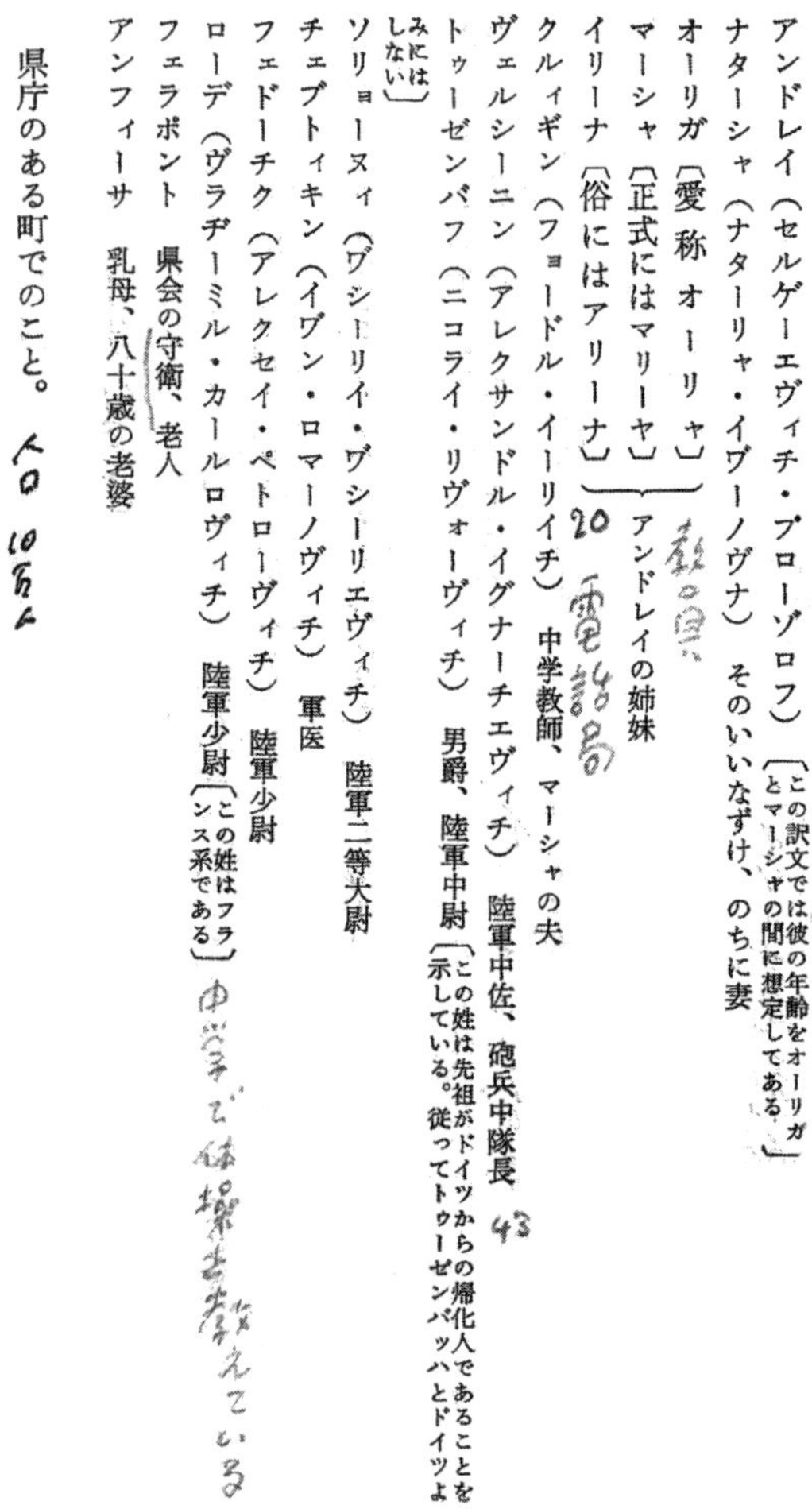
人物
アンドレイ（セルゲーエヴィチ・プローゾロフ）〔この訳文では彼の年齢をオーリガとマーシャの間に想定してある。〕
ナターシャ（ナターリャ・イヷーノヴナ）　そのいいなずけ、のちに妻
オーリガ（愛称 オーリャ）
マーシャ（正式にはマリーヤ）
イリーナ（俗にはアリーナ）
アンドレイの姉妹
教員
20
電話局
クルィギン（フョードル・イーリイチ）　中学教師、マーシャの夫
ヴェルシーニン（アレクサンドル・イグナーチエヴィチ）　陸軍中佐、砲兵中隊長
43
トゥーゼンバフ（ニコライ・リヴォーヴィチ）　男爵、陸軍中尉〔この姓は先祖がドイツからの帰化人であることを示している。従ってトゥーゼンバッハとドイツよみにはしない〕
ソリョーヌィ（ヷシーリイ・ヷシーリエヴィチ）　陸軍二等大尉
チェブトィキン（イヷン・ロマーノヴィチ）　軍医
フェドーチク（アレクセイ・ペトローヴィチ）　陸軍少尉
ローデ（ヴラヂーミル・カールロヴィチ）　陸軍少尉〔この姓はフランス系である〕
中学で体操を教えている
フェラポント　県会の守衛、老人
アンフィーサ　乳母、八十歳の老婆
県庁のある町でのこと。
人口10万人

③中央公論社版『チェーホフ全集　12』「三人姉妹」への著者の書き込み（提供：遅筆堂文庫）

花でいっぱい

262／ヴェルシーニン

第一幕

壁でなく、なぜ円柱が……詩と現実との間を示すため

プローゾロフの家。円柱のならんだ客間。柱の向うに大広間が見える。ま昼。戸外は日ざかりで朗らかである。広間では朝食〔わが国の午食にあたる〕のテーブルをととのえている。

オーリガが、女学校女教師の青い制服をきて、立ちどまったり歩いたりしながら、生徒のノートを直しつづけている。マーシャは黒い服をつけ、帽子を膝にのせて坐り、小型な本を読んでいる。イリーナは白い服をきて、立って考えこんでいる。

オーリガ　お父さまはちょうど一年まえ、それもこの五月五日の、あなたの〝名の日〟〔天使の日ともいう。当人の洗礼名と同じ名の聖人の命日。それをロシヤでは誕生日のように祝った〕に亡くなったのね、イリーナ。あの日はひどい寒さで、雪がふっていた。わたしは、もうとても生きてられないような気がしたし、あなたは気が遠くなって、死んだみたいに臥《ね》ていたっけ。でも、こうして一年たってみると、わたしたち気楽にあの時のことが思いだせるし、あなたももう白い服をきて、晴ればれした顔をしているわ。〔時計が十二を打つ〕あの時も、やっぱり時計が鳴ったっけ。（間）覚えてるわ、お棺が送られて行くあいだ、軍楽隊がマーチをやったし、墓地じゃ弔銃を射ったわね。お父さまは将軍で、旅団長だったけれど、そのわりに会葬者は少なかった。もっとも、あの日は雨だったわ。ひどいミゾレだった。

イリーナ　そんなこと思いだして、どうするのよ！

列柱のむこう、広間のテーブルのあたりに、トゥーゼンバフ男爵、チェブトィキン、ソリョーヌイがあらわれる。

かもめの冒頭のマーシャ　93ページ　人生の喪服なの。わたし不仕合せですもの

245　三人姉妹

④同前

幸福への期待。美しい音楽的なテキストが。夢が。

詩

オーリガ　今日は暖かで、窓をあけっぱなしにしておいてもいいほどなのに、白樺はまだ芽を吹かない。お父さまが旅団長になって、わたしたちを連れてモスクワをお立ちになったのは、もう十一年前のことだけれど、今でもはっきり覚えている——五月のはじめ、ちょうど今ごろのモスクワは、もう花がみんな咲いて、ぽかぽかして、日ざしがあふれているわ。十一年たった今日でも、わたしあすこのことは、まるで昨日たって来たように覚えているの。まあ、どうでしょう！　けさ目がさめて、ぱっと一面に明るいのを見たら、春の来たのを見たら、とたんに嬉しさがこみ上げてきて、生まれ故郷へ帰りたくてたまらなくなったわ。

チェブトィキン　ばかばかしい！

トゥーゼンバフ　もちろん、くだらん話です。

マーシャ　（本の上に考えこみながら、そっと歌を口笛で吹く）

オーリガ　口笛はやめて、マーシャ。どうしてそんな真似ができるんだろう！（間）何しろわたし、毎日学校へ行って、それから夕方までレッスンに廻るものだから、しょっちゅう頭痛はするし、考え方までが、すっかり婆さんじみて来たようだわ。そして実際、学校に勤めだしてから四年のあいだに、毎日一滴また一滴と、力や若さが抜けて行くような気がする。だんだん大きく強まって行くのは、空想だけ……

イリーナ　モスクワへ行くというね。この家を売って、きっぱりこの土地と手を切って、モスクワへ……

オーリガ　そうよ！　早くモスクワへねえ。

チェブトィキンとトゥーゼンバフ笑う。

イリーナ　兄さんは、きっと大学教授になるんだから、どうせここにいるつもりはないわ。ただ困るのはマーシャのこと、可哀そうに。

オーリガ　マーシャは毎とし、夏休みじゅうモスクワへ来たらいいわ。

246

⑤同前

マーシャ　（そっと歌を口笛で吹く）

イリーナ　大丈夫みんな、うまく行ってよ。（窓を見ながら）いいお天気ねえ、今日は。どうしてこう気持が晴ればれしているのか、あたし自分でもわからない！　けさ、今日はあたしの〝名の日〟だったと、ひょいと思いだしたら、急にうれしくなって、まだお母さまが生きてらした、子供の頃を思いだしたの。すると、あとからあとから、すばらしい考えが湧いてきて、胸がどきどきしたわ。そりゃすばらしい考えばかり！

オーリガ　今日あんたは、いかにも晴れやかで、いつもよりずっと綺麗に見えるわ。マーシャも綺麗よ。アンドレイだって、美男なのだけど、ただああ肥ってしまっちゃ形《かた》なしだわ。わたしと来たら、この通り老けて、すっかり痩せてしまった。きっとこれも、学校で娘たちに癇癪ばかり起すからよ。今日はお休みで、こうして家にいるので、頭痛もしないし、昨日より若くなったような気がする。わたしは二十八だけれど、ただねえ……。いいえ、不足をいうことはない、みんな神さまの御心《みこころ》だもの。でもね、わたしこんな気もするの――もしもお嫁にいって、一ん日じゅう家にいられたら、その方がもっといいようなね。（間）わたし、夫を大事にするわ、きっと。

トゥーゼンバフ　（ソリョーヌィに）そんな馬鹿なことばかり言って、君の話はもう沢山ですよ。（客間にはいりながら）そうそう、忘れていました。今日こちらへ、われわれの隊の新らしい指揮官、ヴェルシーニンがご挨拶に出るはずです。（ピアノのそばに坐る）

オーリガ　まあ、そう！　大そう嬉しいですわ。

イリーナ　そのかた、お年寄り？

トゥーゼンバフ　いや、大したことはありません。まあせいぜい四十か、四十五でしょう。（そっと弾く）見たところ、立派な人物です。すくなくも愚物じゃない――これは確かです。ただ、少々話ずきですがね。

イリーナ　きれいなかた？

247　三人姉妹

⑥同前

トゥーゼンバフ　ええ、なかなかね。ただその、奥さんと、そのおっ母さんと、娘が二人いますがね。おまけに二度目の細君なんです。あの人は挨拶に行く先々で、かならず、細君に娘がふたりいると話すんですよ。こちらでもきっと言うでしょうよ。その奥さんというのは、何だか少々低能みたいな人でしてね、いまだに娘のように髪をオサゲにして、へんに哲学じみた大きなことばかり並べて、しかもちょいちょい自殺を企てるんです。まあ御主人に面当て、というところでしょうがね。僕ならあんな女、とっくに御免こうむってるところですが、あの人はじっと我慢して、ただ愚痴をこぼすだけなんです。

ソリョーヌィ　（チェブトィキンとともに、広間から客間へはいって来ながら）片手だと僕は一プード半〔約二五キロ〕ぐらいしか持ちあげられないが、両手だと五プード〔約八二キロ〕、いや六プード〔約一〇〇キロ〕だって持ちあげられる。だから僕は、こう結論するんです――二人がかりの力は、一人の二倍じゃなくって、三倍も、いやもっと上だとね……

チェブトィキン　（歩きながら新聞を読む）抜け毛には……ええと、ナフタリン八グラムをアルコール半瓶《はんびん》に……溶解し、これを毎日もちいる……（手帳に書きこむ）書きとめておこう！（ソリョーヌィに）それでさ、いいかね君、壜の口にコルクをはめて、それにガラス管をとおす。……それから、そのへんにある極《ご》くありふれた明礬《みょうばん》を、一つまみとってね……

イリーナ　チェブトィキンさん、ねえ、チェブトィキンさんてば！

チェブトィキン　なんです、お嬢さん、わたしの可愛い？

イリーナ　教えて頂だい、なんだってあたし、今日はこんなに嬉しいんでしょう？　まるで帆を一ぱいに張って、海を走っているみたい――上にはひろびろした青空、大きな真白な鳥が飛んでいてね。なぜこうなんでしょう？　ねえ、なぜ？

チェブトィキン　（彼女の両手にキスしながら、やさしく）

248

⑦同前

詩

わたしの白鳥さん……

イリーナ　きょう目が覚めて、起きて顔を洗ったら、急にあたし、この世の中のことがみんなはっきりして来て、いかに生くべきかということが、わかったような気がしたの。ねえ、チェブトィキンさん、あたしすっかり知ってるわ。人間は努力しなければならない、誰だって額に汗して働らかなければね。そこにこそ、人生の意義も目的も、その幸福も、その悦びや感激も、のこらずあるのよ。夜の明けるか明けないうちに起きだして、街で石をトンカチやる労働者や、羊飼いや、子供たちを教える先生や、鉄道の機関手になったら、さぞいいでしょうね。……ほんとに、人間であるとかないとかの問題じゃないわ、ただ働らけさえすれば、いっそ牛にでも、ただの馬にでも、なったほうがましよ——お昼の十二時にのこのこ起きだして、ベッドのなかでコーヒーを飲んで、それからお召替えに二時間もかかる……ああ、おっそろしい、そんな若い女になるよりはね！　暑い日に、水を飲みたくなることがあるでしょう。あたしが働らきたくなったのも、それと同じよ。これからもしあたしが、朝早く起きて頑ばらないようだったら、絶交して頂だいね、チェブトィキンさん。

チェブトィキン　（やさしく）しますよ、絶交しますよ……

オーリガ　父はわたしたちを、七時に起きるように、しつけてくれましたの。今でもイリーナは、七時に目だけは覚ますけど、それから少なくも九時までは、床《とこ》のなかで何か考えているのよ。その真面目な顔といったら！（笑う）

イリーナ　姉さんは、いつまでもあたしを子供と思ってるものだから、あたしが真面目な顔をすると変な気がするのよ。あたしだって、二十歳《はたち》よ！

トゥーゼンバフ　勤労をなつかしむ気持、いやほんとに、僕はよくわかりますよ！　僕は生まれてこの方、一度だって働らいたことがない。あの寒い、ぐうたらなペテルブルグで、勤労とか心配とかいうものは

249　三人姉妹

⑧同前

詩

ついぞ知らない家庭に、ぽっと生まれた僕ですからね。忘れもしませんが、幼年学校から家へ帰ってくると、下男が長靴をぬがせてくれる、僕は駄々のこねほうだいでしたが、その僕を母親は後生大事に奉って、ほかの人が僕にちがった扱いをすると、びっくり仰天する始末でした。僕が手足を動かさずに済むように、みんなでかばってくれたんです。もっとも、そのかばい立てが成功したかどうか、そこはどうやら怪しいもんですがね！　今や時代は移って、われわれ皆の上に、どえらいうねりが迫りつつあります。たくましい、はげしい嵐が盛りあがって、もうすぐそこまで来ている。まもなくそれは、われわれの社会から、怠慢や、無関心や、勤労への色めがねや、くされきった倦怠だのを、一掃してくれるでしょう。僕は働らきますよ。あと二十五年か三十年もしたら、人間はみんな働らくようになりますよ。一人のこらずね！

チェブトィキン　わたしは御免だな。

トゥーゼンバフ　あなたなんか、勘定にはいりません。

ソリョーヌイ　二十五年たったら、君はもうこの世にはいないさ、ありがたいことにね。まあ二三年もすれば、君は卒中でポックリ行ってしまうか、でなきゃこの僕が癇癪をおこして、君の額へ弾丸《たま》をぶちこむのが落ちさ、なあ君。（ポケットから香水壜を出して、胸や手にふりかける）

死体の匂いがする

チェブトィキン　（笑う）いや、ほんとにわたしは、ついぞなんにもしたことがないな。大学を出たっきり、指一本うごかしたことがない。小さな本一冊、読みとおしたことはなく、読むのはもっぱら新聞だけでね……（ポケットから別の新聞をとり出す）そらね。……まあ例えば、ドブロリューボフ〔ロシヤ十九世紀中葉の尖鋭な批評家〕という男のいたことは、新聞で知っちゃいるが、じゃ何を書いたかという段になると――知らないね。……どうぞ御勝手に、というところさ。……（階下から床をコツコツいわせる音が聞える）そらね。……下でわたしを呼んでいる、誰か来たんだろう。すぐ来ま

テレビ

250

⑨同前

す……ちょっとお待ちを……（髯をしごきながら、あたふたと退場）
イリーナ　あれ、何か思わくがあるのよ。
トゥーゼンバフ　そう。真面目くさった顔をして出て行ったところを見ると、今あなたにプレゼントを持ってきますよ。
イリーナ　まあ、いやだわ！
オーリガ　まったく、やりきれないわ。あの人、ばかなことばかりするんだもの。
マーシャ　〝入江のほとり、みどりなす樫《かし》の木ありて、こがねの鎖《くさり》、その幹にかかりいて……。こがねの鎖、その幹にかかりいて……〟〔プーシキンの叙事詩「ルスランとリュドミーラ」より。この叙事詩にもとづいて、グリンカのオペラがある〕（立ちあがって、小声でうたう）
オーリガ　あなた今日、浮かない顔をしてるのね、マーシャ。
マーシャ　（歌いながら帽子をかぶる）
オーリガ　どこへ行くの？
マーシャ　帰るの。

むなしくほろびさった青春
失敗に終った結婚・生活
……そのつまらない生活のとりこになっている。

イリーナ　変ねえ……
トゥーゼンバフ　〝名の日〟のお祝いを逃げだすなんて！
マーシャ　いいのよ。……夕かた出直します。ご機嫌よう、可愛いイリーナ……（イリーナにキスする）もう一ぺん——どうぞ元気で、仕合わせでね。むかし、お父さまがいらした頃は、〝名の日〟といえばかならず、将校連中が三十人、四十人とやって来て、にぎやかだったものだわ。それが今日は、せいぜい一人半ぐらいで、静かなことといったら、まるで沙漠みたい。……わたし行くわ。……今日わたし、メランコロジー〔ゆううつ症（メランホーリヤ）を、わざわざメルレフリュンヂヤと、でたらめな外来語めかした言葉で言っている。彼女自身の覚え違いというより、むしろ夫クルィギンのゲン学癖への当てつけと解すべきであろう〕で、くさくさするの。わたしの言うことなんか、気にしないでね。（泣き笑いしながら）あとで話しましょうね。じゃ、ちょっと失礼するわ、ね、イリーナ。わたし、どこかへ行って来るわ。
イリーナ　（不満そうに）まあ、なんていうひと、姉さ

⑩同前

ヴォードヴィルの手法を取り入れている『三人姉妹』

最初にチェーホフはどういう人だったのか、というところから説明します。チェーホフの本当の姿というのは、日本ではあまり知られていないんですね。素晴らしい劇作家、そしてある意味で近代小説の基礎をつくった素晴らしい小説家だということはわかっているのですが、その他のことはあまり知られていない。チェーホフがなぜそのような小説や芝居を書いたかということについては、チェーホフの一生を覗かないとわからないところがありますので、まずその辺をお話しします。

チェーホフが生まれたのは一八六〇年、日本でいいますと万延元年、場所はタガンロークという黒海の北部、アゾフ海に面した港町です。ロシアの地図を広げますと、左端にカスピ海と黒海という二つの大きな湖――正確に言うと、黒海は湖ではなく内海ですが――があって、黒海の北はウクライナとロシアで、左側、つまり西はヨーロッパに接していて、南側はトルコに接しています。一方のカスピ海の右側、東にはカザフスタン、ウズベキスタン、トルクメニスタンといった中東、シルクロードの国々があって、西北側はロシア、南西はアゼルバイジャン、南はイランに接しています。黒海は大変気候の良いところで、南のイスタンブールを経由して地中海へ出られます。ロシアの穀物や材木を、チェーホフの生まれたタガンロークの港から地中海へ運び出し、逆にヨーロッパやトルコ、エジプトなどの物産が、このタガンロークを通ってロシアへ運び込まれます。

タガンロークは、いまでこそ廃れていますが、チェーホフが生まれた頃は大変賑やかな港町で、チェーホフはその町の食料雑貨店の子どもとして生まれました。チェーホフのお祖父《じい》さんは農奴、農業奴隷でした。帝政ロシア時代には地主（貴族）がそれぞれ農奴という農民を所有していて、農民たちはその土地に縛り付けられ、自由に動くことはできませんでした。主人を替えることもできず、ある村に生まれたらその村で一生を終える。村を統治している公爵とか伯爵とか男爵とかの貴族が直接の主人になるわけです。モスクワ、あるいはサンクトペテルブルクのロシア宮廷は、自分の家来たちに土地というかたちで給料を渡すわけですね。

日本の江戸時代でいえば、頂点に徳川家の将軍がいて、その下に大名、小名、旗本がたくさんいました。たとえば、伊能忠敬[*1]が婿入りした下総《しもうさ》佐原《さわら》村というのは、六千石の津田日向守《ひゅうがのかみ》が、将軍から給料として佐原村一帯の領地を与えられ、そこから上がるお米（年貢）で生活を立てるわけですが、それと同じことですね。

＊1　一〇三ページ脚注6参照。

農奴というのは極めて不自由な身分でしたが、領主に直接交渉して、貯めたお金を領主に渡す代わりに農奴の身分から脱することができるという制度がありました。チェーホフのお祖父さんはその制度を利用して農奴の身分を脱し、タガンロークという港町に出てきたのです。最初は小さな雑貨屋をやるわけですが、お祖父さんは勤勉で、商売も上手で、才覚がありましたから、雑貨屋を大きくしてさまざまな食料品や雑貨を商い、さらにはスイスのピストルなどの舶来品を輸入したり、かなり手広く商売をしていました。

ところが、よくあるように、二代目のチェーホフのお父さんの代になると、お祖父さんが築いた財産が減っていきます。お父さんは非常に芸術的な才能をもっていた人で、町の教会の聖歌隊の隊長になったり、ヴァイオリンを弾いたり、モスクワの芝居を呼び寄せたり、とにかく多趣味な町の旦那衆でした。

お父さんがモスクワのいろいろな芝居を町の劇場に呼び寄せたというのは、大事なことです。まあ、演劇鑑賞会みたいなものです。あっちこっちの芝居を招《よ》んで、市民にそれを観るチャンスを与えるという仕事をしていた。その中にたくさんのヴォードヴィルという形式の演し物《だしもの》と、当時ヨーロッパじゅうで流行っていた、ウジェーヌ・スクリーブ（一七九一〜一八六一）というフランスの劇作家の芝居がありました。

十九世紀前半、パリを中心に「ウェルメイド・プレイ」という芝居が大流行し

＊2　一九四八〜二〇一〇。劇作家、演出家、小説家。「口立て」という独特な演出をおこなう。七四年、つかこうへい事務所を設立。『熱海殺人事件』『蒲田行進曲』『幕末純情伝』など。九四年に北区つかこうへい劇団、九五年に大分市つかこうへい劇団を設立した。

＊3　一九六一年生まれ。劇作家、脚本家、演出家、映画監督、俳優。八三年、東京サンシャインボーイズを旗揚げ。『天国から北へ3キロ』『笑の大学』『国民の映画』など。

＊4　一九三三年生まれ。イギリスの劇作家、小説家、翻訳家。主な作品に『ノイゼズ・オフ』『コペ

ます。いまは「あれはあからさまなウェルメイド・プレイだね」などと批判的に使われることが多いのですが、もともとは「よくできている芝居だけど、ただそれだけじゃない」という意味で使われていました。演劇がもっている多彩な手法を一所懸命使い、お客さんを笑わせて、泣かせて、感動させて、帰す、という芝居です。その代表的な作家がスクリーブです。いまでいうと、ニール・サイモン、つかこうへい、[*2]三谷幸喜、[*3]マイケル・フレイン、[*4]ピーター・シェーファー[*5]など、世界じゅうの大変人気のある劇作家たちを全部足したぐらいの存在だと思っていただければいいです。この名前はぜひとも覚えておいてください。

スクリーブは六十九歳で死にますが、その間に三百五十本ぐらいの芝居を書きました。そうすると、一年に四本か五本書かなくてはいけない計算になりますが、これはありえないことで、いつも共作者がいました。もちろん、スクリーブが粗筋を立てて、ここはこういうふうにしたほうがいい、この手は面白い、ということを弟子に説明しながら自分が書き、弟子にも書かせる、そういうやり方で三百五十何編という厖大《ぼうだい》なウェルメイド・プレイができていくわけです。

スクリーブはまずシェイクスピアを研究し、それからモリエール、[*6]ラシーヌ、[*7]コルネイユ[*8]などのフランスの古典主義の劇作家を徹底的に勉強します。ギリシャ・ローマの悲劇・喜劇も好きで、小さいときからそればかり読んで、二十歳でデビューします。一本目は大失敗しますが、新しい劇場ができたのに合わせて、

ンハーゲン』『デモクラシー』など。チェーホフ作品の英訳でも知られる。

＊5　一九二六〜二〇一六。イギリスの劇作家。主な作品に『ブラック・コメディ』『エクウス』『アマデウス』など。

＊6　一六二二〜七三。フランスの劇作家。フランス古典劇の代表者。主な作品に『タルチュフ』『ドン・ジュアン』『人間嫌い』『守銭奴』など。

＊7　一六三九〜九九。フランスの劇作家、詩人。古代ギリシャ、ローマの古典を典拠に、人間の内面に潜む激しい感情を、簡潔で格調高く描いた。主な作品に『アンドロマ

二本目に書いた作品が大ヒットして、その後、小屋と一緒に彼はどんどん有名になっていきます。

彼はそれまでの芝居のいいところを徹底的に勉強した人です。たとえば芝居には幽霊を出すと成功する。芝居には必ず宝探しが出てくる。お姫様を探す、宝物を探す、犯人を探す……何かを探すというのが演劇的に非常に効果がある等々、いろいろな法則を三十も四十も考えついた人です。

イプセンも、そしてチェーホフも、スクリーブの芝居が大好きなんです。スクリーブは当時のヨーロッパ最大の劇作家ですから、デンマーク語とかノルウェー語とかロシア語とかに翻訳されていますので、イプセンもチェーホフも一所懸命読んでいただろうし、上演された芝居を観る機会もあったと思います。ぼくがこの間モスクワに行ったとき[*9]、チェーホフの住まいへ行って本棚を見たら、やはりスクリーブの全集がありました。

つまり、イプセンやチェーホフは、いわゆる大衆演劇を徹底的に読んで芝居のつくり方を勉強したのであり、ことにイプセンは、大衆が喜んで観る芝居を研究し、芝居のもっている面白さをそこから学び、それを自分の芝居づくりに応用したのです。

イプセンの初期の芝居はあまり客に受けずに失敗続きでしたが、あるときから急にいい芝居を書くようになり、〈近代演劇の父親〉と呼ばれるまでになっていく。

ック』『ブリタニキュス』『フェードル』など。

＊8　一六〇六～八四。フランスの劇作家。主な作品に『舞台は夢』『嘘つき男』など。

＊9　二〇〇一年六月、『父と暮せば』モスクワ公演にあたって、ロシアへ。モスクワ、サンクトペテルブルクのほか、チェーホフが晩年暮らしたメリホヴォ村の「チェーホフ記念館」も訪れた。

それは、スクリーブの作品を全部読んで、どう書いたらいいか、どうしたら面白いかを学んだことが大きかったんですね。たとえば、『人形の家』の「宝物」は手紙ですよね。ノラの秘密を明かしたクロクスタの手紙が、ノラの旦那のトルヴァルに渡るかどうかで運命が変わる。そういう宝物をちゃんと利用している。調べてみると、タガンロークにもスクリーブの芝居を専門に上演する劇場がありました。

　十九世紀前半は、芝居といったらスクリーブという時代です。たとえば、こういう作品[*10]があります。一人の青年が、ある架空の国へ特産品の絹糸を買いに行く。物差しでいろいろな絹糸の長さを測ったり、強さを調べたりしながら、一番いい絹糸を買っていこうとしている。ところが、その国は二派に分かれていて、王妃の息子である王子が次の国王になるか、それとも側女《そばめ》の息子がなるかをめぐって陰謀が渦巻いている。その陰謀渦巻く真っ只中に、何も知らない糸の買い付けに来た若者が、ボーッとやってくるんです。この国は、ある大きな国の支国なのですが、皆、この青年のことを、上の国のお目付――たとえば、仙台藩が揉めていると将軍家から来るお目付役がいますが――だと勘違いする。で、青年は買い付けのために絹糸を測ったりしているだけなのですが、周囲にはそれがすべて何かを調べ回っているかのように取られるという話です。

　これ、どこかで聞いた話だと思いませんか？　そうです、ゴーゴリの『検察官[*11]』

＊10　スクリーブ作『外交官』（一八二七年）。二幕仕立てのヴォードヴィル喜劇。

＊11　ニコライ・ゴーゴリ（一八〇九～五二）の戯曲。一八三六年初演。検察官が査察に来るという情報を入手した市長と町の有力者は、帰省の途中で宿泊していた青年を検察官と勘違いし、手厚く接待したうえ賄賂まで渡す。

のもとになっている話なんですね。『検察官』は、スクリーブのその芝居の舞台をロシアに変えたらどういう話になるのだろう、という視点からできたものです。ですから、人びとに支持を受けている大衆演劇の作品を研究するというのは大事なことなんです。

それと同時に、大衆劇作家は大衆劇作家で、前衛劇の芝居を馬鹿にせずに勉強しないといけないんですよ。舞台に生まれる空間と時間を、なんとか新しいかたちでつくろうと思っているのが「前衛」です。そうした試みをしようとしない劇作家は駄目です。芝居にしか現れない時間、芝居でしか表現できない空間をつくろうという試みの結果、自然に内容がむずかしくなってしまう場合がありますが、これはまっとうな前衛劇、実験劇です。お互いに自分たちが発見したものを、違うジャンルの人たちが受け入れて、自分たちのやり方に変えていく。その逆もある。そうやって切磋琢磨していくのが理想的なかたちなんです。

さて、チェーホフはタガンロークに中学校までいるのですが、お父さんは破産してしまい、住んでいる家や店を売って、チェーホフの兄弟と一緒にモスクワへ引き上げます。そしてチェーホフだけが、人手に渡ったかつての自分の家で、新しく入ってきた買い手と一緒に暮らしながら、その子どもの家庭教師をやる。このときのチェーホフの立場は大変辛いものだったと思いますね。お父さんが破産して一家は夜逃げするのですが、チェーホフだけは中学校に通うためにそこに残

＊12 チェーホフを主人公とした『ロマンス』（二〇〇七年八月、こまつ座＆シス・カンパニーの制作、栗山民也の演出で初演）について、井上はこう語っている。《彼（チェーホフ）は「素晴らしいボードビルを書き

る。そして、自分たちの家を買った一家の子どもの家庭教師をしながら食費を稼いでいる。

父親としては、息子が住まわせてもらって、おまけに教えることで食い扶持《ぶち》を稼いでくれていれば、仕送りしなくていい。チェーホフの一家は、そうやって家族の掛かりを減らしながら、なんとかモスクワで再起しようとするわけです。

チェーホフは、そういう苦労した少年時代を過ごすのですが、タガンロークの町で、当時ヨーロッパを席捲していたスクリーブの芝居をよく観ていました。タガンロークには、小さいけれどもヴォードヴィル劇場があり、そこで町の役者、音楽家、舞踊家といった人たちがヴォードヴィルをやっている。ここに通うのがチェーホフ少年の最大の喜びでした。

チェーホフの芝居に対する考え方は、このときにできたわけです。ヴォードヴィルという演《だ》し物《もの》と、スクリーブという当時ヨーロッパ最大の面白い芝居を書く人の作品を日常的に観ることによって、中学校時代のチェーホフは、芝居の神髄を頭のどこかに、体のどこかに刷り込んだ。ここは大事なところだと思います[*12]。

時代は、ロシア革命前です。ロシア革命が一九一七年、その前の第一次革命が一九〇五年、チェーホフが亡くなるのが一九〇四年です。〈ナロードニキ運動〉[*13]という革命運動が十九世紀の後半に起こりますが、このときはまだ皇帝の力が強くて抑え込まれてしまう。その後、革命派内部が急進派と穏健派に分かれて、急進

たい」と書いている。調べてゆくと、寄席芸とは違う、ストーリーと音楽と笑いがある「欧州型ボードビル」の内容が分かってきた。なるほど、叙情劇のようにみられる『三人姉妹』も『桜の園』も馬鹿なことをいっぱいやっているボードビルなんです。この切り口でチェーホフを書こうと思いました》(二〇〇七年九月十一日付朝日新聞夕刊)

＊13 「ナロードニキ」は人民主義者の意味。一八六一年の農奴解放以降、ロシアのインテリ青年のあいだで農村に基礎を置く社会主義を理想とする〈ヴ・ナロード(人民の中へ)〉運動が広まった。

派は皇帝暗殺を狙って馬車に爆弾を投げるという政治テロに打って出る。そうした騒然とした時代の真っ只中にチェーホフは生きていたわけです。ロシアという国は変われるのか、新しい時代が来るのかという大議論が起こっている時代にチェーホフは生きていた。彼の芝居や小説を考えるときに、このことは一番大事なことです。

チェーホフは高校を卒業するとき、優秀な成績でタガンローク市から奨学金を受けます。当時ロシアにはいくつかのいい大学があったのですが、そのうち二つを挙げるとすると、サンクトペテルブルク大学とモスクワ大学。チェーホフは家族のいるモスクワに行って、その奨学金でモスクワ大学の医学部に入るのですが、入った瞬間に、家族全部を背負い込むことになってしまう。

当時、チェーホフにはまだ学生の五人の兄弟と両親がいました。この七人全員を食べさせていかなければいけない。後に、長男のアレクサンドルは作家に、次男のニコライは画家になります。三男坊がチェーホフです。四男のイワンは教師に、五男のミハエルは作家になります。それからマリヤという妹がいますが、これは教師になります。このマリヤが、妹というより家政婦代わりとなって、チェーホフが死ぬまでその世話を焼きます。もう一人妹がいましたが、こちらは二歳で亡くなっています。

チェーホフは、ショートショートみたいな短い小説を書いて、いろいろな雑誌に投稿して採用されます。それで家族の生活費と自分の学費を賄っていた。学校の勉強が終わってから帰宅すると、明け方の四時ぐらいまで原稿を書いて、原稿を出版社に送り、ちょっと寝て、また学校へ行く。このときに胸をやられますが、これが後にチェーホフの命を奪うことになります。*14

そうやって、稼ぐために七百本ぐらいのコントを書きますが、これはいまでも読めます。駄作も多いのですが、いいものはやはりいい。割合は三対一ぐらいでしょうか。チェーホフは生活のために書いていますが、書きなぐっているうちに、チェーホフのところへ「この間のあれはよかった。きみは作家になりたまえ」なんて手紙を送ってくる人も出てくる。チェーホフもまた、だんだんと自分の中に眠っている何ものかに気づき始める。ここで人生が変わってくるわけです。

モスクワ大学へは奨学金で通っています。国立とはいえ王立ですから、皇帝のお金も出ているので、お礼奉公しなければいけない。ロシアという国は不思議な国で、橋を造るとか鉄道を敷くとか道路を造るといった公共事業を囚人にやらせるんです。そのために囚人が大勢いないといけない。ですから、何かちょっとしたことでもすぐ捕まえて、シベリア送りにしてしまう。当時〈シベリア開発〉はロシア帝国の国是、国の大きな方針のひとつですから、どんどん捕まえては囚人たちにシベリア開発をやらせていた。

それがチェーホフの時代になると、シベリア、特にサハリン・樺太の環境は相

＊14 《若いころから明らかな結核の症状が恒常的に出ていたにもかかわらず、結局、チェーホフはまともな治療も受けず、これといった療養もしないまま、馬車馬のように猛烈に働くことを止めなかった。医師としても働きながら、作家としても相当な量の文章を雑誌の求めに応じて書き続けなければならなかったからである。その間に、当然のことながら病状は次第に悪化していった。》（沼野充義『チェーホフ　七分の絶望と三分の希望』講談社、二〇一六年）。最晩年の一九〇四年六月、南ドイツのバーデンワイラーに転地療養したが、七月二日、結核によって命を奪われた。

当酷いらしいという噂がモスクワまで流れてくる。いくら犯罪者でもあんな酷い労働をさせておいてはいけないのではないか、皇帝・政府のやることの中にも批判すべきことと受け入れるべきことがあるのではないかということが、だんだんわかってきた時代です。それに呼応するように、やがて革命も迫ってくる。

そして、彼が最初にやったことは、サハリン・樺太の囚人たちの調査で、『サハリン島』[*15]という、すごく面白いリポートを残しています。シベリアを横断してサハリンへ渡り、サハリンの囚人の健康状態、どういう生活をしているのか、何を食べているのか、日本との関係はどうか、などのことを調べました。そのとき、実はサハリンから日本に来る予定だったのですが、たまたま日本ではコレラが大流行していたので、それを避けてシンガポールを経由して地中海回りで帰るんです。『サハリン島』は面白い旅行記ですから、チャンスがあったらぜひ読んでください。

サハリンへ行ったのは一八九〇年、三十歳のときです。奨学金のことなどもありましたが、チェーホフは世の中のことを一所懸命考えている人なんですね。どこかに気の毒な人がいるというと、すぐそこへ行ってしまう人だということは、頭に置いておかないといけません。シベリアを越えて間宮海峡を越えてサハリンへ行く。そこに腰を落ち着けてフィールドワークをして一所懸命調べている。

サハリンへ行った翌々年には、メリホヴォというモスクワの南七〇キロほどの

＊15 一八九〇年、チェーホフが三ヵ月にわたり、サハリン島の流刑囚の実態を調査した記録。帰国後、雑誌に発表され、五年後に単行本として刊行された。

ところにある農村地帯に屋敷を買い、移り住みます。当地ではコレラが流行していて、その治療に当たったりもしています。ここで十年近く暮らすことになりますが、このメリホヴォ時代には、小説でもたくさん名作を書いています。それ以上に大事なのは、学校をたくさんつくったことです。小学校を三つぐらい、図書館を二つぐらいつくっています。この地域が幸せになるには、子どもたちが世の中のことを自分の頭で判断できるように勉強しなくてはいけない。大人たちも、暇があれば酒を呑んで酔い潰れているばかりではなく、本を読むという楽しみを見つけたほうがいいと考えたわけです。演劇運動もやっています。ちょっと宮沢賢治とも似ていますよね。

しかし、いくらチェーホフがそういうことをやっても、世の中は変わらない。一時、ロシアでは革命の気運が盛り上がったのですが、皇帝の力が強くて抑え込まれて保守化してしまう。医師として伝染病の予防策を説いたり、小学校や図書館をつくっても、土地の人はなかなか応えてくれずに空回りしてしまう。じゃあ、どうしたらいいかというときに、チェーホフはようやく芝居を書き始めるんです。芝居のほうがひょっとしたら世の中を変えられると思ったのかもしれません。その辺、チェーホフは何も書いていませんからわかりませんが、彼の手紙を綿密に読むと、チラッチラッとそういうことが出てきます。

これが『三人姉妹』の大テーマなんです。モスクワの南の農村地帯には、かなり位の高い官僚が引退してやってくる。教師生活を終えて定年を迎えたインテリとか、世の中のことを真剣に考えている人が、農村にもたくさんいる。その人たちと一緒に図書館をつくる運動などをするのですが、何も変わらない。それはなぜか。この問題を、チェーホフは『三人姉妹』に集中させているんです。

いろいろな演出家が、これはいい芝居だといいます。しかも、三人の姉妹の他にナターシャという面白い女性もいますから、女優さんなら、このどれかをやりたいと思う。いいせりふもたくさんありますし、人気のある芝居です。それなのに、ぼくの尊敬する栗山民也[*16]という演出家が『三人姉妹』だけは自分はやれないというんです。なぜかというと、あまりにすごい芝居で、読み返すたびに泣いてしまうので、もう少し突き放して読めるようになるまでは自分は演出できない、と。それぐらいの芝居ですね。

なぜチェーホフというのはこんなに人気があって、彼の芝居をみんながやりたがるのだろうということも、今回突き止めないといけません。その理由のすべてが『三人姉妹』に集中的に入っています。『かもめ』[*17]ももちろん面白いし、いい芝居です。『ワーニャ伯父さん』[*18]も傑作ですが、筋立てとしては少し破綻しているようなところもあって、完璧なのは『三人姉妹』でしょうね。『桜の園』[*19]は構造が見えすぎているきらいがあるし、『三人姉妹』だけは別格なんです。

一時間目は、チェーホフとその背景にあるいろいろなことについてお話ししま

＊16　一九五三年生まれ。早稲田大学文学部演劇学科卒業後、芸能座で小沢昭一に師事。その後、木村光一の演出助手などを経て、一九八〇年演出家デビュー。『日本人のへそ』『太鼓たたいて笛ふいて』『組曲虐殺』など井上作品の演出多数。新国立劇場芸術監督時には、「東京裁判三部作」（夢シリーズ）も手がけた。

＊17　一八九六年、サンクトペテルブルクのアレクサンドリンスキー劇場で初演。劇作家志望のトレープレフが、かつての恋人ニーナに寄せる報われない恋心を描く。

＊18　一八九九年、モスクワ芸術座で初演。尊敬

した。ただ、彼が生きたのはどういう時代だったのかということについて、もう少し踏み込まなくてはいけませんし、チェーホフがあんなに愛して、小さいときから観ていたヴォードヴィルとは何かということも、もう少し考えなければなりません。『三人姉妹』は実はヴォードヴィルで書かれているんです。ヴォードヴィルとは何か？　またウェルメイド・プレイとそれをつくり上げたスクリーブという人は何者か？　ということを見ていきながら、だんだんに『三人姉妹』の中心に入っていこうと思います。

事件は必ず舞台の裏で起こる

イプセンの『ヘッダ・ガーブレル』の話をしたときに、演劇的アイロニーの話をしました。これは芝居でしかできない素晴らしい方法です。『三人姉妹』の一番最初がこの演劇的アイロニーで書かれていますので、演劇的アイロニーについて、簡単に説明します。

二組が同時に違う話をしている。それぞれ自分たちの話に夢中になっているのですが、観客はその二つの話を客席で同時に聞いている。両方同時に聞いていると、それぞれ全然違う話をしているのに妙に話が合ってしまったり、あるいはこっちの話をあっちの話が批判するかたちになったりして、面白い関係が浮かび上

して仕送りを続けた大学教授が俗物であったことに気づき、ワーニャは失意と絶望のどん底に突き落とされるが、働いて生きていくことを選び取る。

＊19　一九〇四年、モスクワ芸術座で初演。浪費と借金を重ねる地主のラネーフスカヤは、新興商人のロパーヒンから返済策を助言されるが、相手にしないまま、手をこまねいたので、競売で先祖代々の土地をロパーヒンに落札されてしまう。貴族階級が新興商人に取って代わられる時代の転換点を描く。

がってくる。これは映画でも小説でもできない、演劇だけの手法です。『三人姉妹』の最初は、それを頭に入れて読んでいかないといけないのですね。

〔『三人姉妹』第一幕ト書き〕

プローゾロフの家。円柱のならんだ客間。柱の向うに大広間が見える。ま昼。戸外は日ざかりで朗らかである。広間では朝食〔わが国の午食にあたる〕のテーブルをととのえている。

オーリガが、女学校女教師の青い制服をきて、立ちどまったり歩いたりしながら、生徒のノートを直しつづけている。マーシャは黒い服をつけ、帽子を膝にのせて坐り、小型な本を読んでいる。イリーナは白い服をきて、立って考えこんでいる。

舞台は円柱の並んだ客間で、柱の向こうに大広間が見える。この大広間には違うグループがいる。客間には三人姉妹がそろっている。チェーホフは、イプセンほど情報の出し方に注意を払ってはいません。もちろん、そつなくさまざまな情報を出してはいるけれども、イプセンほど綿密な計算はしていない。

最初にせりふを話すオーリガは一番上のお姉さんで、教員をやっています。オーリガ、マーシャ、イリーナ、これが三人姉妹です。そしてもう一人アンドレイという男の子がいます。この男の子が三人の姉妹のどのあいだに入るのかというのは昔から議論の的だったのですが、いまではオーリガの後に生まれたと解釈されているようです。

青い服を着た教師のオーリガは、座ってノートを直せばいいのに、なぜか歩きながら直している。マーシャはクルィギンという中学校の教師と結婚をしていて、黒い服を着ています。そして電話交換手をしているイリーナは白い服を身につけている。冒頭のこの三人の服の色の指定が見事です。青と黒と白。この色合いでロシアのお客さんは何かを感ずるわけです。青は希望の色ですから、まだ人生に可能性を見ている。黒は喪服の色ですから、マーシャの精神はすでにこのとき死んでいることを表している。イリーナは白い服ですから、これから人生に何かを書き込まれていく人ですね。

このようにチェーホフは、お客さんが着ているもので何かを感じ取れるように三色を厳密に振り分ける指定をしています。しかもオーリガは、歩きながらノートを直している。つまり、この長女は行動している、自分の仕事に生きている。そしてマーシャは座っている。すでにマーシャの中で何かが死んでしまっているということです。まだ人生これからという末娘のイリーナは、立っている。

このト書きを無視している演出家が大勢いますが、それは大きな間違いです。

幕開きの一番最初は、これから芝居を観ようというお客さんはまっさらで、まだ頭にはなんにもないわけです。そのお客さんたちに、これから何かが起こりそうな予感を感じさせるようにチェーホフはこのト書きを書いてるわけですから、ここは演出家の勝負どころです。これをもし無視するなら、演出家はその責任を取って自分なりの展開をしていかなくてはいけません。演出家にとってはなかなか辛いト書きだと思います。

ただし、イプセンと違うのは、チェーホフはお客さんを計算ずくで巻き込もうとは、あまり考えていないことです。イプセンは、スクリーブの影響をチェーホフの十倍ぐらい受けていますから、なんとか芝居にお客さんを引きずり込もうとして、いろいろな情報を撒きながら惹きつけていく。ところがチェーホフは、いきなりポンッと、人間が生きている姿をお客さんの前に提示して、それをお客さんがどう見るかという姿勢で書いていく。これは作風の違いですからなんともいえませんが、なかなか勇気がいることです。

オーリガは希望の人ですから、まだこの世の中で何かできるかもしれないと思っている。そのオーリガのせりふで「お父さまはちょうど一年まえ、それもこの五月五日の、あなたの〝名の日〟〔天使の日ともいう。当人の洗礼名と同じ名の聖人の命日。それをロシヤでは誕生日のように祝った――原注〕に亡くなったのね、イリーナ。〔中略〕お父さまは将軍で、旅団長だったけれど、そのわりに会葬者は少なかった。もっとも、あの日は雨だったわ。ひどいミゾレだった」というところがあります。これらのせりふは全部後で効いてきますが、それは後ほど見ていきましょう。

日付は五月の五日。五月というのは、ロシアではすごくいい季節です。ここで照明をパーッと明るくしておくと、このせりふは引き立つかもしれません。去年は雨だったので、父親の葬式に集まる人は少なかった。この人は未来を見ている人ですが、未来を見る人は同時に過去も見ます。ところが、現在を生きているイリーナは、「そんなこと思いだして、どうするのよ!」と反論する。円柱の向こうの広間のテーブルあたりでは、トゥーゼンバフ男爵、チェブトィキン、ソリョーヌィという三人の男が別のことをしゃべっている。ここから演劇的アイロニーが始まります。

オーリガが続けるせりふでわかるのは、この一家は十一年前にモスクワにいた。そして父親が旅団長になって、この県庁のある町に赴任してきた。ここでモスクワという地が浮かび上がってきます。この芝居では、モスクワという言葉がある理想の象徴になっているのですが、暖かな日差しが嬉しくなって、生まれ故郷に帰りたくてたまらなくなってきたわけです。この辺、チェーホフは非常にナイーブです。イプセンならいくつもせりふがあって、お客さんがそれらを自分の頭の中で組み立てていってわからせるようなことを、オーリガ一人にしゃべらせてしまうでしょうね。でも、チェーホフのこういうやり方もなかなかいいんですよ。

いろいろな情報を切れ切れに伝えていきながら、観客が自分でイメージをつくって芝居に入っていくという方法と、登場人物がいいたいことを全部いってしまうやり方とあるのですが、後者ですね、ここは。

さて、そのオーリガのせりふのあと、トゥーゼンバフ男爵、チェブトィキンという軍医、ソリョーヌィ陸軍二等大尉という三人の男が現れて、「ばかばかしい！」「もちろん、くだらん話です」というチェブトィキンとトゥーゼンバフの二人のせりふが飛び込んでくる。二人がなんの話をしていたのかわからないのですが、お客さんにしてみると、この二人の言葉で、オーリガのモスクワへ対する思いや未来への希望、オーリガ自身の記憶といったものが、全部否定されてしまう。これは非常に激しい出だしですね。

ぼくは『三人姉妹』が好きですから、日本でも機会があればなるべく観に行くんです。俳優座も観ましたし、民藝のも観ましたし、文学座のも観ましたが、この場面がそれぞれ全部違うんです。モスクワ芸術座が昭和三十三（一九五八）年に日本に初めて来たとき、[20] ぼくは貧乏学生でしたけれど、なんとか都合をつけて『三人姉妹』だけは観ました。ここの出だしは、びっくりするくらい、ものすごく強かった。お客さんもハッとすると思います。一家は、十一年前に生まれ故郷であるモスクワを離れ、ちょうど一年前にお父さんが亡くなり、三人姉妹が残されたわけですけれど、その三人の思いを、「ばかばかしい！」「もちろん、くだらん

＊20　一九五八年十二月、初来日。新橋演舞場で『桜の園』『三人姉妹』（チェーホフ）、『どん底』（ゴーリキー）、『検察官』（ゴーゴリ）などを上演。

話です」の言葉で、いきなり潰されてしまう。後で明らかになりますが、この第一幕の最後で、チェブトィキンがいった冗談がきっかけになって、アンドレイという、オーリガの弟であり他の二人の兄であるこの家の希望の星が、ナターシャという俗物の女と接吻をして、結婚の申し込みをしてしまう。これがチェーホフの作戦です。

この『三人姉妹』は、ごくごく簡単にいいますと、清らかな希望をもって生きているけれども、その希望に向かってなんの努力もしない夢見るインテリ一家が、俗悪な世間に乗っ取られてしまう、という話なんです。さらにいうと、未来を夢見るのはいい、未来に理想を掲げるのはもちろんいい、人間の本来的な自由である。しかし、そこに向かって少しでも努力しない者は、ただの夢想家である、このロシアには、そういう夢想家が多すぎる、という話でもあります。これを現在の日本に引きつけていうと、政治家の悪口をいう、銀行家の悪口をいう、こうであらねばならない、ああであらねばならない……というのだけれど、いうだけで何ひとつ行動はしない、そういう人はただの夢想家にすぎない、そしてただの夢想家は俗物の集団に必ず敗れてしまう――、そういう芝居なんですね。

この当時全盛だったスクリーブのウェルメイド・プレイでは、大事件は必ずお客さんに見せます。決闘でも、死ぬ瞬間でも、すべて芝居にとって大事なことはお客さんの前で演《や》らないといけないというのが、ウェルメイド・プレイの鉄則です。ところが、チェーホフはウェルメイド・プレイをさんざん観て勉強した結果、その逆をいく。ですから、チェーホフの芝居では、人が死ぬとかの大きな出来事が、舞台の上では一切起こらない。いつも舞台の裏で起こるんです。それがチェーホフ流のウェルメイド・プレイに対する批判であり、チェーホフの新しい芝居の方法です。

火事や決闘などの大きな出来事は、すべて舞台の後ろの遠くのほうで起こって、その影響が目の前の舞台にいる人たちにどう表れるか——それをじっと見ているのがチェーホフです。スクリーブを代表とする十九世紀に人気のあった芝居のつくり方は、そういうものはすべてお客さんの前で見せないと成立しない、というものです。芝居というのは絵空事ですから、絵空事でなくするためには、ひしと抱き合うとか、接吻をするとか、殺し合うとかいうのを、必ずお客さんの前でやらないと駄目だ、それを見せないで舞台の後ろでやると、お客さんは信じてくれない、というのがその考え方です。新橋演舞場でも歌舞伎座でもどこでもそうですね。たとえば松平健と誰かが遠くのほうで見初めていました、なんて噂だけが来る——そんな芝居をやったら、みんな怒りますよね（笑）。

これはそうした芝居の方法に対する批判で、チェーホフのほうが新しいんです。たとえば、再婚した王妃が、前のお妃の王子に恋をして掻き口説くなどというのは、絶対にお客さんの前で演らないといけない。シェイクスピアもモリエールもラシーヌも、すべてそのようなかたちで芝居を書いていています。それを見せないなどというのは、ありえない。

チェーホフは、大事なことほどわざと見せない。ひねくれているといえばひねくれていますが、大きな事件を見せてはいけない、という新しい演劇の形式を考えたわけです。それをかなりまともに信じ込んだ日本でも、「静かな演劇」[*21]というのが、ここ十年ぐらいガーッと出てきていますが、みんなその線を行っています。事実、平田オリザ[*22]さん以下、「静かな演劇」の方々は、かなりチェーホフを読んでいる。その中には、もちろん傑作もありますが、チェーホフになっているかどうかは、また別問題です。

そういうわけで、この「ばかばかしい!」「もちろん、くだらん話です」は、お客さんにグッと突き刺さります。そのすぐ後に、マーシャが「(本の上に考えこみながら、そっと歌を口笛で吹く)」というト書きがある。これがまた、チェーホフのすごいところですね。つまり、芝居の構造上は、三人の姉妹がそれぞれが何かいわなきゃいけないんです。オーリガはお姉さんらしく、「お父さまはちょうど一年まえ……亡くなったのね」とか「お父さまが旅団長になって、わたしたちを連れてモスクワをお立ちになったのは、もう十一年前のことだけれど」とか、いろいろな情報を発している。そんな昔のことばかりいっている長姉に対して、まだ未来が始まってもいない末娘のイリーナが「そんなこと思いだして、どうするの

*21 一九九〇年代の小劇場で見られた傾向のひとつ。過剰な演技を排し、抑制を利かせて等身大の日常を表現した。

*22 一九六二年、東京生まれ。劇作家、演出家、青年団主宰。「現代口語演劇理論」を提唱。九五年『東京ノート』で岸田戯曲賞、二〇一九年『日本文学盛衰史』(高橋源一郎原作)で鶴屋南北賞を受賞。二一年、芸術文化観光専門職大学の学長に就任。

よ！」と、突っ掛かる。ただ、次女のマーシャは言葉を発しない、というより、ほとんど人生を投げている。ですから、ここで演出家は、マーシャ役の俳優に何か失敗したと思い込んでいるかたちを出さないといけない。

その後もマーシャは、「(そっと歌を口笛で吹く)」といったト書きがあるだけで、ずうっとしゃべらない。〝なんだろう、このマーシャという女は。口笛なんかばかり吹いて言葉をしゃべらない。一体どうしたんだろう〟というふうに、三本の矢のうち一本をゼロ記号にしておく。そうやって謎をつくっていくわけです。この辺はやっぱり上手ですよね、ぼくでしたら、三人出たら、せりふで三人の性格を出さなくてはいけない、と思ってそこで苦労するのですが、チェーホフはしゃべらせない。しゃべらせないで、口笛を吹かせる。これはちょっと真似できませんね。

長ぜりふ、口笛、突っ込み――三人のかたちが、ここでどんどんできてくる。そして、この口笛自体がオーリガの次のせりふ、「口笛はやめて、マーシャ。どうしてそんな真似ができるんだろう！」をつくっていく。演劇で大事なのは、無駄なせりふは一個でもつくっては駄目だということです。一番目のせりふは必ず二番目のせりふを引き出さなくては駄目だし、二番目は三番目を引き出さなくては駄目なんです。百番目のせりふは百一番目のせりふを引き出さなくては駄目ですし、八百番目のせりふは八百一番目を……。この芝居のせりふは、大体千から千百ぐらいあると思いますが、すべてカットできない。n番目のせりふは必ずnマイナス一番目から引き出されていて、nプラス一番目へつないでいく――。

なにか数学の講義みたいになってきましたが、続けます(笑)。それでイリーナとオーリガはモスクワへモスクワへ、という感じで話を続けますが、ここでまたチェブトィキンとトゥーゼンバフが笑うんです。姉妹たちとは別な話で笑うのですが、これがいい演出、いい俳優で演っているのを観ると、ここで、この先なにかすごいことが起こるのではないかという予感が始まります。姉妹の真剣な話に耳を傾けているところに、二人の男の笑い声が飛び込んでくることで、お客さんを吸い込む大きな穴、暗い謎が出てくる。やはり天才は違いますよね。

謎といえば、さきほどいいましたように、マーシャというのがよくわかりません。黒い服を着て座って、口笛ですからね。お客さんによっては、お父さんが亡くなって一年経つので、一周忌みたいな感じで黒い服を着ているのか、なんて思うかもしれない。でも、口笛を吹いていますから、そうでもなさそうですよね。

というふうに、チェーホフが次々に大きな謎をぽこぽことつくっていくのですが、日本のチェーホフ劇では、せっかくの謎が生きていない。チェーホフの芝居をいくつも観ましたが、どうも日本でいいものを観たことがないんです。いろいろな問題がありますが、日本語とロシア語の翻訳の問題もあるんでしょうね。

ここでのポイントは、ソリョーヌィという第三の男の出し方です。舞台にはトゥーゼンバフとチェブトィキンの二人がいますが、このソリョーヌィが最初に言葉を交わすのは、必ずトゥーゼンバフでないと駄目なんです。というのも、後でトゥーゼンバフとソリョーヌィは決闘するからです。これが芝居のコツのコツなんです。芝居は、小説みたいに筆の任すままに書くということができない。結末からすべて逆算して書いていかなければいけないんです。

　このソリョーヌィというのは不思議な男です。インテリなのですが、時代に、社会に絶望していて、それが別のかたち――人を殺すとか暴れるとか邪魔するとか――で出る人で、それがやがてトゥーゼンバフとの決闘につながる。ですから、お互いに殺し合う人間を最初にお客さんに印象づけておかないと駄目なんです。

　チェーホフはこの『三人姉妹』を最初に書き上げてから、一回、大きく書き直しています。[*23] 小さな直しはそれ以外にもたくさんあると思いますが、記録に残っている限り、一度仕上げてからもう一度大急ぎで書き直している。つまり、第一稿と第二稿があるわけです。第一稿の中で具合が悪いなと思ったところをきっと直したのだと思いますが、直すとすればこういうところを直していくわけです。お客さんの前での最初のせりふは、後でのっぴきならなくなる相手に掛ける。これを間違っていたら、そこを直す。それが、わたしたちが芝居を書くときのコツなんですね。スクリーブがあまりに自分の芝居が当たるので、『芝居の書き方』という本を書いているのですが、その一番目に書いているのがこのことなんです。

＊23　一九〇〇年十月に第一稿を脱稿するが、モスクワ芸術座でチェーホフが朗読すると、芸術座の面々が「これは戯曲じゃなくて梗概だ、これじゃ演技できない、役柄がない、ヒントだけだ」と呟いたという。それを受け、チェーホフは南仏ニースで改稿。翌年一月に初演（新訂版『チェーホフ全集 12』池田健太郎「解題」、中央公論社、一九六八年）。

後でのっぴきならない関係になる人を計算の上でこういうかたちで見せるのは、ウェルメイド・プレイの手法のひとつですし、そもそも誰かがこっち側で話をしているのに対して「ばかばかしい」とかいうのも、ウェルメイド・プレイのギャグのひとつです。

つまり、レベルは全然違いますけれど、そういうウェルメイド・プレイ、あるいはヴォードヴィルなどの通俗劇の手をチェーホフは使っている。「ばかばかしい！」「もちろん、くだらん話です」といってチェブトィキンとトゥーゼンバフが客間に入ってくるのも、チェーホフの腕の冴えですね。

そして、客間に入ってきたトゥーゼンバフが三人姉妹に、「今日こちらへ、われわれの隊の新らしい指揮官、ヴェルシーニンがご挨拶に出るはずです」といって、ピアノのそばに座り、ヴェルシーニンの紹介をします。ある人物を、出てくる前に紹介するというのもウェルメイド・プレイの方法です。イリーナが、ヴェルシーニンというのはどんな人なのかを尋ねると、トゥーゼンバフが「奥さんと、そのおっ母さんと、娘が二人いますがね。おまけに二度目の細君なんです。あの人は挨拶に行く先々で、かならず、細君に娘がふたりいると話すんですよ。こちらでもきっと言うでしょうよ。その奥さんというのは、〔中略〕ちょいちょい自殺を企てるんです。まあ御主人に面当て、というところでしょうがね」と答えます。そしてヴェルシーニンが入ってくると、案の定、奥さんと娘のことをいう。これはもうくだらない手なんですけど、必ずやらなきゃいけない。〝あの人ね、そそっかしいから必ず来るとき転びますよ〟といって、実際に入ってきて転ぶと、みんなワーッと笑いますよね。これも実はヴォードヴィルの手なんです。実際にチェーホフ自身、この場面はヴォードヴィルでやってほしいと、モスクワ芸術座[*24]に注文を出しています。

*24　六〇ページ脚注30参照。

モスクワ芸術座との出会い

もうひとつ大事なことを忘れていました。モスクワ芸術座のことです。チェーホフの最初の多幕物の戯曲は『イワーノフ』[*25]で、それ以後芝居を書き続けるのですが、ペテルブルクのアレクサンドリンスキー劇場で演った『かもめ』の初演（一八九六年十月十七日）は大失敗に終わります。アレクサンドリンスキー劇場では、シェイクスピア劇からずっと続く伝統に則って、すべてウェルメイド・プレイの演技で演ったわけです。主役がしゃべっていると、そこにスポットライトが当たるのですが、スポットライトから外れているその他の連中は欠伸《あくび》なんかしている。つまり、芝居というのは共同作業ではなくてスターの芝居であるという考え方です。ウェルメイド・プレイの悪いところはそういうところですね。

そうではなくて、ある登場人物が何かいったときに、その情報が舞台の上に十

*25　一八八七年、モスクワのコルシュ座で初演。改作されて、翌年、サンクトペテルブルクのアレクサンドリンスキー劇場で再演された。理想に燃えて社会改革を目指したイワーノフは、現実に打ちひしがれて無気力に陥り、妻アンナへの愛も冷めてしまったが、若い娘サーシャに出会い、再生を試みる。

人いたとすると、その十人にどう伝わっていくかということを考えると、すごく面白いでしょ。芝居というのは、主役だけのものではなく、舞台に出ている何人もの共同作業だという考えでやり始めたのが、実はモスクワ芸術座なんです。いまでこそモスクワ芸術座というと、大劇団で立派な劇場が建っていますが、当時は芝居好きな人たちが集まったアマチュア劇団です。ウェルメイド・プレイはどうにもうそくさい、びっくりしたらなんで飛び上がらなくてはいけないのか、偉い人物がしゃべるときはなんでそっくり返らなくてはいけないのか——そうしたそれまでの決まりきった演技をすべて殺した、いまわれわれがやっているような芝居を編み出したわけです。

この無名の芝居好きの青年たちが集まってつくった劇団が、ウェルメイド・プレイの演技を抜きにして演じたときに、チェーホフの芝居(『かもめ』再演、一八九八年十二月十七日)が大当たりする。それで、チェーホフはモスクワ芸術座のために『三人姉妹』を書くわけです。その意味では、『三人姉妹』はモスクワ芸術座の新しい芝居の演技の仕方に対してのテキストでもあるということです。

モスクワ芸術座には、コンスタンチン・スタニスラフスキー[*26]という大変な理論家・演出家がいました。ウェルメイド・プレイでは、転ぶ場合もいかにも痛そうに転ぶのですが、スタニスラフスキーは、できるだけ派手ではない普通の転び方をするように指導して、普通に転ぶ練習を、ひどいときは十ヵ月もずうっとその

＊26　六一ページ脚注31参照。

稽古をするんです。しかし、これは理論的には無理があるんです、不自然なほど自然にやろうということですからね。

チェーホフ自身、小さいときに家族劇団をつくって、そこで役者もやっていましたし、それから物真似がすごく上手なんです。医学部のときのエピソードにこんなのがあります。先生が黒板に字を書くために背中を向けると、チェーホフがふっと立って、これまで先生がやった動作を全部真似する。先生は後ろで笑い声が聞こえるので「おれのギャグ、ウケたかな」と思ってしまう(笑)。

小さいときから芝居を観ていて、大学でも芝居を演ったりしていた人ですから、モスクワ芸術座という小さなアマチュアの劇団が自分の失敗した『かもめ』を演ったときに、きっとつかんだんです。「ああ、この人たちとなら、自分の中の何かが表現できる」と。そして、したたかな劇作家であるチェーホフは、自分の芝居の中に、最低保障として、当時流行っていた大衆演劇やウェルメイド・プレイのウケ狙いのポイントを全部埋め込んでいくわけですね。

ですから、ここで「奥さんと、そのおっ母さんと、娘が二人いますがね。おまけに二度目の細君なんです。あの人は挨拶に行く先々で、かならず、細君に娘がふたりいると話すんですよ。こちらでもきっと言うでしょうよ」と、トゥーゼンバフが紹介するヴェルシーニンというのは、とんでもない中隊長だというイメージを、お客さんも舞台の三人姉妹も植え付けられます。

　ところが、やがてヴェルシーニンが入ってくると、もうこれ以上ないというくらい品のいい、日本でいうと閑院宮《かんいんのみや》＊27様という感じで入ってくる。このときの客席は、必ず大ウケなんですね。なおかつ、ヴェルシーニンは、自分の母親の顔を忘れかけてしまうと嘆くマーシャを受けて、ご大層な理想を語ります。

「そう、忘れるでしょう。それがわれわれの運命である以上、どうにも仕方がありません。〔中略〕そこで面白いのは、そもそも将来、何が高尚で重大なものと考えられ、何がちっぽけな笑うべきものと見なされるだろうか——そこのところが現在われわれには全く見当がつかないという点です。あのコペルニクスの発見、また例えばコロンブスのそれは、果して初めのうちは無用な笑うべきものと見えなかったでしょうか？　一方どこかの変り者の書いた愚にもつかないタワ言が、かえって真理と思われはしなかったでしょうか？」

とやり出すのですから、さっきのトゥーゼンバフから聞いたイメージとは全然違う。さらにこの後、アンドレイが登場した後、ヴェルシーニンは次のように滔々と語り出します。

「まあ仮りに、この町の十万の人口——それはもちろん、時代おくれな粗野な連中ばかりですが——そのなかに、あなたがたのような人は、たった三人だとします。言うまでもなく、あなたがたには、周囲の無知もうまいな大衆にうち勝つなどということとは、とてもできますまい。〔中略〕二百年、三百年後の地上の生活は、

＊27　伏見宮家、桂宮家、有栖川宮家と並ぶ四親王家のひとつ。

想像も及ばぬほど素晴らしい、驚くべきものになるでしょう」

この長広舌は、第二幕のトゥーゼンバフとの論争で語る「二百年三百年したら、いやいっそ千年もたったら——そんな期限なんか問題ではないが、——新らしい幸福な生活が、やって来るでしょう」というせりふの前触れになってもいます。

つまり、こう考えてください。チェーホフの人物設計、芝居の運びのすごさというのは、まずウェルメイド・プレイの手法を活かしながら噂話をさせる——ヴェルシーニンという人はこういう人で、奥さんは二度目の奥さんで、娘が二人いて、しかも、その奥さんは少しおかしくて、ときどき当て付けに自殺を企てるような人である、と。ヴェルシーニン自身、その奥さんのことを「なんというくだらん女でしょう。朝の七時から夫婦げんかを始めて、九時に僕はドアをバタンといわせて、飛び出してしまったのです」と罵っている。そんな人が、「二百年、三百年後……」と語るのは、ひどく滑稽なことなんです。自分の実人生を一切改善しようとしないにもかかわらず、未来だけを語るのですから。

モスクワ芸術座の代々のヴェルシーニン役の役者さんを見ていくと、みんなすごく品が良くて、インテリの中のインテリという雰囲気の人がきちっと軍服を着て出てくる。すると、噂話とはまるで違っていますから、ここで客席に笑いが起こる。さらに今度は、噂通りに、二度目の奥さんと二人の娘がいることを明かす。ここでもまた〝ああ、やっぱりいっちゃった〟と笑う。なおかつ、実際の生活では何もしないくせに、偉そうに理想だけいう。

実は、こうした口だけの理想主義に対するチェーホフの徹底的批判が前面に出ているのが、この芝居なんですね。夢ばかり語って、実際に自分たちがいま生きている「今日」については何もしない人たち、この人たちに対する怒りと苛立ち。その中にはチェーホフ自身も入っているかもしれません。さっき申し上げたように、たくさんの小学校や図書館、病院を造り、国勢調査の委員になって国の仕事をしたり、とにかく民衆のために懸命に仕事をするのですが、世の中、まったく何も変わらない。そこで彼は、芝居で、自分も含めてロシアのインテリに対する徹底的批判をしているんです。

ここに出てくる人たちは、三人姉妹も含めて、みんな自分の生活を変えれば変えられるはずなのに、変えていない。われわれも同様です。政治が悪いとか、銀行は何してるんだとか、ワァワァいうのですが、では、今日あなたはそのために何をしましたか、と問われているんです。チェーホフの芝居は、素晴らしいけれど主張が弱いとか、テーマがないとか、いろいろいう人がいますが、うそばっかりです。

ここでチェーホフが出している問題は、常に新しいんです。わたしたちのいまの状況というのは、十九世紀の終わりのロシアの状況でもあり、さらにこれから後の状況でもある。人はみんな理想をもって、こうなりたい、こうしよう、とはいう。しかし、いっている割に何もしていない。

この芝居の一番最後に、オーリガの「わたしたちの苦しみは、あとに生きる人たちの悦びに変って、幸福と平和が、この地上におとずれるだろう。そして、現在こうして生きている人たちを、なつかしく思い出して、祝福してくれることだろう」という有名なせりふがあります。でも、チェーホフとしては、これは反語でしょうね。これは人間の本質なんです。人間の世界がうまくいかないのは、これなんです。口では理想をいう、しかしその足元、自分が立っているところについては何も努力しようとしない。これが人間の、あるいはインテリ、知識階級の、最大の病患ではないか、というのがこの芝居のテーマです。

〝わたしはこうもやろう、ああもやろう、五年後にはこうなっている〟といって、しかし五年後になってみると何も変わってない。しかも自分の青春はそのあいだに無駄に過ぎてしまった、というのがチェーホフの小説の中にある主張です。なんと早く青春の過ぎ去ることとよ、と。ぼくらが若い頃にチェーホフを読むと、そこがグサッとくるんですね。同人雑誌を出そうといって、みんなで激しい議論をしながら、〝おれは次までにすごいものを書く〟なんて威勢のいいことをいい出す。ところが、次の会に集まると、みんな何もやっていない。またワァーッとオダを上げて、今度こそ〝よし、やろうぜ〟といって、一ヵ月後に集まると、やはり、なんらかの理由をつけてみんな何もやっていない。常に未来は先送りになって、気がつくと未来はすでに過去になっているという人間の哀しさですね。これが、チェーホフ作品のひとつの大きなテーマなんです。

芝居にもそれはあります。『ワーニャ伯父さん』は、まさにそのテーマそのものです。こういうテーマを書ける人は、いつまでも古くならない。自民党が悪い、なんていうテーマでいくら名作を書いても、自民党がなくなったら伝わらない。だから、わたしたちが芝居を書くときには、最後までなくならないものを書かないと、後々までずっと演ってもらえないわけですよ。その点、チェーホフのテーマの取り方は実に深いですね。

チェーホフは、イプセンみたいに見事な情報操作をする作家ではないものですから、本当はこういう講義にはあまり向かないんですね。『人形の家』で、最初にノラが入ってくるドアと最後に出て行くドアは同じだけれど、その入り方と出方とでは意味がまったく違っている、などという話はないんです。イプセンのほうがテクニシャンです。でもテーマの普遍性でいえば、チェーホフのほうが上だと思います。

チェーホフは、日々の生活に追われて大きな目標をやり過ごしてしまうたびに、大事な青春の輝きが少しずつなくなっていって、気がつくと歳をとっていた、どうして人間はこうなのだろう、と。であれば、そんなことを考えずに、もっと細かいことをきっちり積み上げて徐々に変えていかないといけないのですが、人間というのは、つい大きな夢を抱きはするものの、それが実現するように思うばかりで、現実を変えようとしない。いまの日本人によく合うテーマです。だから、いまチェーホフがブームだというのは当たり前ですよ。何か文句をいっているだけで、わたしたちは何もしていないし、嗔《いか》ってもいない。

もうひとつ大事なことは、チェーホフがこの芝居を「喜劇」といっていることです。実際、これまで見てきたように、ヴェルシーニンは喜劇の典型的人物です。この人は自分の中に矛盾をもっている。ここでいう矛盾というのは、たとえば〝一匹狼の群れが襲ってきた〟というような表現です。そのように、ひとつのものが矛盾した性格をもっているときに、お互いがお互いを批判し合うことで、そこに自然とおかしみが生まれてくる。これは喜劇における典型的な人物のつくり方です。このヴェルシーニンはまさにその典型で、チェーホフが「喜劇」といっているのは、こういうところなんですね。

それからヴォードヴィル。この説明もちょっとしないといけません。そもそもは、みんながよく知っている歌を入れた小さな芝居をヴォードヴィルというんです。たとえば、都はるみの『北の宿から』[*28]、あれは割とみんな知ってますよね。『北の宿から』の歌をそのまま使って、その前後に十五分ほどのちょっとしたお話を付ける。これがヴォードヴィルの原形です。

ヴォードヴィルというのはもはや歴史的存在になって、いまはあまりいい例が

＊28　作詞・阿久悠、作曲・小林亜星。一九七五年十二月に発売。翌年、第七回日本歌謡大賞と第十八回日本レコード大賞を受賞するなど、都はるみの代表曲となる大ヒット曲。

ないのですが、ヨーロッパでは一時期大変流行りました。どこかの天井が落ちた、みたいなことを演じて、最後に「ロンドン橋落ちた」というマザー・グースの歌を歌う。「ロンドン橋落ちた」を歌うために、こういうストーリーにしたんだなということがわかる。そういう芝居をみんな競ってつくったわけですね。

そのうちに、流行っている歌ではなくて、オリジナルな歌をつくろうじゃないかという動きが出てくる。そこでヴォードヴィルが一段進歩するわけですね。それまでは誰でも知っている有名な歌を嵌め込んだ小さなお話をつくっていたのが、新作の歌を入れた面白い芝居をつくろうということになり、やがてそれがオペラに転化していく。

つまり、ヴォードヴィルはオペラの元なんです。優秀な作曲家たちが歌の部分をどんどん引き伸ばしていくと、歌を乗せるドラマも変わらないといけない。そうやって台本作者と協力していくことでオペラになる。

一方では、ヴォードヴィル本来のかたちを保って寄席芸になっていく。チェーホフが好きだったのは、この寄席芸のほうです。小屋の中へ入っていくと、手品などいろいろな芸を演ったりしていて、呼び物は新しい歌を入れた二十分か三十分ぐらいの馬鹿馬鹿しい笑劇ですね。チェーホフは、喜劇まではいかない、そういう笑劇が好きだったんです。

ここからやがて、何度も名前が出てきたスクリーブという大天才が出てきます。

たとえば、小デュマ（アレクサンドル・デュマ・フィス）が書いた『椿姫』は、曲を付けてスクリーブ風に演じられました。ヴォードヴィルから分かれたオペラは、その後完全に自立して大芸術になっていきますが、今度はそこからオペレッタというのが出てくる。やがて、このオペレッタ、ヴォードヴィルがアメリカに渡って、ミュージカルになっていくという大きな流れがあります。

頭のほうで、スクリーブはウェルメイド・プレイにおけるいろいろな法則や手法を編み出したということをお話ししました。たとえば、ニール・サイモンという劇作家の作品の中に[*29]〈ランニング・ギャグ〉という手法があります。新婚家庭がビルの五階にあり、エレベーターのないボロビルなのでみんな歩いて上がってくる。そうすると、登場するときにはみんな息を切らしている。登場する人がおしまいまでみんな息を切らしているというのは、すごいギャグですよね。これ、スクリーブにもあるんです。

ニール・サイモンもどこかで観たか研究したかわかりませんが、こうしたお客さんを笑わせ、楽しませる手法は、イプセンも勉強しましたし、チェーホフもよく使っています。しかし、チェーホフの場合は、テーマが大きいだけに、同じ大衆演劇に由来するギャグでも、その方法が洗練・純化されています。大衆演劇と新劇・前衛劇の関係というのは、こういうかたちが一番いいんです。前衛劇の人が「おれには大衆劇から学ぶことなんかない」なんて威張るのではなくて、いま

＊29 『はだしで散歩』。本書三一五ページ参照。

人びとに受けているものを、なぜ受けているのだろうと研究しないと駄目なわけです。

もう時間です。今日、わたしが申し上げたかったのは、イプセンやチェーホフはいきなり登場したわけではなくて、いろいろな演劇の流れの中からさまざまなテーマや手法を取り出して、非常に大きなテーマを語ろうとした。これが近代劇の始まりなんです。ただただ笑っているのではなく、わたしたちがいま生きているこの時代の問題はなんなのだろうというテーマを、ウェルメイドの手法を使って展開していく。

皆さん、チェーホフの『タバコの害について』という芝居、読んだことありますか。結婚して三十三年になる恐妻家の初老の紳士が、妻に命じられて「タバコの害について」という演題で話していくという一人芝居です。最初のうちは原稿を丸読みしていくのですが、途中からだんだんと奥さんの悪口になっていく。奥さんは音楽学校と全寮制女学校の経営者なのですが、自分はいかに妻の下で苦労しているか、妻に尽くしているか、というようなことをしゃべり始める。で、ふと気がつくと奥さんが会場に来ている。それで慌てて話を戻す。「タバコの害について」という題で講演をしているはずの人が違うことをいい始めるというのは、矛盾というか間違いですよね。そうやってしゃべっているうちに、最後はしどろもどろになりながら、自分の講演は必ず役に立つと信じているなどといいながら引っ込む。チェーホフがヴェルメイド・プレイから一番学んだことは、そういう矛盾のかたまりのような人物のつくり方だと思います。

ヴェルシーニンの人物造形は喜劇の典型だといいましたが、この人は涙が出るほど可哀相で、自分を見ているようですね（笑）。つまり、日常のあり方といっていることが全然違う、夢が夢のまま終わってしまうという悲しさを、大衆演劇における喜劇の人物のつくり方を利用しながら、そこへたくさんの矛盾を埋め込んで、矛盾体として書いていくから、面白いんです。

本来、芝居はそういう矛盾体を書かないと駄目なんです。善玉、悪玉といったわかりやすい性格の人物で書かれている芝居は、底が浅いというか、観るほうもすぐ見切ってしまう。そうじゃなくて、観客にはわかりやすく、しかも奥の深い矛盾を、チェーホフは人物をつくるうえで発明したわけです。

［二日目］二〇〇二年二月十七日

なぜ客間に円柱が並んでいるのか？

昨日はチェーホフの周辺的な話をしましたが、今日はもう一度、最初から厳密にやっていきます。『三人姉妹』は、おそらく世界演劇史上第一位の傑作です。いろいろな好みがあって一概にはいえませんが、これだけの作品は、今後どれだけ優れた劇作家が出てきても書けないだろうと思います。ということで、今日は詳しく見ていきましょう。

第一幕の最初のト書きを見てください（一九四頁）。「プローゾロフの家。円柱のならんだ客間。柱の向うに大広間が見える」。まず、なぜ円柱なのか、という問題があります。ある客間があって、その向こうに大広間、ということであれば、イプセンのようにドアがあってもいいですし、カーテンがあってもいい。なのに、なぜチェーホフは円柱が並んでいることにしたのか。今日は、そこから始めます。

最初に、長女のオーリガがせりふを切り出しますね。このオーリガのせりふは、詩のような美しい文章で書いてある。ある意味、ポエムなんです。わたしは、モスクワ芸術座が『三人姉妹』を吹き込んだレコードをもっていまして、ここへ来る前にそれを聴いてきたのですが、この場面は、ロシア語がわからなくても、音楽的で美しいフレーズだとわかるような調子で語られている。それが翻訳になると、ただの文章になってしまう。これが、ひょっとしたらわたしたちがチェーホフを本当に理解できていない理由かもしれません。

それはともかく、オーリガのあの長いせりふはすごく詩的かつ音楽的です。昨日も紹介しましたが、この冒頭を見てみましょう。「お父さまはちょうど一年まえ、それもこの五月五日の、あなたの〝名の日〟に亡くなったのね、イリーナ。〔中略〕お父さまは将軍で、旅団長だったけれど、そのわりに会葬者は少なかった。もっとも、あの日は雨だったわ。ひどいミゾレだった」。春の心地よい季節です。お父さんが亡くなって一年で、いろいろなことがあって、母親もとうに亡くなっている。つまり、この三人は簡単にいうと孤児なんです。歳はいってますが、孤児なんです。本当はオーリガとマーシャのあいだにアンドレイがいるのですが、このト書きではアンドレイは抜かされている。これはなぜなのか、ということも大問題なのですが、これについては時間があれば後で申し上げます。

今日は、一番末っ子のイリーナの名付けのお祝いの日です。イリーナは、勤めには出ていますが、まだ二十歳で本当にまっさらな、二人のお姉さんにかわいがられ、おそらく一年前に亡くなったお父さんも本当にかわいがっていたと思います。ロシアでは、名前の日は誕生日より大事にされていて、そのお祝いの日に、オーリガはなんとか立ち上がろうとしているわけです。いままで、いろいろ不幸なこともあったけれど、そこから立ち上がって幸せになるんだ——という未来への期待を込めた美しいせりふなんです。そこへいきなり、チェブトィキンとトゥーゼンバフの二人の男が、「ばかばかしい！」「もちろん、くだらん話です」といいながら割って入ってくる。

二人がどんな話をしていたかわかりませんが、オーリガの美しいせりふをぶち壊してしまうわけです。そこで、次女のマーシャが口笛を吹いて、オーリガが「口笛はやめて」という。この口笛は重要です。期待の頂点で口笛を吹かれてしまい、ふっと現実に戻る。「何しろわたし、毎にち学校へ行って、それから夕方までレッスンに廻るものだから、しょっちゅう頭痛はするし」。詩的な美しい世界にだんだんと現実が入り込んでくるわけです。もう一度、詩的な世界を盛り返そうとするのだけれど、「だんだん大きく強まって行くのは、空想だけ……」ということになります。

ここは、この芝居すべてを表す、非常に重要なところです。オーリガには、将来への大きな期待がある。しかしその期待は、きれいな女声コーラスの中に乱暴な男声コーラスが割って入ってくるかのように、俗世間に侵食されていく——。チェーホフは、この最初の一、二ページで、芝居のすべてを予告しているんです。

なんとか生きていこう。大切な人はもう亡くなってしまったけれど、もう一度、懐かしいものがたくさんあるモスクワへ行って、三人でとにかく頑張って生きていこう、モスクワへ行けば幸せになれるはずだ、と。三人には、モスクワへ行く夢があるんですね。モスクワが懐かしい、モスクワへ行けばなんとかなる、としょっちゅういっている。まだ世の中を知らない、みんなにかわいがられている末娘のイリーナが「兄さんは、きっと大学教授になるんだから、どうせここにいるつもりはないわ。ただ困るのはマーシャのこと、可哀そうに」といいます。マーシャは中学校の教師の旦那さんと結婚していて、ここにいないといけないわけです。それを受けてオーリガが「マーシャは毎とし、夏休みじゅうモスクワへ来たらいいわ」というのですが、マーシャはまだ口笛を吹いている。モスクワへ行けば幸せになれるとは信じていないんです、マーシャだけは。

この場面の演出は、そこをきっちりやらないといけないですよね。一番最初のオーリガの詩のような美しいせりふが、まずこの芝居の雰囲気を作り、この三人姉妹の詩の世界へとんでもない俗世間が勝手に侵入してくるというかたちを何回も重ねて、この芝居の大きな基本的なリズムを示す。

もう少し違う言い方をすると、ここでお客さんと約束を交わすわけです。この芝居は、三人姉妹という、夢をもって一所懸命生きていこうという娘たちの中へ、俗世間が入り込んでくる、詩と散文の対比で考えるなら、詩の世界に散文の世界がバシバシ入ってくる、というのが基本的な規則で、作者はそういう規則で書いているので、お客さんもそういう規則で観てください――と。こういうかたちでチェーホフがこの芝居の規則をお客さんに示しているわけです。こんな素晴らしい巧妙な手というのは、ほとんど奇跡的な書き方ですね。

イプセンの作劇術というのは、理屈でわかるので真似してみようと思うのですが、チェーホフのこのやり方は、勉強しようがない。勉強するとそっくりになってしまう、チェーホフもどきになってしまうんです。ですから、チェーホフというのは空前絶後の大作家なんです。シェイクスピアとどっちがすごいかといわれたら、ひと言ではいえないですね。

戻ります。この後、さきほどの三人の男たちと三姉妹のやりとりがあるのですが、この間ずうっとマーシャのせりふはありません。口笛を吹くだけで、何もしゃべらない。彼女は、自分の青春は失敗した、と落ち込んでいるんです。では、その失敗というのは何か。それを説明するために、いきなり少し先に飛びます。

第一幕の後半で、マーシャの旦那で中学校の教師のクルィギンが出てきます。クルィギンが出る瞬間も、天才的にうまいのですが、それは後で説明します。クルィギンは正装の燕尾服を着て現れます。それで「大事なわが妹、わたしは謹んでお前の〝天使の日〟を祝するとともに」と、まずは形式ばったもの言いをし、しばらくして「皆さん、今日は日曜日、つまり安息日です。ですから一つ休息しましょう。めいめいの年齢と身分に応じて、大いに愉快にやりましょう」という。

このせりふを読んでいただくとわかりますが、クルィギンは完璧な形式主義者なんです。もう、「馬鹿」の二字がつくぐらいの常識主義者です。わかりきったことを一所懸命に、流暢にいう。「絨毯は夏のうちは片づけて、冬まで仕舞っておくんだよ。……虫よけ粉かナフタリンをまいてね」。こんなことをいわれたら、奥さんも〝そんなのわかってるわよ〟っていいたくなりますよね。きっと学校の生徒にもこんなふうにやっているわけでしょうね。学校と家庭の見分けがつかずに、こういう形式的なことばかりいっている。

「うちの校長がよく言いますが」という言葉が出てくるように、彼には自分の意見がないんです。自分よりちょっと偉い、世の中の権威に従って、それを守って形式的に生きている男です。「いかなる生活にせよ大切なのは――その形式である。……形を失うものは、すなわち滅ぶ――われわれの日常生活でも、やはり同じことです」と、完璧に自己規定している。「窓かけもやはり外《はず》して、絨毯と一しょに仕舞うんだよ」。クルィギンはさらに続けます。「今日わたしは陽気です、まさに絶好の気分です」。つまり、今日は陽気にやらなくてはいけない日なので、と気分まで形式化していく。

こういう形式主義者というのは、形式さえ守っていれば真実はどうでもいい、形式を重んじるばかりに真実がわからないんですね。後で、マーシャが夫を裏切ってヴェルシーニンに心を寄せるのですが、自分の妻の裏切りもちゃんと見ようとしないで、最後に恋敵のヴェルシーニンがいなくなったのでホッとしているという、情けない男です。

で、「わたしはきのう、朝から夜の十一時まで働らきずめで」というせりふでわかるように、働きすぎなんです。このクルィギンという男は、きっといいところもあるのだと思います。マーシャが結婚したくらいですから、若い頃はいいところがあったはずです。ところが、形式主義で、しかも仕事が忙しいので、真実が見えなくなり、自分の個性もなくなってしまう。チェーホフによれば、当時のインテリはこういうものなのでしょうね。

こういう人、日本にもいませんか？　いるんですよ、ぼくらの周りにも。わかりきったことをいちいち偉そうにいって、しかも人を傷つけていることを全然わかっていない。

それから、チェブトィキンという軍医がいますね。この人はしょっちゅう新聞を読んでいる。われわれも、テレビでアフガン戦争を理解し、テレビでワールドトレードセンターの事件を理解して、自分の頭では考えない。わたしたちとこの老いぼれた軍医は同じなんです。チェーホフのすごさは、作品の登場人物がみんな、いまのわたしたちに当てはまることです。こういうことを書けるのは、天才しかいないですね。

ともあれ、このチェブトィキンの登場によって、悲劇のスピードが加速していく。彼はイリーナへのお祝いに高価な銀のサモワールをプレゼントするのですが、それを見た三姉妹は、「困ってしまうわ！」（オーリガ）、「なんてことなさるの！」（イリーナ）、「臆面のないかたねえ、あなたは！」（マーシャ）と口々にいいます。なぜかというと、第二幕で、このチェブトィキンは八ヵ月も部屋代を払っていないことが明かされます。だったら、そんなプレゼントをするよりも部屋代を払いなさいよ、って思いますよね。実はこの人、この後で三人姉妹をどんどん追い詰めていくんです。彼は、「つまらんことですよ。同じことさ！」「つまらんこった」「つまらんことをしたものだ」というのを口癖のようにいいます。これって、「自民党が政権取ろうが民主党が取ろうが共産党が取ろうが、どれでも同じだよ、政治なんてのは」とわたしたちがいうのと同じで、そういうなげやりな考えが、悪いことを加速させていくわけです。

チェブトィキンは、さきほどちょっといった、ソリョーヌィとトゥーゼンバフの決闘を止めようともしないで立会人になります。結局、何が起こっても「好きにさせときなさい！」「まあどっちだって、同じことじゃないかな！」といいながら、物事全部を悪くしていく。ただ、チェーホフは、このチェブトィキンという人をすごくかわいくつくってあるんです。人が良くて三人姉妹を愛していて、三人姉妹のお母さんにプラトニックな愛情を捧げている。そして、医者として患者を助けられなかったことをひどく悔いている。ところが、なぜか自分の愛しているものの滅亡を加速させていく。そういう人生の恐ろしいからくりを、チェーホフは、この芝居を通して実に見事に描いています。

でも、根がいいだけに危険なんです。われわれはこういう人間にはなりたくないですね。結局、高いところから見れば同じで、〝つまらんことですよ〟とか、〝ほっとけばそのうち解決しますよ〟とか、偉そうに世の中の調整役みたいなことをやる人がいっぱいいます。ぼくもやることがあります。これは非常に卑怯な生き方なんですね。この作品はそういうことに対する、チェーホフの弾劾書でもあるんです。人間の本質を見抜いて、いろいろなパターンを蒐集する力といいますか、そういう人を集めて芝居を書き上げるところは、やはり空前絶後の劇作家だと思います。ことに、この『三人姉妹』はそれが際立っている。

また前へ戻ります。第一幕の頭のほうで、トゥーゼンバフが、ヴェルシーニンには二度目の奥さんがいて……などと話し、ソリョーヌィとチェブトィキンが話し始めたところで、イリーナが割って入って、「教えて頂だい、なんだってあたし、今日はこんなに嬉しいんでしょう?」「きょう目が覚めて、起きて顔を洗ったら、……」と話し始めますが、これはソロです。イリーナがもう一度詩的な美しいせりふをいうんです。これも、レコードとかでロシア語をよく知っている人が聞くと、詩のようなリズムがあることがわかります。お姉さんのオーリガより少しタイミングをずらして、音楽的なロシア語で書いてある。詩と乱暴な散文の世界が入り乱れて、くり返し戦い合う、という構造になっているんです。

　さて、なぜ円柱か、という話でした。最初、トゥーゼンバフ、チェブトィキン、ソリョーヌィの三人が円柱の向こうの広間のテーブルの辺りに現れて、そこから出てくる。これは、いちいちドアからの出入りにしたら大変だからです。詩の世界と散文の世界、清らかな世界と俗悪な世界、きれいな世界と醜い世界を自由に出し入れできるように、ドアではなく円柱で区切ったわけです。ポエムとリアルな世界を自由に入れ替えたり混ぜたりするために、客間と大広間を出入り自由にした。そういう計算をチェーホフは当然したわけです。

　でも、ソリョーヌィというのは怖い人ですね。第一幕でソリョーヌィのせりふは何個あると思います？　たしか、九個しかないんですよ。九個でこの恐ろしさを出してしまう。ソリョーヌィは最初、チェブトィキンと力自慢みたいなことをいいながら客間へ入ってくる。そして、イリーナのソロが終わったところで、トゥーゼンバフとコンビを組ませます。トゥーゼンバフの話にチェブトィキンが茶々を入れるので「あなたなんか、勘定にはいりません」とトゥーゼンバフがいうと、ソリョーヌィが「二十五年たったら、君はもうこの世にはいないさ、ありがたいことにね」というのですが、第四幕で、ソリョーヌィがトゥーゼンバフを殺してしまうわけですよね。「まあ二三年もすれば、君は卒中でポックリ行ってしまうか、でなきゃこの僕が癇癪をおこして、君の額へ弾丸《たま》をぶちこむのが落ちさ」と、四幕の予告をしている。そして「なあ君」といって、「(ポケットから香水壜を出して、胸や手にふりかける)」という卜書き。これもすごい。後で自分でもいっているように、この男の胸や手は死体の臭いで汚れている。おそらく、この人はあっちこっちで人を殺している。戦争でも殺す、決闘でも殺す、それで自分の手が自分が殺した人の血で臭い、と思っているんです。殺した相手の返り血を浴び、それが臭うのがいやなので、香水をパッパパッパとふりかけている。ここはかなりショックを受ける場面ですよね。だから、平凡な抒情的な芝居と思ったら大間違いなんです。

　それから、最初のセット、舞台装置で欠けてるのは〝いっぱいの花〟です。後でヴェルシーニンの「お宅には随分たくさん花がありますね!」というせりふが出てきますから、ここは花畑みたいになっていないと駄目なんです。この花畑、最初は三人姉妹がいる美しい理想の世界であり、彼女たちの未来の世界でもある。そこへ汚れた、醜悪な現実がどんどん入ってくる、視覚的にはそういう仕掛けになっています。

　問題は、マーシャが「入江のほとり、みどりなす樫《かし》の木ありて、こがねの鎖《くさり》、その幹にかかりいて……」と、プーシキン*30の詩を歌うところです。ここでは一部しか引かれていませんが、全部読むと、鎖につながれているというイメージが出

*30　アレクサンドル・プーシキン(一七九九～一八三七)。ロシアの詩人。民衆語を大胆に取り入れ、近代ロシア語・近代ロシア文学を確立した国民詩人として、今日でも広く愛読されている。主な作品に『ボリス・ゴドゥノフ』(一八二五年)、『エヴゲーニー・オネーギン』(一八二五～三三年)、『スペードの女王』(一八三四年)、『大尉の娘』(一八三六年)など。ここで引かれている詩は、叙事詩「ルスランとリュドミーラ」の一節。

てくる。ロシアの小学生なら必ず暗誦しているほど有名な詩の一節を借りて、自分の青春はもう滅び去ってしまった、結婚も生活も失敗に終わってしまったということを、せりふではなく歌うことで伝えているわけです。

　その歌の後、オーリガが「あなた今日、浮かない顔をしてるのね、マーシャ」というと、マーシャは、歌いながら帽子を被って、「帰るの」といいます。さきほどもいいましたが、名前の日というのは一年で一番めでたい日です。ロシアでは、宗教上の偉い人の名前を採って、何月何日は○○聖人の日と決まっていて、名前をもらうということは、その聖人の生き方を学ぶということですから、大変大事なんです。そういう日なのに、一応参加したけど、口笛を吹いたりして、もう帰るという。トゥーゼンバフが「〝名の日〟のお祝いを逃げだすなんて！」と呆れても、「いいのよ」といって、「今日わたし、メランコリー――これは憂鬱症（メランホーリヤ）の言い間違いなんですね――で、くさくさするの。わたしの言うことなんか、気にしないでね。（泣き笑いしながら）あとで話しましょうね。じゃ、ちょっと失礼するわ」。

　それまであまりしゃべらなかったマーシャが、念押しするように「ちょっと失礼するわ、ね、イリーナ。わたし、どこかへ行って来るわ」といっている。もっと後のほうで、ヴェルシーニンが入ってくると、今度はマーシャがやたらしゃべり始める。マーシャの気持ちがヴェルシーニンのほうへぐっと動いていくのを、チェーホフはせりふの数で表現しようとしているわけです。「帰るの」というマーシャに、オーリガが「(涙ぐんで)あなたの気持、わかるわ、マーシャ」といいます。これには、いろいろな解釈があると思いますが、姉のオーリガは、マーシャの気持ちがわかるんです。いい人だと思って結婚してみたら、つまらない形式主義者で常識家で働きずくめ——そういうことを知っているので、マーシャの気持ちを理解するんです。でも、イリーナのために、彼女が幸せになることを信じようと思っている。ほとんど不可能に近いけれど、あの末の妹が幸せになるといっているのだから、それを信じてあげようという気持ち。このお姉さんは、二人の妹、片方は結婚がうまくいかなくて絶望している、片方はこれから幸せになろうとしている、その二つを見ていて切なくてしようがない。だから涙ぐむんですね。

ぼくが演出家だったら、そういうラインでやります。チェーホフは絶対余計なト書きは書かない人です。ト書きを小説みたいに書く人がいますが、チェーホフの場合は必要なト書きしか書きません。書いてあるということは、必要なんです。「(涙ぐんで)」というのは、きっとそういう二つの意味があるのだと思います。

チェーホフのもうひとつすごい点は、表向きは何でもない会話の中に、表には見えない無言のドラマを書いていることです。だから、表向きだけを見て、〝きれいな三人姉妹が、がっかりしていないで立ち上がろうと決意する〟なんて、きれいな砂糖菓子みたいな芝居をつくる演出家がたくさんいます。でもそれ、うそです。チェーホフが何気ない会話に込めたドラマを見つけないと、チェーホフを本当に観たことにはならない。残念ながら、日本ではそういう舞台はあまりありません。昨日もお話ししましたが、栗山民也さんが『三人姉妹』は怖くて、大事すぎて演出できないというくらいすごい芝居なんです。

涙ぐんだオーリガを見て、マーシャは、腹立たしげに「泣かないで！」といい、そこへ召使いのアンフィーサが県会の守衛のフェラポントを連れて入ってくる。アンフィーサは、この家で三十年間ずうっと仕えている女中さんで、フェラポントは市会議長のプロトポーポフからの贈り物のお祝いのお菓子を届けにきたわけです。プロトポーポフというのは、名前だけで実際には登場しませんが、この芝居の本当の主役といってもいい人物です。やはり登場しないヴェルシーニンの奥さんも、大きな鍵を握っています。

中央公論社の全集版の神西清《じんざいきよし》訳[*31]では、「お祝いのお菓子」となっていますが、ロシア語のよくできる人に訊いたら、これ、ケーキなんです。「なんとか饅頭」なんて訳しているのもありますが[*32]、プロトポーポフはケーキをお祝いにくれるんですね。

プロトポーポフは、まだどういう人かはっきりしませんが、県の大物政治家です。なぜ贈り物を寄越したのか、狙いは定かではありませんが、亡くなった元連

＊31　一九〇三～五七。小説家、翻訳家。東京生れ。東京外国語学校（現・東京外国語大学）露語部文科卒。ソ連通商部勤務を経て、チェーホフ、ガルシンなどの翻訳に従事し、小説も執筆。

＊32　中村白葉訳は「トルト（饅頭ようの菓子）」、松下裕訳は「デコレーション・ケーキ」。

隊長の末娘の名の日だから何かお祝いしてやろうという感じで、そこはソツなく選挙区のめでたいこと、不幸なことを全部知っていて、何かあれば贈り物を届けるわけですね。そして二幕目では、トロイカの鈴を鳴らしてアンドレイの妻のナターシャを迎えにくる。この陰の主役がだんだんと近づいてきて、四幕目では、プロトポーポフがこの家を手に入れて、客間に座り込んでいることが明かされる。[*33] だから没落貴族が最後に家を失うという『桜の園』と仕掛け、見え方は同じです。三人姉妹が自分の家を失ってしまうという話なのですが、陰の主役をまったく登場させることなく、それがどんどん近づいてくる雰囲気をつくり上げていくのは、チェーホフのまた素晴らしいところです。わたしたちだったら、やはり、この陰の主役を表に出しちゃうんですよね。

未来をめぐる対立する論争

あまり時間がなくなってきたので、数ページ飛ばします。チェブトィキンが三人姉妹に文句をいわれて高価なサモワールを従卒にもっていかせた後、ヴェルシーニンが入ってきます。アンフィーサが「知らない軍人さんが見えましたよ！」と告げると、トゥーゼンバフが「ヴェルシーニンですよ、きっと」という。そしてヴェルシーニンが入ってくる。トゥーゼンバフが、「ヴェルシーニン中佐は、モ

＊33 プローゾロフ家の古い庭にいるイリーナが、家の中から聞こえる『乙女の祈り』のピアノを耳にしてこういう。《あしたの晩はもう、あの『乙女の祈り』を聞かないでも済むし、プロトポーポフに出くわす心配もなくなるわ。……（間）ね、プロトポーポフが、あすこの客間に坐りこんでるの。今日もやって来たのよ。……》

スクワから赴任されたのです」と紹介するのですが、ここから「モスクワ」がキーワードになります。思いがけず同郷の人に会って三姉妹は感激する。で、ヴェルシーニンがかつて「恋の少佐」と呼ばれていたことを思い出して、マーシャが「まあ、なんてお老けになって！」と泣くんです。

オーリガ でも、まだ一本も白髪が見えませんわ。お老けになったにしても、まだお年寄りじゃないわ。

ヴェルシーニン でももう、とって四十三ですよ。あなたがたは、モスクワを離れて余程になりますか？

イリーナ 十一年になりますの。あら、どうしたのマーシャ、泣いたりして、おかしな人。

ここがまたうまいんですね。マーシャを泣かしちゃうんです。つまり、彼女は現在の生活が追い詰められているので、モスクワというかつて幸せに暮らしていた街にすがっている。マーシャはすかさず、「なんでもないの。あなたは、どの街にお住まいでしたの？」とヴェルシーニンに尋ねます。

ここがまた、チェーホフのすごいところなのですが、ヴェルシーニンにモスクワを批判させる。

「ひと頃はドイツ街にもおりました。ドイツ街から、赤兵営へ通ったものです。その途中に、陰気な橋がありましてね、橋の下で水がざあざあいっています。孤独な身にとっては、へんにわびしくなる景色でしたよ」と。そしてちょっとの間があり、「それに引きかえ、ここの河はなんという広びろした、豊かな河でしょう！　じつに、すばらしい河だ！」

ここに、住むところを変えても人は幸せになれませんよ、というチェーホフの本音がチラッと出てくる。人が幸せかどうかというのは、住む場所とは関係ない、生活を変えないかぎり人は幸せになれませんよ、というのがチェーホフの主題なんです。

昨日、ある人が、仙台で芝居をやるのは情報が少ないから非常に不利である、やはり東京に行かなくては駄目なんじゃないか、というようなことをいっていた、と人伝《ひとづて》に聞きました。そんなことないですよ。東京へ行っても、その人は何も解決しない。なら、今度はブロードウェイへ行こうとかいって、ブロードウェイへ行っても解決しない。結局、いま住んでいる仙台で解決しないと駄目なんです。大事なのは、いまある生活をなんとかして変えることで、それしか幸せになる方法はない。

この三人姉妹は明らかに、ここにいると不幸だけれど、モスクワへ行けば幸せになれると考えている。だから、オーリガが「ここは寒くて、おまけに蚊がいますの」というと、ヴェルシーニンがすぐに「何を仰しゃる！」と返して、ここでちょっと押し問答させるわけです。チェーホフがここで何を計算したのかというと、「何を仰しゃる！」と感嘆符が付いていることから、三人姉妹とヴェルシーニンが一瞬対立するような構造をつくりたかったんですね。ちょっとした言い争いをすることで、かえって互いを理解できて仲良くなれることがありますよね。そういう力学を利用しているわけです。

だから、ヴェルシーニンが「何を仰しゃる！」というところは、ぼくが演出家だったら、喧嘩して帰っちゃうのかなというぐらい強く出します。「ここは実に健康な、申しぶんのない、スラヴ的な気候じゃありませんか」。ここで幸せにならなくてはしようがないでしょ、ということです。そうやって一度突き放しておいて、もう一度近づくために、ヴェルシーニンが「ただ変なのは、鉄道の駅が二十キロも離れていることですね」とこの町を批判する。そうすると三人姉妹はその言葉に乗っていく。この辺のせりふの押し返しは、実に見事です。演出家はこれを活かさないといけません。

すると、そうした機微をわからないソリョーヌィが、「もし駅が近ければ遠くはないはずだし、駅が遠ければ、つまり近くないというわけですよ」と、訳のわからないことをいって、みんなを白けさせる。

ここからトゥーゼンバフとヴェルシーニンの有名な討論が始まります。二人の討論は三回あるのですが、最初がこれです。ここのヴェルシーニンのせりふは、オーリガの出だしと同じように美しく書かれています。そうすると、観ている人はヴェルシーニンのせりふを聞いただけで〝あ、この人は三人姉妹ときっと気が合うはずだ。詩の世界に生きている人だ〟というのがわかるようになっているんです。一方のトゥーゼンバフのせりふは普通に書いてあるので、せりふの調子を聞いただけで対立がはっきりする。

ヴェルシーニンは、いま生きているこの世界が未来からどう見えるのかまったくわからない、といい、そこで昨日お話ししたコペルニクスやコロンブスの名前をもちだして、「現にわれわれが、こうしてバッを合わせている今の生活にしたって、時が経つにつれて、どうも変だ、不便だ、智慧がない、なんだか不潔だ――いやそれどころか、罪ぶかいとさえ、見えて来るかも知れません」という。それに対してトゥーゼンバフは、「さあ、どうですかねえ。ひょっとすると現在のわれわれの生活を、高尚だと呼んで、敬意をもって思いだしてくれるかも知れませんよ。今日では拷問も死刑もなく、侵略もないけれど、その一方、どれほどの悩みがあることでしょう！」と、いま生きている世界を肯定している。

この後、アンドレイが登場してから二つめの討論が始まりますが、そこでは、ヴェルシーニンは、自分たちが一所懸命生きていれば、自分の孫、曾孫《ひまご》が、二百年後か三百年後か、きっと幸せになれるはずだ、いまわれわれが働くのは子孫の幸せのためだ、という持論を展開し、それに対してトゥーゼンバフは、いま幸せになることが大事だといって、二つの幸せ論を対立させる。そして、作者は決闘によって片方を殺してしまう。もちろん、残ったほうが勝ちという意味ではありません。

表面はすらすらと書いてあるのですが、実に複雑な芝居なんです。これがチェーホフのすごさというか恐ろしさですよね。ですから、演出家はこの後ろで動いている駆け引き、心の動き、構造を理解しておかなくてはいけないんです。

ヴェルシーニンとトゥーゼンバフが討論しているあいだ、ソリョーヌィは、「ちっ、ちっ、ちっ」という、耳障りな舌打ちしかしていません。前にいったように、ソリョーヌィの一幕でのせりふは、舌打ちを除けば六回しかありませんが、その六回の間に、こいつはなんだか変だぞ、おかしいぞ、気取ってるようで悪ぶっているし、洒落《しゃれ》をいっても全然通じない、しらけさせるようなことしかいわない。おまけに、しきりに香水をかけて、自分のいやな臭いを消そうとしている。

きれいな詩のような言葉をしゃべる人もいれば、とんでもないとんちんかんなことをいっている老いた軍医もいる。そうしたさまざまなせりふの中で、このソリョーヌィには、もはや言葉じゃなくて、「ちっ、ちっ、ちっ」という鳥でも追うような、動物に対するような舌打ちをさせている。この辺の計算も、見事というよりもただ呆れるばかりです。

そして、さっきまで口笛しか吹いていなかったマーシャが、ヴェルシーニンが登場してから、急にしゃべり出す。舞台裏でヴァイオリンの音が聞こえてきて、マーシャが「あれ、兄のアンドレイが弾いていますの」というところから、アンドレイの話が始まります。

オーリガ　わたしたち今日、さんざん弟をからかってやりましたの。どうやら、少々れんあい気味なんですの。

イリーナ　ここの或るお嬢さんにね。そのひと、今日うちへ来ますわよ、きっとですわ。

マーシャ　いやねえ、あの人の衣裳の好みといったら！　みっともないとか、流行おくれだとかいう段じゃなくて、ただもう気の毒だわ。〔中略〕おまけに頬っぺたと来たら、てらてらに磨きたてててねえ！　アンドレイが恋してなんかいるものですか――それじゃ、あんまりだわ。アンドレイだって、趣味があるもの。〔中略〕きのう私が聞いた話では、あの人は、ここの市会議長のプロトポーポフのところへ嫁《い》くんですって。それがいいわ。

これがチェーホフの人物紹介の仕方です。噂をしておくと、噂の当人が入ってくる。ヴェルシーニンがそうでしたね。アンドレイという三人姉妹のうちのたった一人の男の子、これは弟でもあり、兄さんでもありますけど、この登場の前にきちっと情報を打っておく。そういう紹介の仕方を二回続けておいて、三回目、マーシャの夫についてはすごい手で紹介していくのですが、ここでのせりふのやりとりで、このアンドレイが一家にとってどのくらい希望の星かというのがわかります。オーリガが「このひとは、一家きっての学者ですし、ヴァイオリンも弾きますし、いろんな細工物もしますし」といっていますが、まあ変な男ですね、これは。多芸多才、いろんなことができそうに見える。その後、マーシャとイリーナがアンドレイの腕を抱えて連れてくるのですが、マーシャが「いらっしゃい、いらっしゃいてば！」と、やたらはしゃいでます。ヴェルシーニンの前なので、なんだか嬉しくなっている。知らないうちに、このマーシャにもう一度青春が戻ってきているんですね。

アンドレイが「英語の本を一冊、訳してしまいたいと思いましてね」というと、ヴェルシーニンが「ほう、英語を読まれるのですか？」と返す。なぜ「ほう」なのかといえば、当時のロシアではインテリはみんなフランス語はしゃべれるのですが、英語を話す人は珍しいんです。この後、アンドレイの恋人のナターシャがフランス語を話す場面が出てきますが、あのフランス語はすごく正確なフランス語、いってみれば学校フランス語なんです。これは翻訳だとわかりにくいのですが、上流階級はふだんの会話をロシア語じゃなくてフランス語でやるわけですから、その場合は、すごく生きのいい言い回しやこなれたフランス語で書いてある。ところが、中流・下流階級の人間が無理して、箔を付けるために勉強しただけのフランス語は、正確だけれど、ふだん使っていないのでこなれていない。つまり、この町の中流の家庭の娘が、この町の上流の家庭をどう乗っ取るかという話にもなっているわけです。

一家の期待を担うアンドレイですが、「父が死んでから僕はぐんぐん太りだして、一年のあいだに、ほらこんなデブになってしまいました」と彼自身がいっているように、太っているんです。ですから、太った俳優をキャスティングしなければいけないのですが、これ、意外に守られていないんです。でも、ここで観客に、アンドレイは駄目ですよ、三人姉妹の期待は虚しいものですよ、ということをわからせないと駄目なんです。なぜ彼が英語を習ったかというと、「父が――天国に安らわせたまえ――教育でわれわれをギュウギュウいわせたものですから」と。当時の上流では英語はさほど必要じゃなかったのに、お父さんが厳しかったので英語まで覚えた、つまり父親に抑えられてきた人物だということがここでわかります。自分というのがないんです、この男は。だから、この後とんでもない悲劇が起きてくる。彼が賭けに凝って借金をこしらえるとかいろいろありますけど、最たるものは、妻のナターシャがアンドレイの上司で市会議長のプロトポーポフと密通して、ソフィーナという二番目の子どもが、アンドレイではなくプロトポーポフの子どもであるということです。

つまり、自分の上司に奥さんを寝取られているわけですから、これはたまらんですよね。賭け事に狂うのも無理からぬところもありますが、彼が自制できない人間であるということを、チェーホフは「父が死んでから僕はぐんぐん太りだして、一年のあいだに、ほらこんなデブになってしまいました」というせりふで、バーンと表現しているわけです。

この後、アンドレイが自分たちきょうだいは、フランス語、ドイツ語、英語を習わされている。イリーナに至ってはイタリア語までも習っていて、その苦労は大変なものだといいます。マーシャも、この町で三ヵ国語を知っているなんていうのは贅沢であり、無用の長物だ、と。それに対してヴェルシーニンが、「頭のすんだ教養のある人に用がない」などということはけしてない、今後、アンドレイたちのような教養のある人たちが少しずつ増えていって、「二百年、三百年後の地上の生活は、想像も及ばぬほど素晴らしい、驚くべきものになるでしょう」という。

その言葉を聞いたマーシャが、「(帽子をぬぐ) わたし、やっぱり食事をして行くわ」といいます。この辺が面白いところです。最初の方で、マーシャは妹の大事な祝いの日にもかかわらず、帽子をかぶって、「帰るの」といっていましたから、ここまでのあいだ、マーシャは帽子をかぶったまま芝居をしていくんですね。帽子をかぶっているとすぐ退場できるわけですが、残るとすれば帽子を脱がなくてはならない。観客は、マーシャが帽子をどうするのかという思いで、ここまで芝居を観ている。そういう複雑な仕組みをチェーホフは考えているわけです。

さっきまで、口笛吹いて何も信じていないマーシャが、残る決心をする。ここは、希望や青春とはすっかり別れたはずのマーシャが、その青春を取り戻した瞬間なんです。もちろん旦那さんはいますけれども、お客さんはここまでで、マーシャがヴェルシーニンに好意を抱いてることがわかっている。

一方のヴェルシーニンも、「ときに、お宅には随分たくさん花がありますね！（見まわしながら）それにお住居《すまい》も、なかなかけっこうで。じつに羨ましい！〔中略〕わたしの生活には、つまりほら、こうした花が足りなかったのです」という。これは、ある意味では愛の告白なんです。花じゃないんです。〃わたしの生活には、こうした女性が足りなかったんです〃といっているのと同じことです。

続けて、「すでに費してしまった生涯は、いわばまあ下書きで、もう一つほかに、清書があるとしたらとね！　もしそうなったら、〔中略〕前とは違った生活環境を作り出すでしょう。こんなふうに花の一ぱいある、光線のゆたかな住居《すまい》を、設計するでしょう」と反省をしているふりをしながら、もう一度やり直せるなら、あなたと結婚してこういう家に住みたいと一所懸命口説いている。ここで突然、「わたしには妻と、娘がふたりありますが、その妻というのが、病身な婦人である上に、そのほかまあ色々とむずかしいのでね」という、例の、必ずいうといわれる言葉が出てくる。

そして、「もし人生をもう一どやり直せるものなら、わたしは結婚はしないでしょう。……いや、決して!」といったところに、燕尾服を着たクルィギンがバーンッと入ってくる。この辺、芝居のつくりとしては衝撃的ですよね。ここまでのところで、マーシャには旦那がいるのだけれど、新しくやってきたヴェルシーニンに好意をもっているらしい。ヴェルシーニンのほうも巧みにマーシャを口説いている。つまり、旦那は寝取られ亭主なわけです。この旦那というのは、一体どういう人物なのかと興味が湧いたところに、いきなり燕尾服を着て出てくる。

つまり、ここまでのすべてがクルィギンが登場する前触れだったといってもいい。しかもその前触れには、マーシャとヴェルシーニンの二人の愛の告白が同時に進行していく。ここでチェーホフが計算しているのは、マーシャとヴェルシーニンとは一種の不倫ですから、それをお客さんに受け入れてもらおうとしているわけです。まあ、ずるいといえばずるい、うまいといえばうまい。

で、当のクルィギンといえば、さきほど説明したように、紋切り型の言葉しか話さない、どうしようもない形式主義者なわけです。自分がいかに妻を愛しているか、妻も自分を愛しているかといった後で、「そうそうマーシャ、今日は四時に、校長のところへ一しょに行くんだよ。教員およびその家族のピクニックだからね」と。形式主義の彼にしてみれば、決まりだから当然行くべきものなんです。ところがマーシャは、ピシャッと「行かないわ、わたし」という。そんなマーシャの気持ちがわからず、クルィギンは、やれ時計が七分進んでいるだの、「きのう、朝から夜の十一時まで働きずめで、くたくたでしたが、今日はまた、じつに幸福な気もちですよ」といった、個性のない形式ばったことばかりいっている。

そんなこんなで、みんなが大広間へ行って、客間にはイリーナとトゥーゼンバフが残ります。トゥーゼンバフが「何を考えてるんです?」というと、イリーナが「ん、ちょっと。あたし、あのソリョーヌィがきらい、怖いわ」といいます。不吉な予感ですね。作者はここで予告した以上、何か起こさなければいけない。それが最後の決闘で、当のトゥーゼンバフがソリョーヌィに殺されるわけです。要するに、ソリョーヌィはトゥーゼンバフと二人でいるときはけっこう愛想がいいのですが、他の人の前では露悪家になる。よくいるでしょ、いい奴なんだけど、みんなに突っ掛かったりする人が。久しぶりに会って最初は楽しく話が弾んでいるのに、みんなが集まってくると急にプイッと「おれ、帰る」なんて人ですね。

イリーナはいいます。「働かなくちゃいけない、働かなくちゃ。あたしたちが浮かない顔をして、人生をこんな暗い目でながめているのも、元はといえば勤労ということを知らないからだわ」。ここはお客さんをいろいろなかたちで揺さぶっているところです。片方には働きすぎて個性をなくして形式主義者になっっている、イリーナにとっては義理の兄さんがいる。イリーナのほうは、自分が人生をこんな暗い目で見ているのは、働かないからだ、勤労ということを知らないからだ、つまり働くことを卑しんだ階級の子どもだからだ、と考えている。

ここでチェーホフは、二つの労働観を出しています。片方は、イリーナの働かないと生活は明るくならないという考え方。トゥーゼンバフも違う表現で同じことをいっている。この二人は後に結婚することになるのですが、労働に関しては同じ意見で、二人は結婚するのが当然だということです。一方では働き過ぎて個性をなくしてしまった形式主義者が出てくる。チェーホフは、自分もやがて答えを出すけれども、皆さんも観ながら考えてほしいという誘いかけをしているわけです。

そこへナターシャが登場します。「バラ色の衣裳をきて、みどり色のバンドをしめて」――この緑のバンドですが、チェーホフには蛇が出てくる小説がたくさんあります。中でも有名なのは、『谷間』という小説で、その中に緑色の服を着た女の人をライ麦畑にいるまむしのようだと描写しています。[*34]

緑色のバンドを外すと、一瞬しなってバーンと元に戻ろうとする蛇に似ていますよね。だからこの描写は、蛇が登場した、というふうに読み替えないと駄目なんです。

で、このナターシャですが、自分の階級よりもうひとつ上の階級の家に来たこ

＊34 《アクシーニヤは灰いろのあどけない眼つきをしていたが、それはめったに瞬《またた》かなかった。顔にはたえずあどけないほほえみを浮かべていた。この瞬きしない両の眼も、長い頸《くび》の上の小ぶりな頭も、またすらりとした姿も、なんとなく蛇《へび》を思わせた。胸のところの黄いろい、緑の服を着て、ほほえみを浮かべて見ているところは、春さきに若いライ麦ばたけで体をのばして、鎌首《かまくび》もたげて道行く人を見つめているまむしそっくりだった。》（松下裕訳『谷間』より。『チェーホフ全集』第10巻、筑摩書房、一九八七年）

とで、自信がないんです。「おめでとう、今日《きょう》は！　でも、あんまり大勢さんだものので、わたしどうしたらいいか、わくわくするわ……」というせりふからもそれがわかりますね。挨拶を受けてオーリガが「なによ、みんな内輪の人じゃないの」といった後、「(小声で、呆れたように) みどり色のバンドなのね！　ねえ、それはよくないわ！」といいます。

この後ナターシャは、泣き声で「でもこれ、みどり色じゃないのよ。どっちかというと、くすんだ方よ」といいながら、オーリガに付いて広間に入っていき、客間には人影がなくなる。一同が広間でテーブルに着いたところで、ヴェルシーニンが「これは結構な果実酒《おさけ》だ。くだものは、なんです？」というと、ソリョーヌィが「油虫ですよ」と答える。一幕のソリョーヌィの最後のせりふですが、こういういやなことをいう奴なんですね。いい役者、いい演出でやったら、この辺はメリハリが付いて面白いでしょうね。

ここでフェドーチクとローデという二人の陸軍大尉が入って来て、祝いの席が賑やかになります。ここでのポイントは、ナターシャが身分不相応の一クラス上の世界に飛び込んではみたものの、話についていけなかったり、階級の違いを処理できないところです。

緑のバンドはおかしいといわれたナターシャは、最後の四幕で逆襲します。みんながこの家を出て行くことになって、ナターシャがイリーナに「ねえ、あんた、そのバンド、まるっきりあんたの顔にうつらないわ。……それは悪趣味というものよ」と同じせりふを返すんです。オーリガの自分に対する言い方がこの家の趣味の法律だったら、わたしがここの家を乗っ取って、わたしの趣味をこの家の法律にしてしまおうという、恐ろしいタイプの女性なんですね。

ぼくらの周りにも、自分が処理できない、理解できないものに対して敵意をもつ、できたら復讐してやろうと考える人がいるじゃないですか。劣等感をひっくり返して、敵意を抱いてしまう。劣等感をもつのはいいのですが、劣等感をもたせた者に攻撃を仕掛けていくという人がいますね、ナターシャはその典型です。チェーホフは、その典型をここで引き出して、その典型にこの家を占領させようという計算を立てているんです。

なにか、わたしがチェーホフと友だちで代弁者みたいなことをいっていますが(笑)、いろいろ読み込むと、そう判断するしかないということを申し上げているので、チェーホフの言葉をじかに聴きたかったら、皆さんも原典に何回も当たってください。

さて、もう一幕もお終いに近いところで、マーシャがまた「入江のほとり、みどりなす樫《かし》の木ありて、こがねの鎖、その幹にかかりいて……」とプーシキンの詩を歌って、「(泣きださんばかりに)いやねえ、どうしてわたし、こんなことばかり？　けさ起きぬけから、この文句がついて離れないの……」というところがあります。これは、ヴェルシーニンを好きになっちゃったのだけれど、夫はいるし、いくらなんでも今日会ったばかりの人に心を惹かれるなんて……と悩んでいるんです。そこへ、クルィギンが「十三人のテーブルだな！」なんていい出す。こうやって数をチェックするのは、いかにも形式主義者ですよね。

それを受けて、ローデという将校が「皆さん、そんな迷信を気にされるのですか?」というと、すかさずクルィギンが「十三人のテーブルというのは、つまり恋仲の一対がいるということなのさ。もしやあなたじゃないですか、チェブトィキンさん、あやしいですぞ」などと冗談をいうのですが、実はクルィギンは暗にヴェルシーニンが余計者だといっているんですね。こういうふうに、チェーホフはひとつのことで三つぐらいのことをいっている。とんでもない人ですね。

マーシャが身動きができずに、自分は自由じゃないと嘆いている隣で、彼女を縛っている亭主ご本人が、この中に余計者がいるといっている。そいつに出ていってほしい、というのがクルィギンの本音です。つまり、この「十三」という数字に二重、三重の意味をもたせているんです。そんな雰囲気をまったく感じ取れないチェブトィキンが、「わたしなんぞ、老いぼれた罰あたりですよ。それよか、なぜナターシャさんが顔を赤くされたか、まったく了解に苦しみますよ」と、ナターシャに振ってしまいます。振られたナターシャは、いたたまれなくなって広間から客間へ、舞台の前面へ走り出ていく。それをアンドレイが追っ掛ける。アンドレイはナターシャを好きだとは思っていても、周りに囃されるだけの間柄で告白するチャンスがなかったんです。

でも、恥じらったナターシャに同情するわけですね。男性は、恥ずかしそうにしている女性に弱いんです。この頃は恥ずかしそうにしている女性って、あまりいませんが（笑）、女性が恥ずかしそうにしてると「あっ、そんなことないですよ」とかいってあげたくなる。そこをうまく利用しているんですよね。利用しているというのは、ぼくの勝手な読み込みかもしれませんが、結局、これがきっかけになって二人は結婚することになる。

そこへ二人の将校が登場して、キスしている両人を見て驚いて立ちどまる。ここは観客が驚いてるんです。なぜかというと、イリーナのお祝いの日のはずだったのが、ナターシャのお祝いに変わってしまったからです。

ここまで手品みたいな運びですよね。イリーナのお祝いの日から始まるのですが、実はナターシャはアンドレイの上司である市会議長のプロトポーポフと結婚するという噂があった。アンドレイにとっては、これがプレッシャー、あるいは推進力になって、ここで求婚してしまうわけです。この後、プロトポーポフはずうっと隠れた主人公になって、三姉妹の家の没落を見ながら、最後には家の中に乗り込んでくる。もはや三人姉妹はこの家の女主人ではなくなるのですが、それに代わる新しい女主人が登場した瞬間に、一幕の幕がサッと下りる。本当に鮮やかです。

じゃあ、ここで少し休憩しましょう。

宮沢賢治はチェーホフの弟子

それでは、第二幕に入りましょう。例によってわたしの計算がまずくて、昨日はチェーホフはどういう人かということを説明しているうちに時間を食いまして、ようやく第二幕に入りました。

第二幕はカーニヴァルの最中です。キリストが磔《はりつけ》になり、それから復活するのを祝う復活祭、イースターというキリスト教の行事がありますが、それが始まる四十日前の四旬節の期間中は、肉食を絶つ。その前に肉を食べて楽しもうというのがカーニヴァルで、謝肉祭ともいいます。カーニヴァルでは、仮装行列が上流階級の家を回って、駄賃をもらったりなんかしながら、ドンチャン騒ぎをするので、みんな楽しみにしている日なんです。

プローゾロフ家にも町の名物の仮装踊りがやってきます。それをみんな、あのクルィギンでさえ、楽しみにしている。ところが、ナターシャという人は、人が楽しんでいるのが家に入るのを禁じてしまう。このナターシャは仮装踊りの連中が我慢できないんです。いるでしょ、こういう人。人が嬉しがったり喜んでいるのを、素直に喜べない人って、わりと身近にいますね（笑）。そういう人は、心の中が空洞になっているんです。しかもこのナターシャは、第二幕のお終いのほうで、プロトポーポフが用意してきたトロイカには喜んで乗っている。つまり、自分の楽しみはいいけど、人の楽しみは絶対我慢できないという、いやな奴ですよね。こういう人物が、この家をどんどん支配していく。もうじれったいような悔しいような、本当に恐ろしい話ですよね。

その象徴として、第二幕はナターシャが火を消して回るところから始まります。このナターシャに火を消して回らせるというのも、チェーホフのうまいところですね。この人は現実の火だけじゃなくて、自分の周りにいる人の心の中で燃えている希望の明かりまで消していく人だという象徴です。あらゆることの希望を消して回る。それは俗世間で生きることが大事だということで、トゥーゼンバフが未来の幸せよりも、いま生きて生活を楽しむことが大事だというのと近い。近いけれども少し違う。その辺の違いも微妙に書き分けてあります。

チェーホフはこの第二幕で、ナターシャのいやらしさを徹底的に書いていきます。人が楽しんでいるときに、〝わたしも入れて〟と一緒に騒げばいいのに、〝なによ〟って思ってしまう。しかも、このナターシャの圧制に対して、アンドレイも他のみんなも表立って反対しない。ぐずぐずぐずぐずしているうちに、どんどんナターシャの流儀に押し切られていく。第二幕はそのオンパレードです。

しかも、ナターシャにはボービクという赤ん坊がいる。このボービクを錦の御旗にして、自分のやりたいようにこの家の中を変えていくわけです。みんなが楽しみにしている仮装踊りも家の中へ入れない。ボービクが寒がらないように、日当たりのいい部屋からイリーナを追い出してしまう。

そんなナターシャに何もいえないでいるアンドレイのもとに、市議会からのお使いのフェラポントが来ます。チェーホフのまた意地の悪いところですが、ト書きに「(両耳は布でくるんでいる)」と書いてあります。人の意見は聞こえない人なんです。で、アンドレイに、耳の遠いお使いさんを利用して、自分の思いの丈を語らせるわけです。一方、それを受けるフェラポントは、噂をどこで聞いたのか、モスクワでブリヌイという小麦粉を焼いたクレープのようなものの大食い大会があって、「そのうち一人は四十枚もブリヌイを平らげて、おっ死《ち》んだそうで」という。つまり、モスクワも俗悪ですよ、ってことですね。

思い当たるのは、最近の早食い大食い番組。あれ俗悪ですよ。まず汚いですしね。みんながちゃんと食べられているときならともかく、地球の上には今日餓死するか明日餓死するかという人もいますから、普通の神経があれば、あんなものはどんなに面白くても、面白ければ面白いほど放送しないというのが人間の節度というものでしょ。こういうところも、いまでも古びずに通用する。人間というのは、金があると、ついこういう大酒飲み大会とか早食い競争とかをやってしまう。一部の人の幸せの後ろに大勢の不幸があるうちは、本当の幸せじゃないというのが、チェーホフのテーマです。だから、モスクワは三人姉妹が憧れているほど素晴らしいところではなく、やはり俗悪なところだということを、このおじいさんにいわせているんですね。

それから、第二幕の真ん中辺りで、例のチェブトィキンが、「チチハル発。当地に天然痘猖獗《しょうけつ》」という新聞記事を読んでいます。チチハルは、旧満洲、いまの中国の東北部の西のはずれにある町です。そこで天然痘が猛威を振るっている。天然痘というのは、貧困、不衛生、その象徴です。さきに、フェラポントにモスクワの俗悪なところをいわせておいて、さらにチェブトィキンが読んでいる新聞記事によって、どこへ行っても貧しく病気が流行って泥沼ですよ、ということを示している。

前にいったように、チェーホフは、「場所を変えれば幸せになれる」という考えを全部否定しているんです。いくら場所を変えたところで、自分が変わらなければ、生活を変えなければ、幸せになれませんよ、と。しかも、その変えてみた生活によって果たして幸せになるかどうかわからない。その場合には、またその生活を変えて幸せになっていくしかない。人間にはそれしか道がないんだ、といっているんです。

宮沢賢治はチェーホフを実によく読んでいます。世界全体が幸せにならないうちは個人の幸福はありえないという賢治の考え方は、実はヴェルシーニンの考え方なんです。賢治は家出をして東京で暮らそうとするのですが、思うようにいかず、妹のトシの病気もあって花巻に戻ります。花巻では「羅《ら》須《す》地《ち》人《じん》協会」＊35という私塾をつくり、そこで農民の劇団や四重奏団などをつくって文化活動をおこなうのですが、ぼくは、これは全部チェーホフの影響だと思っています。賢治はチェーホフを深く読んでいますから、東京へ出て、家のくびきから離れないと幸せになれないと思っていたのは間違いで、いま、この花巻で楽しくやるしかないと考えたんですね。

最近、やっとわかりました、宮沢賢治というのはチェーホフの弟子だったんだということが。調べてみると、日本にチェーホフが紹介された時期に、賢治はチェーホフを懸命に勉強しているんです。羅須地人協会の活動は、いま住んでいるこの花巻で自分の生活を変える、周りの生活もゆっくりと変えていくことで幸せになれるかもしれない、という考え方からきている。これは完全にチェーホフの影響ですね。だから、日本でもっとも深くチェーホフを理解した人が宮沢賢治だった、と言い直してもいいと思います。

また横へ行っちゃったので、少し走りますね。第二幕で重要な問題は、自分が楽しむのはいいけれど、人が楽しんでいるのは我慢できないといういやな性格のナターシャが、家の中でのシェアをどんどん増やしていく有様を書いていること

＊35　一九二六年八月、花巻農学校を辞めた宮沢賢治は、下根子桜にあった宮沢家の別邸に農民たちを集めて農業技術や農業芸術論などを講義する私塾を設立。羅須地人協会と名付けた。活動は翌年三月までの七ヵ月間。

と、ヴェルシーニンとトゥーゼンバフの論争が第一幕からずうっと続いていることです。

フェラポントが、モスクワで俗悪な大食い大会があって四人ぐらい死んだそうだ、とアンドレイに伝えて帰って行きますが、その後、マーシャとヴェルシーニンが出てきます。ここで、マーシャが時計を見ながら「わたしは十八の時に、嫁にやられましたが、夫というものが怖くてなりませんでした。なにしろ向うは教師ですし、わたしは女学校を出たばかりでしたものね。あの頃わたしには、あの人がとても学者で、頭のいい、えらい人に見えました」という。それに対し「そう……なるほど」とヴェルシーニンがいって、マーシャがさらに続けます。

マーシャ　うちの人のことを、言うつもりはありません、――もう慣れっこになりましたからね。でも、〔中略〕神経のあらい、柔和さや愛想の欠けた人を見ると、わたし胸《むな》ぐるしくなってきますの。うちの人の同僚の、教師なかまの席へ出るような時には、それこそ地獄の責苦ですわ。

ヴェルシーニン　なるほど。……しかし僕としては、文官も武官も同じことで、少くもこの町じゃ、べつに甲乙はないと思いますね。同じことですよ！　文官でも武官でもいい、誰かこの町の知識人《インテリゲント》の言い草を聞いてごらんなさい――細君のことで精根からした、やれ家《いえ》のことで精根からした、や

れ領地のことで精根からした、やれ馬のことで精根からした、まあそんなところですよ。〔後略〕

こういうところ、うまい役者がいい演出で演《や》ったらおかしいでしょうね。実は、これはヴェルシーニンの自画像なんです。だから、このインテリに対する悪口を聞きながら、観客は「おまえのことじゃないか」と思うわけですね。やり方によってはすごく面白いところで、ここにも喜劇の方法が活かされている。

もうひとつというと、喜劇的な人物というのは役目を果たせない人なんです。アンドレイがそうですね。だから滑稽なんです。それから、老軍医のチェブトィキンに至っては、役目を果たしていないどころか役目放棄でしょ。家賃を払わずにいて、居候の資格もない。そうやって全部にズレがあるんです。その集合ですから、これはピシッとした演出で、スピーディに、しかも深くやれば、クスクスクスクスってところがたくさんある。チェーホフが、これは喜劇ですから、新派大悲劇とか——当時ロシアにそんな言葉はありませんが——みたいにはやらないで欲しいという理由は、こういうところにあるんです。

この第二幕では、そういう喜劇の手をたくさん使っています。申し上げたいことがたくさんあるのですが、時間がないのでちょっと飛ばします。この後、ヴェルシーニンがマーシャに好意を寄せていることを打ち明け、マーシャが戸惑っているところに、イリーナとトゥーゼンバフが登場します。ここでまた、ヴェルシーニンとトゥーゼンバフの論争が始まりますが、ここだけはきちんと押さえないと『三人姉妹』を読んだことにならないので、細かく見ていきましょう。

ヴェルシーニン　どうです？　お茶が出ないのなら、ひとつ哲学論でもやりますか。

トゥーゼンバフ　やりましょう。題目は？

ヴェルシーニン　そうですな？　ひとつ空想の羽をひろげてみようじゃないですか……例えば、われわれのあと、二三百年後の生活、ということでも。

トゥーゼンバフ　ははあ？　われわれのあとでは、人が軽気球で飛行するようになるでしょうし、セビロの型も変るでしょう。〔中略〕千年たったところで、人間はやっぱり、「ああ、生きるのは辛い！」と歎息するでしょうが——同時にまた、ちょうど今と同じく、死を怖れ、死にたくないと思うでしょう。

ヴェルシーニン　（ちょっと考えて）なんと言ったらいいか？　僕の感じで行くと、地上のものは一切、徐々に変化すべきものだし、現にもうわれわれの眼の前で、変りつつあるんですね。二百年三百年したら、いやいっそ千年もたったら——そんな期限なんか問題ではないが、——新らしい幸福な生活が、やって来るでしょう。その生活に加わることは、もちろんわれわれにはできないが、その新らしい生活のために現在われわれは生きているのであり、働らいているのであり、且つは苦しんでいるのであり、要するにそれを創造《つく》りつつあるわけで――この一事にこそ、われわれの生存の目的もあれば、また言うべくんば、われわれの幸福もあるわけです。

ここで、わたしたちのいまの努力がやがてわたしたちの後の世代を幸せにするだろうという、チェーホフの地声に近いことをヴェルシーニンはいうんです。さらに続けて「われわれには幸福なんかありはしない、あるべきはずがないし、この先もありようがない、ということをね。……われわれはただ、働らいて働らきぬかねばならんので、幸福というものは――われわれのずっと後の子孫の取り前なんですよ」と。

これは、さまざまな意味に読めます。ひとつは、前に申し上げたように、わたしたちの世代はヴェルシーニンと正反対のことをやっているわけです。わたしたちは自分たちの便利のためにビニールや有害化学物質などをやたらつくっていますが、この後処理は自分の子どもたちから孫、ずうっと後の時代がやらなければならない。不幸のツケを回しているわけです。だから、チェーホフがこの芝居を書いてから百年経つと、このせりふに、チェーホフが書いたのとは別の意味が生じてくる。わたしたちのチェーホフを読む楽しみはそこにあり、そこが面白いんです。

つまり、ヴェルシーニンは、徐々に世の中を変化させよう——急速に変えようとする革命は駄目なんです——という漸進主義の生き方をしながら子孫を幸せにするという考え方をしている。しかし、これはいまや破産してしまった。さすがのチェーホフも、この一点においては計算できなかった。でも、これはチェーホフの傷ではないんです。むしろ、だからこそかえってチェーホフが面白く読めるわけです。

これに対して、トゥーゼンバフは違うんですね。「生活は、依然として今のままでしょう。生活はやっぱりむずかしく、謎にみち」ている、と。二人は、ここまでに二回対立していて、これで三回目、結論部分です。トゥーゼンバフが出した結論は、生活の意味とかなんかを考える前に、毎日の生活をただ生きないといけない。未来を担保して、子孫がよくなるからいまは我慢して、幸せになろうなんて望んじゃいけないというのは間違いじゃないか。そういうことを一切考えないで、いまを必死になって生きていくべきだ、というものです。

後の世代が果実を受け取るために、いま頑張らなくてはいけないと考えているヴェルシーニンと、理屈をいわずに生活の中で必死になって生きていく生活本意のトゥーゼンバフ、この二つを対立させている。ここで問題になるのが、トゥーゼンバフの生き方は是か非かということです。トゥーゼンバフには、三人姉妹の末娘イリーナという恋人がいます。イリーナと結婚すれば幸せになれるはずだし、いまの幸せを追求してもいいいんじゃないか、と。

この考えは、いま何もしないでぼんやりしている生活を擁護する、ずるい言い訳にもなるんです。〝いやあ、いま一所懸命生きているし、幸せなんだからいいじゃないか〟という投げやりな言い訳にもなりうる。一方で、ヴェルシーニンのようなゆっくりとした改革ではなく、一挙にこの世の仕組み、制度を変えないと駄目だ、つまり革命こそが人びとを幸せにするのだと考える人もいる。〈ヴ・ナロード〉[*36]の時代の革命は失敗に終わっていますが、チェーホフが死んで十三年後にはロシア革命（十月革命）が起こっています。ここは議論の分かれるところですが、革命第一と考えると、これまた形式主義になってくる。この辺はわれわれがチェーホフから問題を突きつけられているところですね。

ヴェルシーニンとトゥーゼンバフの哲学論議が終わるとソリョーヌィが登場して、やがてそのソリョーヌィとチェブトィキンが、ある食べ物を巡って、なんとも珍妙な論争を始めます。チェブトィキンは「チェハールトマ」というのは羊の肉を焼いたものだと言い張り、ソリョーヌィは「チェレムシャー」は断じて肉じゃない」と反論する。互いに違う食べ物のことをいっているんです。そこに楽譜が出てくる。この辺りは、ヴォードヴィルの台本そのもので、二人の掛け合いもま

＊36　一八七ページ脚注13参照。

るで漫才です。

さきほどもいいましたが、ソリョーヌィは怖い人物という設定になっているので、このまま行くと、〝こいつは何かやりそうだ〟とお客さんも読者も思います。だから、こういうくだらない論争をさせることで、いったん毒消しをする。この馬鹿馬鹿しい論争の本質は、二人はひとつのものについて争っているつもりですが、観客には二つ別々のもので論争してもしようがないということがわかっている。二人はそれに気がつかずに論争するという、ヴォードヴィルの基本的な手ですね。

日本の漫才でもよくやるギャグと同じことです。こういう人が他人の幸せを奪っていく。決闘という形式主義に名を借りて、末娘の恋人のトゥーゼンバフを殺してしまう。おまけに、これまたわけのわからない老軍医が、決闘を止めもしないで立会人になって、「どっちにしても同じじゃないか」とかいっている。そういうどうしようもない馬鹿な連中が、実はこの世を動かしてしまうということを、ヴォードヴィルを使いながらうまく表現しているんです。

だから、ヴォードヴィルの手法をただ取り入れました、ということじゃないんです。ヴォードヴィルの手法を使って、最後の決闘につながる危険な雰囲気を薄めている。危険な人物をいったん馬鹿に戻して、その馬鹿こそが人の運命を変えたり、人を不幸に突き落としていくという含みをもたせている。チェブトィキンにしてもそうですね。もしこの人が決闘を止めていさえすれば、三人姉妹はおそらくもっと幸せになれたはずです。けれど、新聞ばかり読んでは「どうでもいいんじゃない」といって、なんの役にも立たない。そういうことばかりいっている人たちが、人の運命に関わってくる。ここがチェーホフのうまいところです。

この後、第二幕の最後のほうで、ソリョーヌィがイリーナに愛の告白をして、イリーナが「(冷やかに)やめて頂だい」と断ると、「愛の押し売りはできませんからね、もちろん。……ただね、競争者の幸福を、僕はゆるしませんよ」と啖呵《たんか》を切る。ちょっと前にあんなアホなことをいっていたのに、急にこんなことをいう、怖いですね。

水面下で起こっているドラマを読み取る

さて、駆け足ですが第三幕に行きましょう。この幕開きもうまいんですよ。ト書きにはこう書いてあります。

オーリガとイリーナの部屋。左手と右手にそれぞれベッドがあって、衝立で仕切られている。夜なかの二時すぎ。舞台うらで、半鐘が鳴っている。火事はもうだいぶ前に起っている気持。家のなかでは、まだ誰も寝床に入らずにいる様子。長椅子に、いつものように黒服をきたマーシャが、横になっている。オーリガとアンフィーサ登場。

近所で火事が起きているところから始まります。アンドレイとナターシャの間に二番目の子どもソーフォチカ（ソフィーナ）が生まれますが、前に述べたように、それは市会議長のプロトポーポフの子どもなんです。それに気づいているアンドレイが賭け事に溺れている。それにイリーナがボービクに部屋を譲り、いまはオーリガと一緒の部屋に追いやられている。その部屋ですね。オーリガは焼け出された人たちのために洋服をかき集めている。ナターシャはますます家の中の権力を握って、三十年間この家に仕えてきた女中さんのアンフィーサを追い出してしまう。アンフィーサを追い出すというのは、長女のオーリガにも出ていけというのと同じなんです。でも、オーリガたちは、この仕打ちに対して本気になって抵抗はしない。善なる者が邪悪な者に抵抗せずにずるずるずるずる押し切られてしまう。

そこへ二年間酒を断っていたチェブトィキンが、自分の患者を死なせたことを悔いて酔っ払って現れる。そこで有名なせりふをいいます。「ことによるとおれは、人間じゃなくって、ただこうして手も、足も、頭もあるような、ふりをしているだけかも知れん。ひょっとするとおれというものは、まるっきり存《あ》りゃしないで、ただ自分が、歩いたり食ったり寐《ね》たりしているような、気がするだけかも知れん」と。

　つまり、言葉をしゃべっていても現実に生きて存在しているとはいえないのではないか、とチェブトィキンは自己批判しているんです。言葉はすぐに消えてしまうから、それは存在していないことと同じであって、むしろ、何か行動しなくてはいけない、一歩前へ踏み出さなくてはいけないのだ、と。ただしゃべっているだけでは、存在しているようでいて存在しないのだということを、この軍医さんはわかっている。何か悪口をいってそれで済ませているのは、存在していないことなんです。腹が立ったら抗議の手紙を出すとか、何か自分の存在を示すために行動をしないと実は存在していることにはならない、言葉だけでは存在できない、それは幻影にすぎないといっているわけです。

　これは、ヴェルシーニンに対する批判でもあります。一方のトゥーゼンバフは行動に移したわけですけれど、その結果、決闘で撃たれてしまう。果たしてどちらが正解なのか。チェーホフはわざと答えを出していません。われわれにじっくり考えるように宿題を残したわけですよね。

　第三幕は火事が主題なのですが、実はこの火事で焼けたのは、三姉妹の大事な大事な家であり、財産なんです。無論、実際に焼けたのではありませんが、アンドレイは妻の浮気を知って賭け事に溺れ、借金をした挙句、姉妹たちに無断でこの屋敷を抵当に入れてしまう。つまり、このプローゾロフ家は焼け落ちてしまうわけです。こういうふうにチェーホフはさまざまなところで二重三重の意味を付けていく。イプセンにしてもチェーホフにしても、優れた劇作家の優れた芝居というのは一行たりともいい加減に書いてないということ、よくおわかりになったと思います。

逆にいえば、ひと言ひと言、すべて綿密な計算でつくり上げていかないと芝居は成立しないということです。ですから、世の中でむずかしい仕事があるとしたら、劇作家が一番むずかしいんじゃないかと、勝手に劇作家は思っているわけですね（笑）。幾重にも計算を重ねたうえで、しかもそれをあからさまに書くのではなく、表面は読みやすく、しかし演出家と役者さんのやりようによってはその裏にあるさまざまな動きも見えるように書かれている。そういう芝居の手本中の手本ですね。

最後の第四幕は、駐屯していた軍隊が町を引き上げるところから始まります。ヴェルシーニンはマーシャに別れを告げ、トゥーゼンバフとの結婚式を明日に控えたイリーナのもとへ、トゥーゼンバフが決闘で死んだという知らせが届く。そうして、最後の場面を迎えます。

「（三人の姉妹、たがいに寄り添って立つ）」というト書きのあとに、マーシャのせりふが続きます。「まあ、あの楽隊のおと！　あの人たちは立って行く。一人はもうすっかり、永遠に逝ってしまったし、わたしたちだけここに残って、またわたしたちの生活をはじめるのだわ。生きて行かなければ……。生きて行かなければねえ。……」

これを受けて、教員試験に合格したイリーナが、「あした、あたしは一人で立つわ。学校で子供たちを教えて、自分の一生を、もしかしてあたしでも、役に立てるかもしれない人たちのために、捧げるわ。今は秋ね。もうじき冬が来て、雪がつもるだろうけど、あたし働らくわ、働らくわ。……」と未来への希望を語り、オーリガが「（ふたりの妹を抱きしめる）楽隊は、あんなに楽しそうに、力づよく鳴っている」といいます。

この辺が、チェーホフの滅茶苦茶うまいところですよね。楽隊は、彼女たちの新しい夢を励ますための応援音楽なんです。ところがこの場面に、テレビドラマでよく久世（光彦）さんなどがやるような、ヘンに物悲しい音楽を付ける演出が多いんです。ぼくは日本の『三人姉妹』を観てきて、いつも疑問を感じていたんです。この軍楽隊の音楽に、なんで悲しいマーチをかけるんだろう、と。

ここでの音楽は、戦争をする部隊を送るのと同時に、しっかり生きようとしている人には音楽が戦争部隊を裏切ってこっち側に付いてこないと駄目なんです。ちょっとわかりにくい言い方ですが、軍楽隊が演奏するのは、人を殺しに行く人たちへ向けての応援音楽です。さあ殺せ、殺せ、祖国のために、刃向かうものは皆殺しにしよう、と兵隊を送り出す音楽が、そうではなく聞こえてくるようにする、ということです。三人を励ますためには、どんな音楽を使うのがいいのかという大問題がここで生じている。ここはものすごく大事な演出の場面だと思いますね。

そういう曲に乗って——これはロシア語のできる人だとはっきりわかりますが——最初と同じように詩的なトーンに戻るんです。詩のような美しいせりふのかたちになっている。詩的なせりふで始まって詩的なせりふで終わるのですが、その間にこの三人にはものすごい変化が起きている。恋もしました、不倫もしました、校長先生になって赴任する長女がいる、人生における大事なことがたくさん起こり、最後にもう一度最初のかたちに戻って、詩のような素晴らしいせりふをいう。その後ろで軍楽隊が町を去っていくわけです。

家はなくなってしまいましたが、そこから立ち直った三人の姉妹には大事なものがいくつか残った。かろうじて自分の魂を売らないで済んだ。それから〝働くんだ〟という生活に対する確信が出てくる。本来、この人たちは働かなくても済む階級なんです。でも、イリーナは「あたしは一人で立つわ。学校で子供たちを教えて、自分の一生を、もしかしてあたしでも、役に立てるかもしれない人たちのために、捧げるわ」といっている。つまり、未来を確信しているんです。自分の生き方を確信していれば、人がどう思おうと、夢がぐうっと現実的になり、手が届くところまでくる。最初は、なんの根拠もない夢のような未来だったのですが、いろいろなことを経験することで未来に対する確信になった。それに対して、軍楽隊が元気をつけていくという演出にしないと駄目なんじゃないでしょうかね。

何度も申し上げているように、チェーホフの戯曲は、表面だけ読むとなにかセンチメンタルで、会話のうまい上品な芝居という印象がありますが、そうじゃないんです。水面下でものすごいドラマが起きていく。だから、その水面下のドラマを読み取れる演出家や俳優や音楽家や装置家や照明家がいれば、本当に面白い芝居になりうるわけです。もし、そこをわからずに表面だけでやったとしたら、それはチェーホフが書いたドラマの何分の一かに過ぎないんです。

ここまで、『三人姉妹』というテキストの背後を皆さんと一緒に読んできましたが、その水面下のドラマをできるだけ拾ってみたつもりです。それが見えたとき、初めてチェーホフが理解でき、やはり大変な作家で、おそらく人類はこれ以上の劇作家を生み出せないという、わたしの言葉の意味がわかっていただけると思います。

同じチェーホフの芝居でも、『ワーニャ伯父さん』とか『かもめ』とか『桜の園』なら、書く気になれば書けるんですよ。でも、『三人姉妹』は書けない。『桜の園』は明らかに『三人姉妹』の二番煎じです。チェーホフのテーマというのは、上品な――上品というのは生活がいいとか悪いとかいうのではなく、精神が真っ直ぐで清らかということです――人たちが、曲がった人たちに乗っ取られてしまうという、その悲しさです。

太宰治もチェーホフ狂いで、チェーホフばかり読んでいた時期があるのですが、なかでも『三人姉妹』の最後の三人の素晴らしいせりふが、大きく影響を与えたのではないかと思います。他の作品も読んだのでしょうが、自分のそばに置いて何回も読もうと思ったのは、あの最後のところだけでしょうね。ああいう上質なセンチメンタリズムと、滅びていった後の立ち直り方、滅びていくときの美しさ、太宰はそこだけを取ったんですね。さっきいったように、宮沢賢治はもっと大きく理解していた。どちらも東北人です。わたしも東北です（笑）。偶然ですが、宮沢賢治も太宰も東北の人で、二人ともチェーホフに大きな影響を受けて私淑していたというのは、よくわかります。

冒頭ではモスクワへ行きさえすれば幸せをつかめると思っていた三姉妹ですが、結局は町に残ることになる。これまで見てきたように、この人たちには、別の場所に移れば幸せになるという幻想がありました。幸せのかたちということでいえば、他人《ひと》の不幸せを踏み台にして自分たちだけが幸せになるという構造がありま す。その構造の代表がナターシャとプロトポーポフです。そういう人たちの支配する生活は、弱肉強食、競争の社会で、そういうところでは幸福になれないということが、言外に出てきていると思いますね。
これでチェーホフを終わります。

＊本文中に引用したチェーホフの作品の翻訳と登場人物名は左記による。
『三人姉妹』神西清訳（新訂版『チェーホフ全集 12』中央公論社、一九六八年、所収）

ニール・サイモン

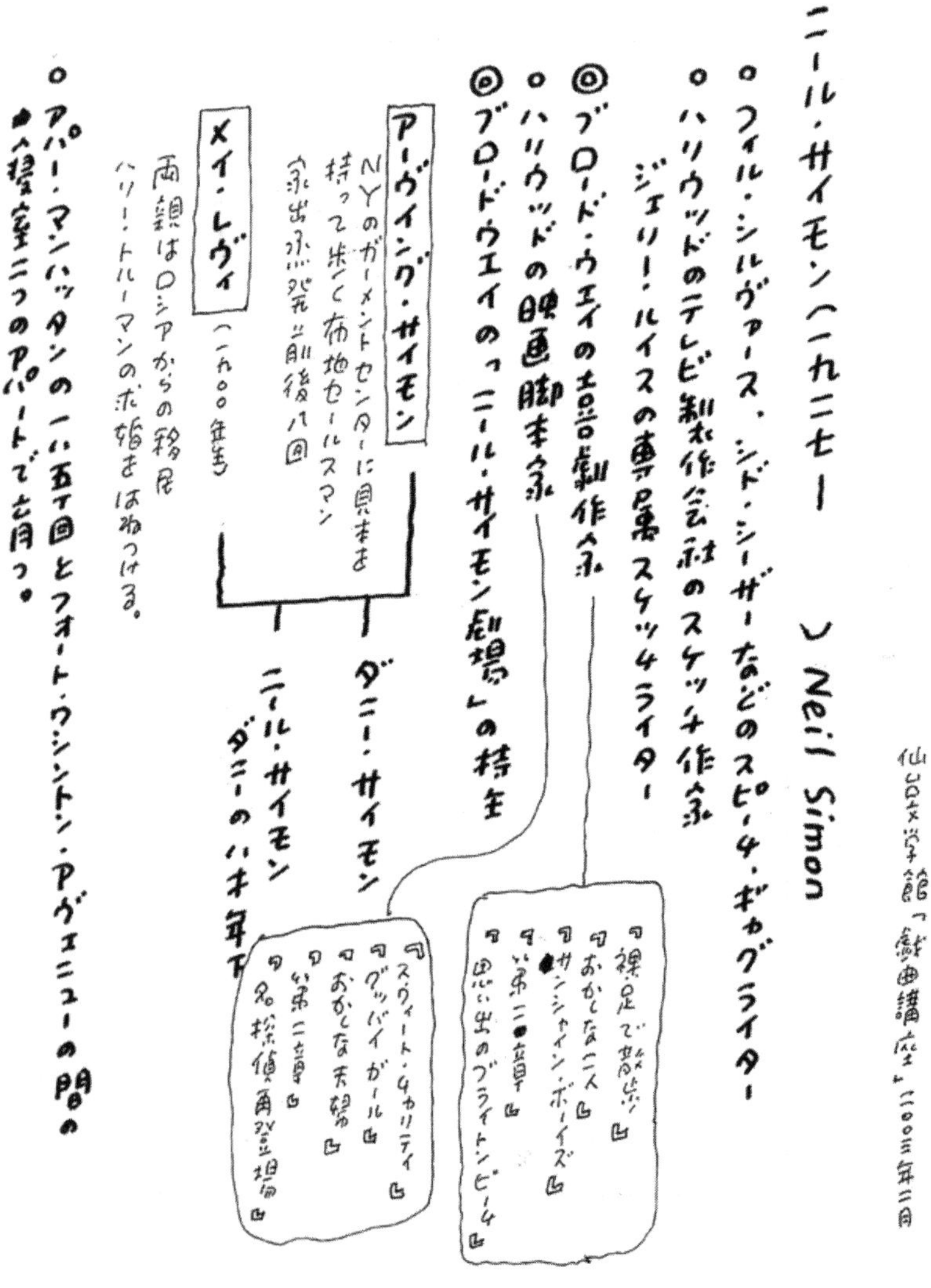
仙台文学館「戯曲講座」二〇〇三年二月
ニール・サイモン(一九二七ー) Neil Simon
○フィル・シルヴァース、シド・シーザーなどのスピーチ・ギャグライター
○ハリウッドのテレビ製作会社のスケッチ作家
ジェリー・ルイスの専属スケッチライター
◎ブロードウェイの喜劇作家
○ハリウッドの映画脚本家
◎ブロードウェイの「ニール・サイモン劇場」の持主
『裸足で散歩』
『おかしな二人』
『サンシャイン・ボーイズ』
『第二章』
『思い出のブライトン・ビーチ』
『スウィート・チャリティ』
『グッバイガール』
『おかしな夫婦』
『第二章』
『名探偵再登場』
アーヴィング・サイモン
NYのガーメントセンターに見本を持って歩く布地セールスマン
家出蒸発は前後八回
メイ・レヴィ(一九〇〇年生)
両親はロシアからの移民
ハリー・トルーマンの求婚をはねつける。
ダニー・サイモン
ニール・サイモン
ダニーの八才年下
○アパー・マンハッタンの一八五丁目とフォート・ワシントン・アヴェニューの間の寝室二つのアパートで育つ。

①講座当日配付されたレジュメ「ニール・サイモン年譜」

1

○高校時代は不良（「マフィアの子分の子分」だったと自称）

○コロラド州デンヴァーの空軍基地に兵士として勤務。（18才）

○除隊後、兄ダニーの引きでNBCかCBSでスケッチを書く。（20才）

浮浪者のエイブラハムとストラウスが街でバッタリと出会う。
エイブラハム「よう、なにやって喰ってる？」
ストラウス「おれか？、なんにも。おまえは？」
エイブラハム「おれもな●んにもやってねえ」
ストラウス「よし、きまった！　いっしょにブルックリンでデパートをやろうぜ」

全テレビ局をつなぐ同軸ケーブルの発明　どこで番組を作ってもいい。

○テレビ番組制作会社、ぞくぞくとカリフォルニアに移転
天候…年間降雨量200ミリ。曇天雨天年間二〇日前後。それに温暖
スター…多く居住
人件費…安い

1957
ニール・サイモンもカリフォルニアに移住。ジェリー・ルイスの専属ライターになる。
代表作「安全検査官」
すでに結婚（ニューヨークで）していた。1953年9月30日。ジョーンと。

②同前

ニール・サイモン

ジョーン

1953年(26才)9月30日
N.Y.

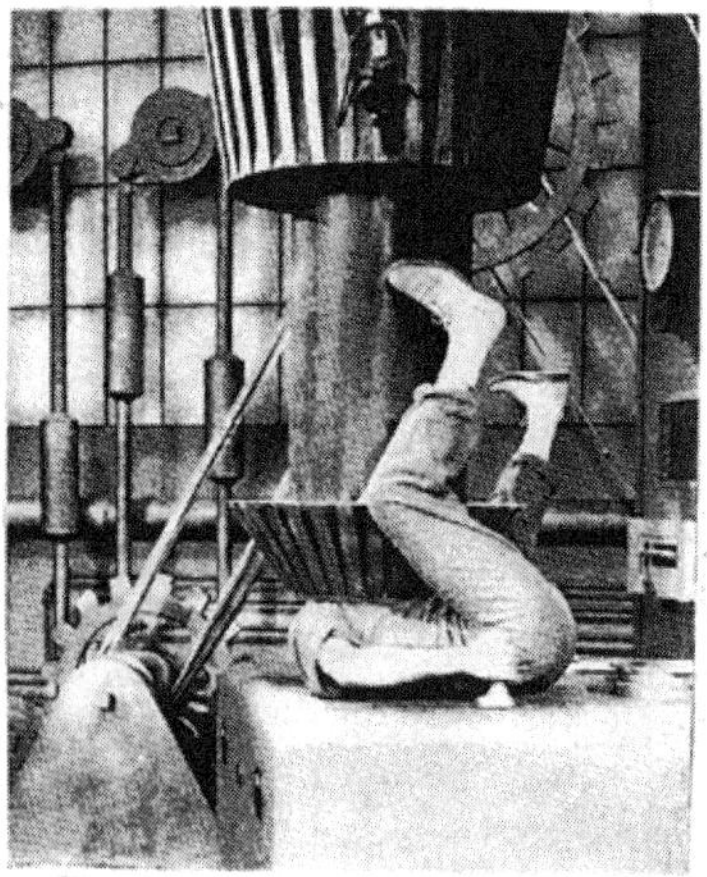

「ジェリー・ルイス・ショー」(NBC特別番組)

'57 ○テレビの空しさを痛感し、二つ二つ戯曲を書き出す。
『カム・ブロウ・ユア・ホーン』(さあ起きて角笛を吹け)
'59 第18稿を完成。代理人のヘレン・ハーヴェイに見せる。
ハーマン・シャムリン(演出家)が読む。
ランニング・ギャグがいい
一言ギャグがいい

(リリアン・ヘルマンと組んで大ヒットを連打した当時の大演出家。アクターズ・スタジオ
『小狐たち』
『ラインの監視』
『噂の二人』

③同前

2

「はだしで散歩」初日　1963年10月23日

劇作者マックス・ゴードン

「芝居は家のようなものだ。しっかりした土台の上に立てなければならない」

「土台がしっかりしていなければ、家はたちまち砂の中に消える」

小山内薫の「戯曲は船」論

「まず人物を造る
それから話の骨格を作る
そして台詞だ」

「みんな一杯道具の、小人数の、抱腹絶倒喜劇を求めているのだ」

'63年10月23日　ビルトモア劇場
「はだしで散歩」

マイク・ニコルズ（演出）

ニール・サイモン

④同前

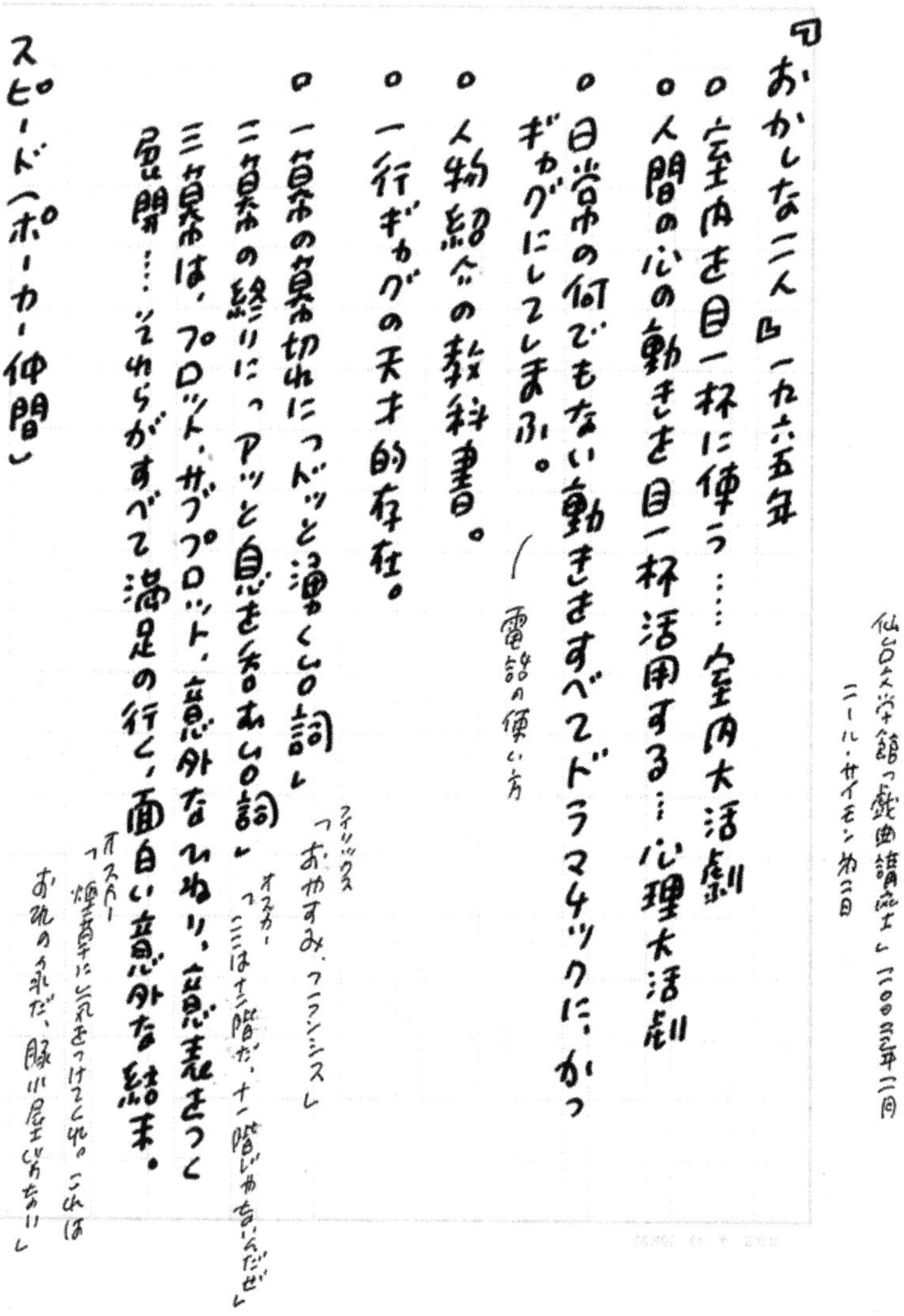

仙台文学館「戯曲講座」二〇〇三年一月
ニール・サイモン 第二日

「おかしな二人」一九六五年
○室内を目一杯に使う……室内大活劇
○人間の心の動きを目一杯活用する…心理大活劇
○日常の何でもない動きをすべてドラマチックに、かつ
ギャグにしてしまう。
（電話の使い方）
○人物紹介の教科書。
○一行ギャグの天才的存在。
○一幕の幕切れに「ドッと湧く台詞」
（フィリックス「おやすみ、フランシス」）
二幕の終りに「アッと息を呑む台詞」
（オスカー「ここは十二階だ、十一階じゃないんだぜ」）
三幕は、プロット、サブプロット、意外なひねり、意表をつく
展開……それらがすべて満足の行く、面白い意外な結末。
（オスカー「煙草に火をつけてくれ。これはお礼のしるしだ、豚小屋じゃないんだ」）
スピード（ポーカー仲間）

⑤同前、レジュメ（『おかしな二人』）

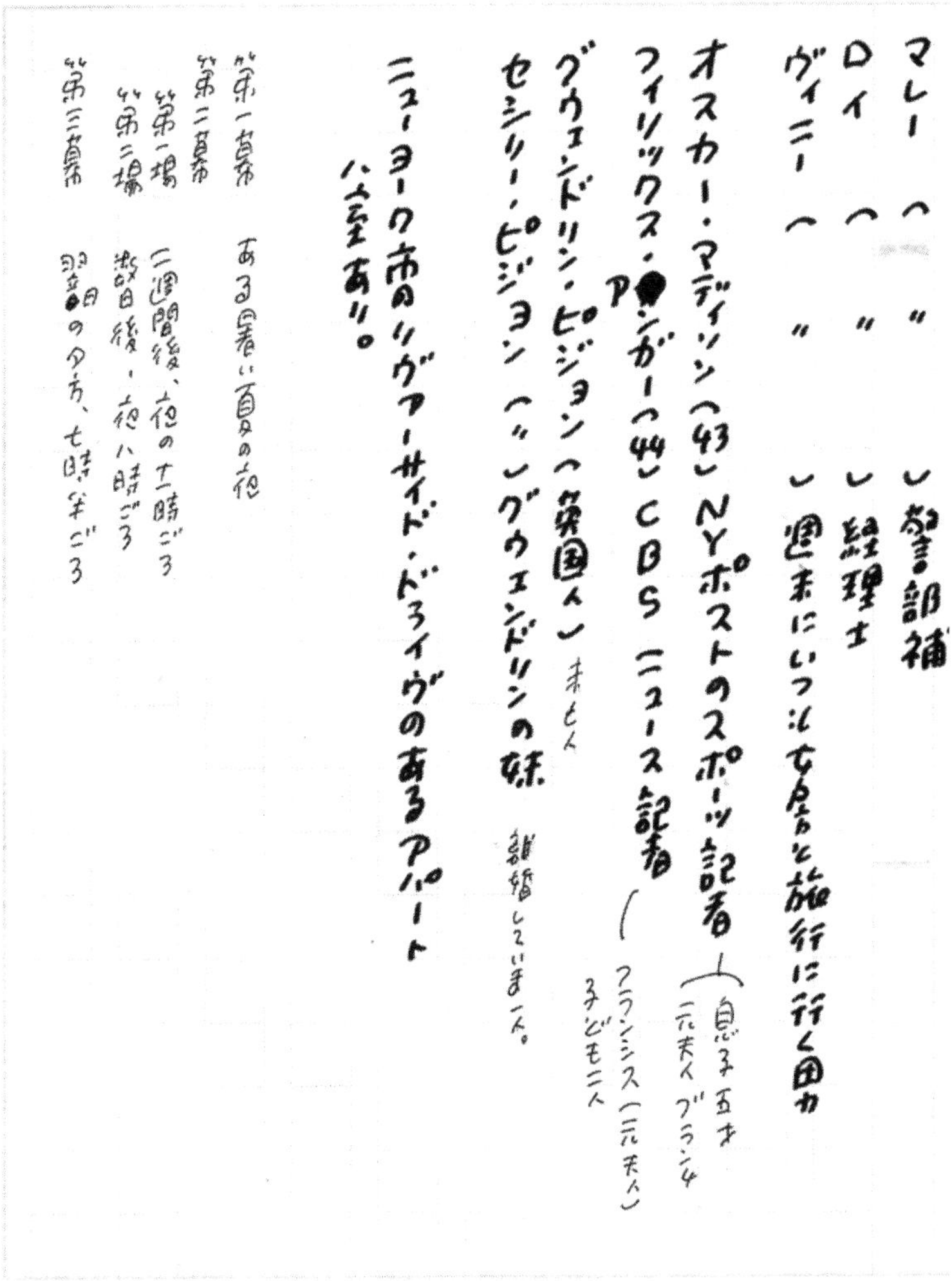

マレー（〃）警部補
ロイ（〃）経理士
ヴィニー（〃）週末にいつも女房と旅行に行く因カ
オスカー・マディソン（43）NYポストのスポーツ記者（息子五才 元夫人ブランチ）
フィリックス・アンガー（44）CBSニュース記者（フランシス（元夫人）子ども二人）
グウェンドリン・ピジョン（英国人）未亡人
セシリー・ピジョン（〃）グウェンドリンの妹 離婚しています。
ニューヨークの市のリヴァーサイド・ドライヴのあるアパート八室あり。

第一幕 ある暑い夏の夜
第二幕
第一場 二週間後、夜の十一時ごろ
第二場 数日後・夜八時ごろ
第三幕 翌日の夕方、七時半ごろ

⑥同前

［一日目］二〇〇三年二月十五日

ニューヨークという面白い土壌で育つ

今日は、ニール・サイモンという喜劇を専門に書いているアメリカの劇作家がどういう人間かについて皆さんに知っていただきたくて、まず、そこから始めます。

ぼくが芝居や小説の賞の選考会で何を基準にするかというと、まず、自分を基準にするんですね。「駄目だこれは、おれは死んでもこんなの書かないよ」というのは駄作——あくまでもぼくから見てですが——で、「あっ、これ、もっとうまく書けるな」というのが駄作の上。それから、「おうっ、これなかなかやるじゃん」というのは標準作です。「やられたあ」と思うのは傑作に入りますね。それから、「もう自分には書けない」というのは最高傑作です。この、「駄目だ」「もっとうまく書けるのに」「おう、やったじゃん」「やられた」「もう自分には書けない」という五段階評価をしているわけです。

最後の、自分にはどうしても書けないという作品が二つだけあります。ひとつ

＊1　ニール・サイモンは、この講演から十五年後の二〇一八年八月二十六日、ニューヨークで亡

は、シェイクスピアの『ハムレット』です。『ハムレット』は、どんなに頑張っても、わたしの才能では書けません。もうひとつがチェーホフの『三人姉妹』。これも、どんなに逆立ちしても、わたしには書けません。

正直いって、ニール・サイモンの作品は、「もう自分には書けない」というのは一作もありません。ただし「やられた」というのはかなり多いんです。ニール・サイモンは一九二七年の生まれですから、今年（二〇〇三年）七十六歳ですか。[*1] 最近は、ほとんど書いていません。彼の処女作は三十四歳のときに書いた『カム・ブロー・ユア・ホーン』（一九六一年）です。直訳すれば、「さあ、起きて角笛を吹け」ですが、「しゃんと行こうぜ」とか「頑張ろうぜ」とか、それから深い意味としては「独り立ちしようぜ」とか「一人で生きていこうぜ」とか、いろいろな意味があります。日本人にはとてもこのニュアンスは理解できないので、普通「カム・ブロー・ユア・ホーン」と原題のタイトルになっていますが、日本ではどの劇団でも上演されていないかもしれませんね。

『カム・ブロー・ユア・ホーン』の次に書いたのは『はだしで散歩』[*2]（一九六三年）で、これがものすごい当たりを取るわけです。その二年後に書いたのが『おかしな二人』（一九六五年）で、これはまさに決定打で、ここでニール・サイモンの評価が定まります。六八年の『プラザ・スイート』は、文字通りプラザホテル──仙台のプラザホテル[*3]じゃないですよ（笑）──の部屋で起こる喜劇です。結婚式直前

くなった。享年九十一。

＊2　一九六三年、ニューヨークのボルチモア劇場で初演。新米弁護士ポールとその妻コリーの新婚生活を描いたコメディ。ポール役はロバート・レッドフォード、コリー役はエリザベス・アシュレーが演じた。一九六七年、『裸足で散歩』の邦題で映画化。

＊3　ホテル仙台プラザ。東北を代表する名門ホテル。一八八八年、東北初の都市型ホテルとして創業。二〇一一年三月二十五日に営業を終了する予定だったが、同月十一日の東日本大震災により、日程を前倒しして十三日午前十時で閉館した。

になって、突然、花嫁が結婚したくないと言い出して、その家族がものすごく慌てる話とか、そういうホテルに関した話が三つ入っている。これもなかなかいい作品ですよね。

その後『浮気の終着駅』（一九六九年）、『ジンジャーブレット・レディ』（一九七〇年）と続きます。この『ジンジャーブレット・レディ』は、テアトル・エコー[*4]が上演しています。ニール・サイモンの日本初演はテアトル・エコーなんです。『ジンジャーブレット・レディ』はアル中（アルコール依存症）の女の人が、立ち直ろうとして立ち直れなかったかという話で、決して喜劇作品ではないのですが、ニール・サイモンの各芝居には全部「ニュー・コメディ」と名付けられています。

で、この「コメディ」という言葉も、実は厳しい検討を要する言葉なんですね。日本ではコメディというと、何か軽いドタバタ劇のことを思い浮かべることが多いのですが、本来のコメディ、喜劇はもっと深いものです。現に、チェーホフは『桜の園』に「四幕の喜劇（コメディ）」とサブタイトルを付けているわけですから。

その次に『二番街の囚人』（一九七一年）というのを書き、その次がまたすごいヒット作で『サンシャイン・ボーイズ』（一九七二年）。ですから、最初の作品はあまり、たいしたことがなかったのですが、二番目の『はだしで散歩』でぐうんと出て、『おかしな二人』でブロードウェイの作家として確乎とした地位を得て、『プラザ・スイート』『ジンジャーブレット・レディ』と、標準以上の作品を連打した。

＊4　国内外のコメディ作品を専門に上演する劇団。代表・熊倉一雄の依頼で書き下ろした『日本人のへそ』で、井上ひさしは一九六九年、演劇界デビュー。その後、座付き作者として五本の戯曲を書き下ろした。

『二番街の囚人』はちょっと落ちますが、『サンシャイン・ボーイズ』は『おかしな二人』と並ぶニール・サイモンの代表作だとぼくは思っています。

次の『名医先生』（一九七三年）。これはもうひどいひどい作品です。この人はチェーホフが好きで、この『名医先生』は、チェーホフのいくつかの短編小説を組み合わせて、それを小さな芝居にしたものです。ニール・サイモンはスケッチ――スケッチについては後で説明します――が得意ですから、スケッチを十二か十三つくって、そこにチェーホフらしいお医者さんが狂言まわしで出てくるというものなのですが、これはもう惨憺たる失敗作です。たしかこの頃、最初の奥さんが事故かなにかで亡くなっちゃうんですよね。

それからしばらく間が空いて書いた『カリフォルニア・スイート』（一九七六年）は『プラザ・スイート』の焼き直しで、その翌年に『第二章』（一九七七年）を書きます。ぼくはブロードウェイで初演を観ましたけれど、これはとてもいい芝居です。続く『映画に出たい！』（一九八〇年）、これもあまりいい作品じゃない。『おかしな二人（女性版）』（一九八五年）は、大ヒットして作家的地位を決めた作品を、今度は女性版でやろうというふうに逃げちゃったわけですよね。これは、作家としてのパワーがだいぶ落ちてきたな、というふうにぼくは見ていました。

ところが、次の『思い出のブライトン・ビーチ』[*5]（一九八三年）は、とんでもない傑作で、さっきの五段階評価で五点まではいきませんが、四・七一四あたりでし

＊5　一九八三年十二月十日、ニューヨーク、アルヴィン劇場で初演。一九三七年の大不況下、ブルックリンの南端にあるブライトン・ビーチで暮らす七人のユダヤ系アメリカ人家族に起きる出来事を、十五歳のユジーンを語り手として描いた自伝的作品。『ビロクシー・ブルース』『ブロードウェイ・バウンド』と合わせてBB三部作を構成する。

ょうか。ともかく、それクラスの大変な作品です。この『思い出のブライトン・ビーチ』で、ニール・サイモンは新しい劇作法を開発したわけです。

その延長にある『ビロクシー・ブルース』（一九八五年）と『ブロードウェイ・バウンド』（一九八六年）の二つも、かなりいい作品です。『ブロードウェイ・バウンド』のバウンドというのは、新幹線に乗ると英語のアナウンスで「バウンド・フォー・東京（bound for Tokyo）」とか流れてきますが、あの「〜行き」のことですね。自分たちはどうやってブロードウェイへ出ていったかという自叙伝みたいな芝居です。

ところが、その後の『噂』（一九八八年）、『ヨンカーズ物語』（一九九一年）、『ジェイクの女たち』（一九九二年）になると、年を追うごとにガンガンガンガンと腕が落ちていく。物書きには、どんなに頑張っても力が落ちてくる時期が訪れるんです。ぼくも、いつこれが来るかと思って、もうびくびくしながら毎回取り組んでいるのですが、誰にもあるんです。三本続けて「これ、ちょっとどうかな」という作品が出て、その後いくつかの作品を書いていますけど、いまは休筆中です。

その代わり、ニール・サイモンはブロードウェイにニール・サイモン劇場という自分の劇場をもっているので、作品を書かなくとも劇場の稼ぎで食っていけるわけです。劇場の全株をもっているわけではありませんが、大株主です。自分が書いた作品がヒットして、ブロードウェイのど真ん中に客席数八百ぐらいの劇場を自分でもてるという、こういう幸せな環境で書いている、書いていた作家です。

日本では、どんなにいい芝居を書いても、銀座のど真ん中に劇場をもつなんていうのは不可能ですね。それができるということは、アメリカやイギリスでは、まあヨーロッパもそうですが、芝居の地位がいかに高いかということの証です。逆にいうと、欧米の人たちはいかに芝居が好きで、いい芝居をたくさん観に行って関係者を儲けさせているかということですね。お客さんもまた、いい芝居を観たことによって精神的に儲けるし、いい作品を書いた人は当然のご褒美としてお金も入り、有名にもなり、やがては劇場をもつというようなコースが、ちゃんと市民社会に支えられているわけですね。

日本はまだそこまでいっていません。大体ロングランができません。向こうは、すべての契約が八週間なんです。なぜそれだけ長期の契約ができるかといえば、ユニオンの力が大変強いからです。役者さんも演出家も、オーケストラ・ピットにいる音楽家たちも、すべてユニオンに入っています。ミュージカルの場合でいうと、実際には四人の楽師しか必要でなくても、必ず三十人以上使うことという、ユニオンとの取り決めがあり、三十人分のギャラを支払うという厳しい契約がお互いできている。ですから、俳優さんも基本的に八週間ずつ契約していくわけです。

大体、稽古（顔合わせ）は初日の七週間前から始まり、いろいろやっていきながら本格的に始まるのは四週間ぐらい前からです。普通、まず最初に地方で幕を開けて、その評判を聞きながら手直しして、さらにニューヨークに少し近いところでまた演《や》ってみる。そこでだいぶ良くはなったけれど、もうひとつということで、作家を入れ替えたり、音楽家を入れ替えたり、歌のナンバーを取り替えたりしながら磨き上げ、これでいいとなったときに、ブロードウェイにやってくるわけですね。

　契約期間の八週間は顔合わせから始まるのですが、初日が開くのがおおよそ七週間目の終わりです。よくブロードウェイでは、お客が入らないと三日で打ち切るとか、五日で打ち切るとかいわれていて、それを聞くと「すごいな」と思うでしょうけれど、実はすごくもなんともない。つまり初日の段階では、最初の契約からすでに七週間が経過していて、初日の一週間後には、再度八週間の契約をしなくてはならない。このお客の入りでは、次の契約を八週間続けると全部損になるということをプロデューサーが判断して、「ああ無理だ。これ、八週間目で切っちゃおう」ということで、六日、五日、四日ぐらいで終わってしまうわけですね。

　そういうふうにきちんと契約があって、なおかつ当たれば、そのまま契約を続けて、キャスティングを替えたりしながらもロングランを重ねていく。たとえば『コーラスライン』[*6]は十五年間続いたわけですね。オフ・ブロードウェイの小劇場ですけれど、『ファンタスティックス』[*7]などは四十二年というロングランを記録し

＊6　一九七五年初演。マイケル・ベネット原案・演出・振付、マーヴィン・ハムリッシュ音楽によるミュージカル。コーラスラインとは、役名のない出演者が、これより前に出ないように引かれた線のこと。役名のないコーラスのオーディションに挑んだ十七人のダンサーたちの最終選考の様子を描く。六千百三十七回公演して、当時の最長ロングラン記録を打ち立てた。

＊7　一九六〇年、ニューヨークの小劇場サリヴァン・ストリート・プレイハウスで初演。トム・ジョーンズ台本・作詞、ハーヴィー・シュミット音楽によるミュージカル。

ている。

そうなると、単純な計算ですけど、仮に舞台装置に一億円かかったとします。一回だけの公演であれば、そのまま一億円支払わなくてはいけない。しかし、二回やれば五千万円、三回やれば三千三百三十何万円、四回やれば二千五百万円ですね。さらに、四十回やれば二百五十万円、四百回やれば二十五万円、四千回やれば二万五千円、四万回やればたったの二千五百円になっちゃう（笑）。まあ、そう単純にはいきませんが、上演回数が増えていけば一回あたりの費用が減っていき、その分、作者はもちろん、役者さんとか演出家、スタッフ、照明など、すべての人たちがその分け前をもらえるわけです。

そうやって、ニール・サイモンの『おかしな二人』も上演を重ね、半年目くらいからは、一週間にかなりの収益が上がっていくんですね。

『ラ・マンチャの男』を書いたデール・ワッサーマン[＊8]という劇作家がいますが、彼は『ラ・マンチャの男』一本書いただけで、ずうっと暮らしていけている。しかも、別荘を二つもっている（笑）。ぼくは彼と会ったことがあり、そのときにいろいろ聞いたのですが、結局、世界じゅうのどこかで『ラ・マンチャの男』を演っているわけですから、その版権料だけでもちゃんと生活ができるシステムがあるということです。つまり、力がある人、たくさんの人を喜ばせることができる人はその見返りがあり、きちんとした生活をして次の作品に備えることができる。

エドモン・ロスタン『ロマネスク』が原案。隣同士に住むマットとルイーザの父親たちは、子供は親の意向に反撥することを見越したうえで、両家を隔てる壁を建て、恋人同士にしようと企む。そして順調に恋に落ちた二人の関係を深めようと、さらなる思惑を実行に移す。

＊8　一九一四〜二〇〇八。アメリカの劇作家、脚本家。代表作の『ラ・マンチャの男』は、一九六五初演。セルバンテスの小説『ドン・キホーテ』をもとにしたミュージカル。デール・ワッサーマン脚本、ミッチ・リー作曲。日本では東宝の制作で、一九六九年の初

そうした演劇社会が、一般の社会の上にひとつ重なってできている。

　これは本当に羨ましい限りですが、日本もやがてこうなると思います。特に、仙台市などは一番近道です。仙台は全国でも珍しく演劇鑑賞会が増えていて、演劇に非常に熱心なところなんです。一方、東京の丸の内は、最近いろいろなブランドショップができていて、ニューヨークの五番街みたいな感じになってきています。つまり、丸の内は生活する場であり、そういうファッションや文化も集まってきて、当然、そこで生きていくのは楽しいはずなんですよね。ところが日本の場合は、なぜか区割り主義で、ここはオフィス街、ここは住宅地域、ここはショッピング街とか決めちゃうものですから、面白くもなんともない。自分の住んでいる町でいいものを買って、いいものを観て、いいものを聴いて、そこできちんと仕事をして、みんなで生きていくのはいかに楽しいか、それを最近の日本人はまだ経験していない。で、ニューヨークのような面白い土壌で育った作家がどういう仕事をしていったかというのが、今回のテーマなんです。

カリフォルニアでテレビ番組を手がける

ニール・サイモンには、いくつかの顔があります。まず最初はユダヤ人の顔。ユダヤ人というのは独特なユーモアをもっている人たちで、ニール・サイモンに

演以来、六代目市川染五郎（現在の二代目松本白鸚）がセルバンテス／ドン・キホーテを演じてきた。

もかなりユダヤ的なユーモアがある。そして、ニール・サイモンはニューヨークが大好きで、一度カリフォルニアに行くのですが、どうしてもニューヨークが恋しくて戻ってくる。同じユダヤ人でニューヨークっ子のウディ・アレン[*9]なんかと同じですね。

ご存じのようにニューヨークは世界で一番ユダヤ人が多いところで、彼らの間でよく知られているユダヤ・ジョークもたくさんあって、ニール・サイモンの芝居にもそれらが登場します。それが日本で受けているというのは一見不思議ですけれど、ユダヤ・ジョークを超えた優れたジョークをニール・サイモンは備えているので、文化が変わっても彼の芝居は非常に面白いということになるわけですね。

お父さんのアーヴィング・サイモンは布地のセールスマンで、ニューヨーク七番街のガーメントセンターという衣料関係の卸業者が集まるところへ布地の見本をもってセールスに行くのが仕事です。一家はアッパー・マンハッタンの寝室二つのアパートに住んでいました。アッパー・マンハッタンというのはセントラルパークの上、つまり北ですね。高級な住宅街というわけではありません。そこの寝室二間付きのアパートですから、普通というよりもちょっと低めかな。まあ、この地域でいうと普通の家庭かもしれません。ニール・サイモンは、そこに住んでいたユダヤ人夫婦の子どもです。

＊9　一九三五年生まれ。アメリカの映画監督、俳優、脚本家、小説家、クラリネット演奏家。主な映画に『アニー・ホール』『カイロの紫のバラ』『ハンナとその姉妹』など。

ニール・サイモンにはダニーというお兄さんがいて[*10]、この人は大変才能がある テレビの脚本家です。いまはもう書いていませんが、かつては非常に大きな番組をたくさん手がけていました。われわれがテレビをやっていたころ、NHKでも日本テレビほかの民放各局でも、アメリカのテレビ番組を取り寄せて勉強するのが常道でした。「勉強する」というと聞こえがいいのですが、要はパクるわけです。その当時の大きな特別番組なんかにはダニー・サイモンの名前がよく出てきていて、大立て者のテレビ作家として知られていました。ニール・サイモンはその八歳違いの弟です。

プリントの下に風船みたいなのがぶら下がっていますけど（二七四頁）、これはぼくが選んだニール・サイモンの戯曲と映画のベスト・ファイブです。順位をつけるのはむずかしいのですが、一応参考までに風船でぶら下げておきました。

お父さんが通っていたガーメントセンターというのは、普通ガーメント地区といいます。セントラルパークの下（南）のほうにグランド・セントラル・ステーションという東京駅みたいな大きな駅がありますが、その近辺の相当広い区域で、衣料品関係の店が集まっています。ぼくはこの地区に興味が湧いて見学に行ったのですが、とにかく、ぼろぼろのビルがたくさん建っている。ところが建物の中に一歩入ると、これが素晴らしいんです。実は、わざと外観をぼろぼろに見せかけているんですよ。というのは、この地区は毛皮の世界最大の集散地でもあるか

＊10　一九一八〜二〇〇五。ニューヨーク、ブロンクス生まれ。ラジオの構成作家を経て、テレビのバラエティ番組の構成作家、プロデューサー。無名のウディ・アレンを構成スタッフに起用した。

らです。

一九七〇年代頃から日米貿易摩擦というのが始まります。繊維とか自動車などの部門でアメリカの対日貿易赤字が膨らみ、日本を非常に敵視していたその時期、景気の悪化もあって、一時期、ニューヨークがギャングの街みたいになったことがありました。そのとき、ギャングたちが一番狙ったのが毛皮なわけです。聞いたところによると、グレース・ケリーが着ていたミンクのコートは、一着八千万ドルもしたといわれ、八千万ドルの札束をもって逃げるのは不可能ですけれど、八千万ドルの毛皮を着て逃げるのは簡単です（笑）。ということで、ギャングたちはこぞって毛皮屋を狙ったわけです。

ともかく、あの地区にはギリシャ、スウェーデン、スペインなどの王国御用達の毛皮屋がたくさんある。呆れたのは、サウジアラビア王家御用達の毛皮商人がいるというのですが、あの暑い国でいつ毛皮を着るんだって（笑）。試しにそういう毛皮屋の中へ入ると、当時流行のイタリアスタイルの室内装飾で、買うつもりもないのですがミンクのコートなんかを見て冷やかしていたら、「奥さんにどうですか」と店員が寄ってくる。

「いや、体型がわかりませんから」といって逃げようとしたら、ジャーン！　小さな人から大きな人まで、若い女の人がずらっと並んで、「あなたの奥さんは、どの辺りですか」と（笑）。

「あの辺りですかね。でも、太ってたかな。痩せてたかな」とかいうと、「わかりました」といって、今度はほっそりした人からデブちんの人まで六人くらいを並べて、「あなたの奥さんの体型は、感じとしてはどの辺ですか」と。ここまでされると買わざるをえなくなって、まあ一番安いのを買ってきたんですよ。

そういうところがガーメントセンターです。ガーメントセンターにはたくさんの衣料工場がありますので、ニール・サイモンのお父さんはそこへ生地の見本をもって売って歩くセールスマン、つまり布地のセールスマンです。このお父さんというのが伝説的なセールスマンなんです。もう、お客さんを笑わせて笑わせて、お客さんも、笑っているうちに買っちゃうという(笑)。

で、大きな取引をするたびに女ができて、ニール・サイモンの『自伝』[*11]では、少なくとも八回、お父さんが家を出て別居状態になったと書いてあります。とにかく金が入ると浮気をして女の人のところへ行ったきりで、しばらく帰ってこない。金がなくなると家へ帰ってきて、また得意の弁舌で笑わせているうちに買わせて、金が入ると家を出る。そのくり返しで、家に入るお金は本当になかったみたいですね。

そのため、お母さんは苦労して、男の子二人を育てたんです。そういう母親の苦労を見ていたニール・サイモンは、小さいときから新聞配達などをやって母を助けていました。ところがニール・サイモン自身は、なぜか「自分はマフィアの

＊11　『書いては書き直し――ニール・サイモン自伝』（酒井洋子訳、早川書房、一九九七年）。以下、『自伝』。続編に『第二幕――ニール・サイモン自伝2』（酒井洋子訳、早川書房、二〇〇一年）がある。

子分だった」といっている。[*12] どうもこの人のコメントは当てにならないのですが、かなりグレていたのは確かなようです。高校を卒業するのは戦争が終わりかけていた一九四五年で、卒業と同時にコロラド州デンバーの空軍基地で兵士になる。空を飛ぼうと思ったらしいのですが、実はニール・サイモンは有名な飛行機嫌いなんです。それなのに空軍に入る――この人、よくわからないんですよね（笑）。

空軍では二年間勤務して、除隊後、家に帰ってくるのですが、兄さんのダニーは、すでにニューヨークのＣＢＳとかＮＢＣとかのテレビ局のバラエティー番組の若手ライターとしてばりばり活躍していました。そこでニールは兄さんとの共作で、いわゆる「スケッチ」というものを書き始めるわけです。スケッチというのは、日本でいうとコントなのですが、欧米ではコントというと小説の短い話のことを指して、日本でいうコントとは違う。それはともかく、除隊した二十歳の次男坊は、テレビの新進脚本家のお兄さんの訓練を受けながら二人でスケッチ作家の仕事をするわけです。

皆さん、フィル・シルヴァース[*13]というコメディアン、ご存じですか。まあ、この人の主演映画はほとんど日本に入ってきていないので、知らないで当然だと思います。『おかしなおかしなおかしな世界』（一九六三年）という四時間近い大作があって、腹を抱えて大笑いする傑作コメディで、ぼくは好きなんですけれど、日本の評論家の評価はあまり高くない。その出演者の一人です。フィル・シルヴァ

＊12　前掲の『自伝』の口絵で、十六歳頃の著者自身の写真のキャプションに「マフィアの子分時代」とある。

＊13　一九一一～八五。五五年から五九年まで、テレビ『フィル・シルヴァース・ショウ』でホストを務めた。ミュージカル『トップ・バナナ』でトニー賞受賞。

ースは、頭がつるっ禿げで太縁の眼鏡をかけているのが特徴で、とぼけたセールスマンなんかやったらもう最高で、ブロードウェイのミュージカルなどにも何本か主演しています。彼もユダヤ人です。

彼が主演したブロードウェイのミュージカルに『ドレミ』というのがあります。『サウンド・オブ・ミュージック』の中に「ドレミの歌」がありますが、あれとは全然違います。日本には入ってきていませんが、傑作です。トニー賞やエミー賞などの権威ある賞をコメディでもらうような大変なタレントです。その彼が、ニューヨークで自分の番組をもっていたんです。

もう一人、シド・シーザー[*14]という、これまた日本ではまったく知られていませんが、とにかくおかしなことばかりいって人を笑わせる有名なコメディアンで、テレビ番組にもよく出ていました。ニール・サイモンはお兄さんと一緒に、そういうニューヨーク、つまり都会向けの喜劇役者のお付きのギャグライター、スピーチライターになるわけですね。

日本にはあまりない習慣ですけれど、欧米では政治家などの社会的な責任がある人は、みんなスピーチライターというのを付けています。とくに政治家は、言葉で選挙民というか市民を説得して納得させないといけないわけで、それに政治的手腕と言語運用の才能は別ですから、必ずスピーチライターというのを雇うんです。いまのブッシュ（ジョージ・W・ブッシュ）さんには五人のスピーチライター

＊14　一九二二〜二〇一四。五〇年代には『ユア・ショウ・オブ・ショウズ』『シーザーの時間』などのバラエティ番組の主演を務める。エミー賞を二度受賞した。

がいて、そのうち二人が有名な学者、一人は政治評論家、あと二人のうち一人はハリウッドの脚本家で、もう一人はハリウッドのギャグライターだそうです。そういう人たちがブッシュさんの政治方針を聞き——聞いてもよくわからないらしいんですけれど（笑）——、それをきちんとした話し言葉の原稿にして、そこにときどきいい触りを入れる。そのせっかくの触りをブッシュさんが、また言い間違えてしまうんですよね（笑）。

日本の政治家にもスピーチライターがいるらしいのですが、ほとんどが霞が関のお役人らしい。でも、それじゃ駄目なんです。テレビ作家でも小説家でも劇作家でもいいのですが、とにかくいま一番面白いことをいっている人を雇わないと駄目なんですね。たとえば、つかこうへい[*15]さんとか。つかさんのコメントはすごく面白いですからね。

それはともかく、向こうでは政治家だけでなく、喜劇役者も積極的にスピーチライターを雇うんです。それは実に徹底している。だから、「喜劇役者はみんな面白いことをいう」と思うのは間違いで、全部、お付きのライターが考えに考えて、今度のラジオ出演のときにはこういうギャグや駄洒落をいってはどうかとアドバイスをして、それを使っているわけです。

喜劇役者でスピーチライター、ギャグライターがいなかったのは、グルーチョ・マルクス[*16]だけだったという伝説もあります。あの人は、自分で勝手に面白い

＊15　一八二ページ脚注2参照。

＊16　一八九〇〜一九七七。一九〇〇年代から四〇年代にかけて活躍したコメディ・グループ「マルクス兄弟」（チコ、ハーポ、グルーチョ、ガンモ、ゼッポ）の三男でグループの中心的役割を果たした。葉巻と口髭がトレードマーク。

ことをいいますからね。傑作な本の推薦文もあります。「私はこの本を読んでいないが、評判があれば読みたいと思う」（笑）。これは相当すごい推薦文ですよね。それから、警察官がマフィアのことを書いてベストセラーになった帯には、「警察官がこんないい文章を書くとはけしからん」。これもすごい推薦文です。「警察官にもかかわらず、何とかかんとか頑張っていい文章を書いた……」なんてくだしいことはいわずに、「警察官がこんないい文章を書けるとは信じられない」と悪口をいいながら褒めていく。日本にはそういう推薦文はない。日本人はちょっと真面目過ぎるんですね。

そして、ニール・サイモンが気に入っているスケッチ、つまりジョークにこういうのがあります（二七五頁）。

浮浪者のエイブラハムとストラウスが街でばったりと出会う。

エイブラハム　「よう、なにやって喰ってる？」

ストラウス　「おれか？　なんにも。おまえは？」

エイブラハム　「おれもなんにもやってねえ」

ストラウス　「よし、きまった！　いっしょにブルックリンでデパートをやろうぜ」

というものですが、日本人にはあまり面白くないと思います。まずもって、ブルックリンでデパートをやるというのがどういうことかがわからない。大リーガーにドジャースというチームがありますね。現在は本拠地をカリフォルニアに移してロサンゼルス・ドジャースになっていますけれど、元々はニューヨークのブルックリンを本拠地として、ブルックリン・ドジャースといっていました。ドジャースというのは、よけるという意味の「ドッジ（dodge）」から来ていて、ドジャー（dodger）というのは「よける人」のことです。ドッジボールってありますね。あれも球をよけるという意味なんです。

ブルックリンは道が狭くて、そこに路面電車が走っていましたから、道を渡るには電車をうまくよけなければいけない。ドッジのうまい人たちということで、ブルックリン・ドジャースという名前になったんです。よけるのがうまいだけあって、ドジャースでは一時期盗塁王を輩出していました。黒人初の盗塁王、ジャッキー・ロビンソンもドジャースの選手です。

ニール・サイモンが活躍を始めた一九五〇年代は、テレビ技術がものすごく発達した時代で、たとえばカメラがどんどんどん小さくなる。それこそ、われわれがテレビの脚本を書き始めた頃の日本のカメラはすごく重かった。だから、カメラマンは必ず助手と二人で重いカメラをスタジオじゅう移動させていたものです。当時の技術の進歩で一番大きいのは、同軸ケーブルというのができたことです。当時、ＶＴＲはまだそんなに普及していませんので、ＶＴＲで録画してどこへでも送るといういまのスタイルとは違い、カリフォルニアのテレビ局がカリフォルニアの人たちのためだけに番組をつくる。そういう時代だったのですが、同軸ケーブルを通せば、ニューヨークでもカリフォルニアでも同じ時間に同じ番組が見られるという体制ができたわけです。

その結果どういうことが起きたかというと、テレビの制作会社が全部カリフォルニアに移動しちゃったんですね。ご存じのように、カリフォルニアは年間降雨量が二〇〇ミリですからね。二〇〇ミリというのはイラクとほぼ同じなんです。年間で曇る日と雨の日と合わせて二十日前後。つまり、ほとんど毎日晴れているわけです。カリフォルニアはアメリカ最大の農業圏なのですが、そんな少ない降雨量では本来農業なんてできるわけないのですが、ロッキー山脈の雪解け水があるので、それが自然の大貯水池になっている。

その点、日本はカリフォルニアの十倍は雨が降ります。ここで突然農業問題へいっちゃうんですけど（笑）、日本はもう駄目ですね。わたしたちの食べる米さえ守れないのですから、情けない。自分たちがもっている大事なものを次々に手放して、なんにも感じないし、なんにも抗議しないで、時流に流されていく……本当にどうなっちゃったんでしょうかね。このままでは農業問題に移っていく危険を感じるので、引き返します（笑）。

カリフォルニアで撮影すれば、陽光燦々《さんさん》なので照明の量もそんなにいりませんし、ロケ地もたくさんある。加えて大きな規模の撮影所がたくさんあるので、スタジオ撮影のドラマもすぐに撮れるし、移民がひときわ多いから人件費が安い。人件費が安くて、撮影が簡単で、スターもたくさんいる。そういうところで番組をつくったほうが利益が上がるという資本の論理が働いて、ニューヨークにあったテレビ制作会社のほとんどが、本社は残しながらもカリフォルニアへ現場を移してしまう。そこで、テレビで活躍していたスケッチ作家とかギャグ作家をやっていた若い才能たちも一緒にカリフォルニアへ移っていくんです。

お兄さんのダニーもカリフォルニアへ行ってしまいますが、ニール・サイモンはペンシルヴェニアの避暑地で、子どものカウンセラーをしていたジョーン・ベイムという女性と出会い、一九五三年、二十六歳のときに結婚しています。二人ともニューヨークが好きで、離れたくなかったのですが、だんだんと仕事がなくなり、娘も生まれたので、やむなくカリフォルニアへ移ります。

カリフォルニアでは、ジェリー・ルイス[*17]の専属ギャグ・ライターになります。ジェリー・ルイスって、皆さん、ご存じかなあ？　ディーン・マーチンとコンビを組んだ、映画の「底抜け」シリーズというのが有名ですね。そのジェリー・ルイスの専属で、六週間以内に二本大きなコントを書くという契約で、カリフォルニアへ移るんです。

＊17　一九二六〜二〇一七。芸人だったユダヤ移民の両親と共に幼い頃から舞台に立つ。ナイトクラブなどを経て四六年にアトランティック・シティーのショーに出演し、そこでディーン・マーチンと知り合いコンビを結成。マーチンとコンビを組んだ映画「底抜け」シリーズは、大人気を博した。

そのときの代表作というのが、本人によれば「安全検査官」。舞台の上に巨大な装置があるのですが、そこから出来上がってくるのは縫い針用の針なんです。どでかい装置がガーッと動いて、出てくるのがちっちゃいまち針——まあ、面白いといえば面白い。そこに一年に一遍、政府から検査に来るのですが、その検査に来たのがジェリー・ルイスです。この検査官、実は昨日まで浮浪者だったのですが、ひょんなことから検査官になってしまい、頓珍漢な検査をして工場を台なしにしちゃうという話です。これ、役者がうまければ、非常におもしろいコント、スケッチだと思います。まあ、本人もいっているし、いろんな伝記を読んでも、これが代表作ということになっていますが、どうもわたしにはちょっと虚しい感じがしてしまうのですがね。

ニール・サイモンは、以前、別の脚本家と一緒にジェリー・ルイスのテレビ番組を書いたことがあり、その縁で『ジェリー・ルイス・ショー』の仕事の依頼が来たわけです。ところがその条件のひとつにカリフォルニア行きがあったんですね。給料はいいのですが、ジェリー・ルイスというのは非常に癖のある人で、単純なのですが、結局、自分が演《や》ればなんでも面白くなると思っているんです。

一方、ニール・サイモンのトレードマークは一行ギャグで、たった一行のせりふで笑いを取ってしまう、せりふで笑わせる力が世界で一番だと思っているくらいの人で、凝りに凝ったせりふを書いている。ジェリー・ルイスはそのせりふをまったく覚える気がないし、自分の流儀で演って、せっかくのせりふをぶち壊してしまう。実際、ニール・サイモンはジェリー・ルイスを評して「ジェリーという男は傍若無人なキじるしで、半分子ども、半分サル、その無節操なふるまいにはだれもが目をむいた」(前掲『自伝』)と書いています。それでも「そんな彼だが、私は不覚にも笑ってしまう。それはたぶん、私にも読者諸君にも欠けているものを彼が持っているからではないだろうか」(同前)と評価もしています。

皆さん、ジェリー・ルイスとディーン・マーチンの映画、観たことないですか? 芝居とか喜劇を勉強しようと思っている人は、このコンビを観ておいたほうがいいと思います。お笑いコンビといえば、ローレルとハーディの極楽コンビ、アボットとコステロの凸凹コンビ、そしてビング・クロスビーとボブ・ホープの珍道中コンビなどが有名ですが、それらに続くのがディーン・マーチンとジェリー・ルイスの底抜けコンビです。その後、二人はコンビを解消して、ディーン・マーチンは歌手と俳優になり、ジェリー・ルイスはソロのコメディアンとしてテレビや映画に出ています。

萩本欽一さんは明らかにジェリー・ルイスがお師匠さんですね。ジェリー・ルイスを盗んでいます。盗むというのは悪い意味ではなくて、自分はこのタイプのコメディアンだということを示しているんです。萩本さんがときどき変な子どもっぽい不器用な感じを出しますよね。あれを芸術にまで高めたのがジェリー・ルイスです。

二十二回も書き直した『カム・ブロー・ユア・ホーン』

ニール・サイモンはそういう大スターのお雇い作家になったわけですが、自分のせりふを見もしないのでいやになる。で、奥さんから「いつも話していたあの芝居を書いてみたらいいじゃないの」(前掲『自伝』)という励ましを受けて、カリフォルニアに移った年から第一作の『カム・ブロー・ユア・ホーン』をこつこつ書き出す。二年半かかって二十二稿までやったんですね。本人曰く「私は芝居の構想を最後まで組み立てて書いたことがない」(同前)と。ぼく、これ嘘だと思うんですけど、まあ、本人が自伝の中でいっていますので、それを信ずるとすると、やっぱり二十二稿までかかりますよね。二年半かかって二十二回、頭から書き直していくうちに、だんだん自分が書きたかったこと、この登場人物たちでこういう設定だったらこう行くしかないというのを勉強しながら、探りながら書いていったのだと思います。それだけの推敲をしたお陰で、一作目はあまり当たりませんでしたが、二作目、三作目ですぐにすごいヒットが出てくるわけです。

そこまで書き直すのかと感心する人がいるかもしれませんが、これ、劇作家によって違うんです。たとえばチェーホフの場合は、あまりプロットを立てずに四ヶ月ぐらいかけて書いていく。ちょっと変だなと思うと後戻りして、それまでのことを脇に置いておいて、そこから別のほうへちょっと発展していく、そういうふうな書き方をしています。

シェイクスピアがどういうタイプだったかという記録はまったくありませんが、どちらかというとチェーホフ・タイプでしょうかね。いろいろな材料を集めておいて、ここはこうやって、あそこはこうして、お終いはこうかなと思いながら書いていき、あの役者がいるならこうして、自分が出るならこうするか、とか書いていくタイプじゃないかと思います。

ただ、どんな書き方をするにしても、必ずプロットをつくります。たとえば、「王様が死んだ。そして、女王様が死んだ」――これ、物語なんです。王様の死と女王様の死が並んでいるわけですが、王様が死んだので悲しみのあまり女王様も死んだというふうに絡めていけば、プロットらしくなってくる。こういうふうに、これが起きたからこうなったというきっかけを鎖のようにつなげていく、それをプロット作業といいます。ここがうまくいかないと、結局、絵巻物みたいな芝居になってしまう。

絵巻物というのは、ある人物の一生を描いて、三歳のときにこうしました、五歳でこうなりましたといった具合に、間にナレーションを挟みながら並べていくというものですが、これはこれで面白さがあります。プロットだけが芝居のつくり方じゃない、とプロット偏向に抗して物語を強調したのが、二十世紀最大の劇作家の一人、ブレヒト[*18]です。彼は、物語をどう語るかということに集中して、それに成功した劇作家です。

ふつう芝居というのは、これがあったのでこうなって、こうなったからこうなってしまった、じゃあどうすればいいかという設定でつくっていくわけです。それをプロットといいます。だから、ニール・サイモンの「芝居の構想」には、おそらく物語はあったと思います。ただ、プロットをつくらずに物語をどういうふうに芝居にしていくか――というのは実はプロットをつくっているわけですけれど、それを何回もやったという意味に、ぼくはとっているんです。しかし、これは方法論の違いで、どの方法論がいいとか悪いとかいえないわけで、皆さんがもしお芝居をお書きになる場合には、それぞれのやり方でやるしかないですね。

ぼくの場合は、まずプロットをきっちり立てて、書き始めたら真剣勝負という感じで、いざ書き始めたら自分を別人格にして、書く機械というか、書くだけの存在にしていき、行き詰まったら悪魔を呼んだり神様を呼んだりしながら、普段はできないことをガーっとやっていくのですが、そういうぼくのようなタイプもいれば、ニール・サイモンのように二十二回も書き直して探りながら書いていく劇作家もいる。これはいろいろです。

ちょっと話は逸れますが、向こうの演劇の世界で羨ましいのは、代理人の制度

＊18 ベルトルト・ブレヒト（一八九八〜一九五六）。ドイツの劇作家、詩人、演出家。一九二八年『三文オペラ』の成功で世界的名声を得るが、三三年にナチスの迫害を逃れて亡命。欧米各地を転々とする。帰国後、四九年にベルリナー・アンサンブルを創設。主な作品に『肝っ玉おっ母とその子供たち』『ガリレイの生涯』など。

がしっかりしていることです。ぼくにも一応ニューヨークに代理人がいるのですが、ただいるだけで何も働かない。というのは、ぼくの芝居が向こうでかかることがほとんどないからです。翻訳の問題ですね。ぼくの作品でフランス語や英語になったものもありますけれど、ぼくの芝居は翻訳すると面白いところが全部吹っ飛んじゃうところがあるんですね。たとえば、『雨』[*19]というのは、江戸で拾い屋をやっている男が東北の大金持ちの旦那と瓜二つで、その旦那が失踪したと聞いて、旦那に成りすまそうとするのですが、そのためにはまず山形弁を学ばないといけない……つまり、方言が要となりますから、これは翻訳できない。

そういう意味でいえば、日本人がニール・サイモンの本当に面白いところをちゃんと感じているのか、これも疑問なんですね。たとえば、ユダヤ・ジョークのようなものの面白さが翻訳ではわからないように、ニール・サイモンの一番面白いところは、おそらく日本人にはわからないと思います。

ぼくは、ブロードウェイでニール・サイモンの『第二章』を観たことがあるのですが、そこでの観客の笑いと、西武のPARCOでやった日本語の『第2章』[*20]の観客の笑いは全然違うわけですね。そういう文化の移植の仕方はもちろんあるので、それを否定する気はありません。それはそれでいいんですけれども、言葉の芸術の場合は、どうもその辺がうまくいかない。翻訳すると一番いい部分が全部すっ飛んでしまって、意味しか伝わらなくなるということがあるんです。

＊19　三六ページ脚注12参照。

＊20　一九八一年七月六～二十六日。於：PARCO西武劇場。制作：PARCO、演出：福田陽一、出演：杉浦直樹、小池朝雄、十朱幸代、新橋耐子。

そう、代理人の問題でしたね。これがまた素晴らしい制度なんですよ。ある劇作家がいい脚本《ほん》を書いたとすると、その人は劇団とかじゃなくて、まず代理人を選ぶわけです。プロ野球の交渉がそうでしょ。松井（秀喜）なら松井が球団と直接交渉するのではなく、必ず代理人がいて、プレーヤーがプレーに専念できるように、面倒だったり細かなことはすべて代理人がやる。ニューヨークでもパリでも、どこでもそうですけれど、脚本《ほん》を書き上げたら、自分の著作権を託する代理人を探して、その代理人が読んで、「あっ、わたしはこの作品の代理人になってあげよう」と。まずそれが最初なんです。で、代理人はいろいろなネットワークをもっていますから、この作品をどんな演出家に任せたらいいかとか、制作者は誰がいいだろうかということを考えて、この作品が一番いい方向へ伸びるような人選をしていく。そこが決まれば、今度は制作者と一緒になって俳優を選んでいく……そういうつくり方をしていくわけです。

代理人も利益を得なければいけないので、自分が預かった作品をできるだけ高く売ろうとするし、かつ欠点があれば直させる。そういう関係が普通にできている。ですから日本でも、最近の人でいえば村上春樹さんや吉本ばななさんなどは、ニューヨークとかヨーロッパに代理人がいて、代理人が翻訳家の一年間の生活費を保証して「一年かけてこれを翻訳しなさい」というようなかたちで仕事を進めていくんですね。

さて、その二十二回も書き直したという『カム・ブロー・ユア・ホーン』を奥さんのジョーン以外に最初に読んだのが、ヘレン・ハーヴェイというニール・サイモンの代理人です。それを読んだハーヴェイは気に入って、いよいよ演出家探しということになります。

そこへ行く前に、この最初の芝居のあらすじを紹介しておきましょう。強圧的で意外に無責任な父親と、息子たちのことをうんと考えている賢いお母さん、そして女遊びでも仕事でもなんでも兄さんにかなわない弟の話。まさにニール・サイモン自身の家です。つまり、この芝居を書くことによって初めて、ニール・サイモンは兄さんから自立したんです。いままでずうっと、「おまえ、これ、一緒にやろうじゃないか」「自信がないなら、おれが助けてやる」「もうちょっといい仕事がある。これやれ」（前掲『自伝』）と、常に兄さんの庇護下で仕事をしてきたニール・サイモンが、自立をテーマにして最初の戯曲を書いたわけです。

そのために二年もかかったのかもしれません。二十二回も書き直したというのは、結局、芝居をどううまく書くかではなくて、自分が兄さんの掌の上からどうやって抜け出ていくかが問題だったからだと思います。で、芝居の中の弟は、いろいろなおかしなことの末に、見事に自立を果たす。つまり、この『カム・ブロー・ユア・ホーン』という題名自体も、「さあ起きて、お前の角笛を鳴らせ。おまえの存在を示せ」ということですから、そうやって自立を果たしていくんですね。

彼はこの作品を書いたことによって、初めて独り立ちしたのだと思います。
というところで、ちょっと十分間休憩いたします。

ブロードウェイでの上演へ

代理人のヘレン・ハーヴェイが白羽の矢を立てたのは、ハーマン・シュムリン(シャムリン)という演出家です。

皆さん、オードリー・ヘップバーンとシャーリー・マクレーンの二人が出ていた『噂の二人』という映画、ご存じでしょう。カレンとマーサという女友だちが二人で小さな女学校を経営しているのですが、カレンがあるわがままな女生徒を注意したことがきっかけになって、カレンとマーサはレズだという噂が町じゅうに広まり、結局マーサが自殺してしまうという、ちょっと怖い映画です。原作は、リリアン・ヘルマンの『子供の時間』という芝居です。

やはり、リリアン・ヘルマン原作の『子狐たち』は、ベティ・デイヴィスの主演で映画(『偽りの花園』)になりました。仙台の映画館で観ましたが、とてもいい映画ですね。同じ、リリアン・ヘルマン原作でベティ・デイヴィスの主演の『ラインの監視』も、やはり仙台で観た映画です。この『ラインの監視』を監督したのがハーマン・シュムリンで、原作の芝居の初演の演出もしています。日本でいう

＊21　一九一四〜八八。福井県生まれ。俳優、演出家、映画監督。新協劇団を経て、五〇年、民藝を創設した。

＊22　一九〇四〜九四。東京生まれ。演出家、俳優。築地小劇場附属研究所の一期生。二七年に渡独。帰国後、ブレヒト『三文オペラ』を紹介。四四年、俳優座を創設、最初の俳優座代表を務める。

＊23　ニューヨークにある俳優養成所。一九四七年、エリア・カザン、ロバート・ルイス、シェリル・クロフォードにより創設され、五〇年からリー・ストラスバーグが加わった。スタニスラフス

と誰でしょうね、宇野重吉[*21]とか千田是也[*22]といった感じのブロードウェイの演出家の重鎮です。

　ニューヨークにアクターズ・スタジオ[*23]というのがありますね。ある大きな教会を利用した俳優の養成所ではあるのですが、たとえば、大スターでも自分の演技をもう一度洗い直すためにそこへ通うとか、ブロードウェイで実際に上演している芝居の主演の二人が、あそこがどうしてもうまくいかないというと、午前中にアクターズ・スタジオへ来て、今晩からこういうふうに演《や》りたいというのをみんなの前で演ってみて、「いやあ、いままで通りのほうがいい」とか「いやあ、二人そっくり入れ替わったほうがいい」とかやる。つまり、劇作、演出、俳優、装置といった芝居のあらゆるレベルの人たちを養成しながら、大家の人たちをもう一度勉強し直させたりする、演劇の総合研究所みたいなところです。ハーマン・シュムリンは、そこの代表的な人物です。

　アクターズ・スタジオは、最初、エリア・カザン[*24]らがニューヨークの小さなビルの狭い地下室で始めたのですが、彼らはもともと「グループ・シアター」という劇団の仲間で、そこではモスクワ芸術座のスタニスラフスキー・メソッド[*25]を取り入れていました。そこへリー・ストラスバーグ[*26]という演出家が参加し、彼によってスタニスラフスキー・メソッドをもとにした〈メソッド演技法[*27]〉というのがつくられ、これがアクターズ・スタジオ独自の俳優養成術になっていくんです。

キーの理論をアメリカの演劇に応用したメソッド演技法をもとに指導がおこなわれ、数多くの俳優を輩出した。

＊24　一九〇九～二〇〇三。演出家、映画監督、俳優。監督作品に『波止場』『エデンの東』『欲望という名の電車』など。演出作品に『セールスマンの死』『欲望という名の電車』など。

＊25　観客を感動させる人間の真実を舞台に再現するためには、俳優は役を演じるのではなく、役を生きねばならないという演技の創作法。身体と心の動きを結びつける方法を模索し、形象化していく過程を科学的に解明

で、このスタジオからは有名な役者が輩出している。マーロン・ブランド、ロバート・デ・ニーロ、ジェームズ・ディーンといった俳優たちのほか、マリリン・モンローなども大スターになってからわざわざ演技を学ぶためにスタジオへ通っています。

ニール・サイモンの代理人のヘレン・ハーヴェイが、このアクターズ・スタジオで育った優れた演出家であるハーマン・シュムリンに『カム・ブロー・ユア・ホーン』を読んでもらおうと提案します。ニール・サイモンは自分は少年野球のバットボーイで、向こうは大リーグなのだから、送らないでほしいと頼むのですが、ヘレン・ハーヴェイは「ダメでもともと」といって送ることになる。

台本を読んだハーマン・シュムリンが批評を二ついいます。「台詞がすばらしい」「きみはコメディに対していい耳をもってるね」（前掲『自伝』）と。芝居そのものは気に入ってもらえたのですが、結局、演出は叶わず、次に候補に挙がったのがマックス・ゴードン[*28]です。こちらもブロードウェイの大物プロデューサーです。彼がいうには、「きみの台本を読んだよ。台詞がいい。おかしい。いつの日かすばらしい芝居を書くだろう。だが、これじゃない」（同前）。

それを聞いたニール・サイモンは「どこがわるいか言ってもらえますか？」と尋ねます。すると、ゴードンは「芝居は、家のようなものだ。しっかりした土台の上に建てなければいけない。この芝居にはしっかりした土台がない。砂の上に

しようと試みた。

＊26　一九〇一～八二。アメリカの演出家、俳優教育者。三一年、グループ・シアターの結成に参加。五〇年からアクターズ・スタジオの運営責任者になり、俳優を育てた。メソッド演技法（後出）を確立し、アメリカの演劇界に大きな影響を与えた。著書に『メソードへの道』。

＊27　アクターズ・スタジオのリー・ストラスバーグらが所属していたグループ・シアターが目指していた演技理論。〈ザ・メソッド〉とも。スタニスラフスキーの演劇理論をアメリカの演劇事情に応用し、体系化させたも

建てた家だ。幕が上がれば、この芝居はたちまち砂に沈むだろう」（同前）と答えたそうです。

さらには、いまブロードウェイでは「みんな一杯道具――場面がいろいろと変わらないで一場面のみの舞台セットのことです――の、少人数の、抱腹絶倒喜劇を求めている」（同前）のだと。つまり、登場人物が少なく、制作費が安上がりで、よく書き込まれた抱腹絶倒するような喜劇が要求されているのだが、あなたの作品は登場人物が多すぎて、しかも土台がぐずぐずであるから、もう一度書き直しなさい、と。

結局、ゴードンにも振られてしまい、その後、いろいろな人に演出・プロデュースを打診するのですが、なかなか引き受けてもらえない。結局、元俳優のスタンリー・プレーガーという演出家を得て、ペンシルヴェニア州ニューホープのバックスカウンティ・プレイハウスという劇場で、一九六〇年の夏、ようやく彼の最初の芝居を上演にこぎ着けることができたのです。でも、あくまでも本丸はブロードウェイです。さらに台本を何度か書き直して、いよいよブロードウェイでの上演となるわけですが、時間が来てしまいました。今日はこれで終わります。

の。俳優の個人的体験を役の解釈や演技に反映させる特徴があり、リアルで深みのある演技を実現させた。

＊28　一八九二〜一九七八。アメリカの演出家、プロデューサー。主なプロデュース作品に、ミュージカル『バンド・ワゴン』『マイ・シスター・アイリーン』ほか。

新婚時代のアパートから生まれた〈ランニング・ギャグ〉

一九六一年にブロードウェイにかかった『カム・ブロー・ユア・ホーン』は、上演回数六百七十七回を数えて、大ヒットとまではいきませんが、まあ、スマッシュヒットといったところですね。昨日いいましたように、この作品は兄さんであるダニーの庇護から離れるために書いたもので、何回も何回も書き直した末に優れた代理人の手を経て、優秀な演出家と同時に、優秀な制作者と出会ったお陰で、ニール・サイモンは自分のいいところと悪いところがきちんとわかったと思います。才能がすごくある人ですから、二年間もひとつの作品に向き合っていれば、あれやこれや考えます。それに、いろいろなことを指摘されて、「あっ、自分もなんとなくそう思っていたけど、実はそうだったのか」といった発見もたくさんあったと思います。そうした経験が、次の『はだしで散歩』に結びついていくわけですね。

これは別のところ[*29]でも話したことですが、小山内薫[*30]はヨーロッパの演劇書から

＊29　『芝居の面白さ、教えます——井上ひさしの戯曲講座』日本編「真山青果」の項。

＊30　一三〇ページ脚注9参照。

勉強したことを、築地小劇場で自分の理論として展開するんですね。彼がいうには、「劇作家は造船技師である」と。まず、どんな船にするのか図面を引くわけですが、そのためには、船にどのくらいのお客を乗せるのかを決めないといけない。百人ぐらいのオフオフの小さな船をつくるのか、二百九十九人ぐらいのオフの船をつくるのか、あるいは、たった三人のお客さんが命がけで乗ってくるような、従来の船の概念を壊すような、そういう前衛的なすごい船をつくるのか、それとも、千人や二千人を乗せてゆったりと世界一周の航海に出るような、そういう船をつくるのか……。劇作家は最初にそれを決めないといけないわけですね。

ぼくはだいたい千人前後のお客さんを乗せて、港、港を回って――仙台港も回りながら――、人死にが出るようなトラブルもなく（笑）、お客さんを存分に楽しませて、航海から戻ってきて降りたときには何か違う人間になっていて、「ああ、船に乗って良かった」「船旅ってのは最高だ」と思われるような芝居を書きたい。これが「静かな演劇」[*31]を提唱している平田オリザさん[*32]でしたら、「いやあ、それはそうだろうけど、自分たちは二百人ぐらいの乗客で静かに航海する」といって、あまり遠くに行かなくてもいいような船をつくるかもしれません。でも、とにかく船は船なんですね。

そうやって重量計算をして、構造設計もして、すべてを綿密に計算して設計図を引くのですが、面倒くさいのは自分でつくらないといけないことです。設計図

＊31　二〇一ページ脚注21参照。

＊32　同脚注22参照。

を徹底的に引き終わったら、今度は材料を自分で調達して、こつこつこつこつ船を一人でつくるわけです。そこへ船長という演出家がやってきて、その船の目的に従ってお客さんがすごい体験ができるような航海を考える。俳優さんは一等航海士で、お客さんにこの船の旅の楽しさを味わってもらう。これは小山内さんの考えですが、ぼくは、役者さんが一等航海士ってことはないだろうと思いますけどね。

いずれにしても、船がしっかりつくられていないと、航海したはいいけれど、出航した瞬間にずぶずぶずぶずぶと沈んでしまったり、丘の上に暴走しちゃったりしてしまう。つまり、演劇で一番大事なのは「戯曲」である、ということです。芝居の制作過程上、まずは劇作家が絶対に沈まない、安全で面白くて楽しくて、いろいろな冒険ができるような船をつくらないといけない。そのためにはしっかりした設計図を書かなくてはならない――というのが小山内薫の戯曲論の骨子なんです。

先に引いたように、ニール・サイモンの『カム・ブロー・ユア・ホーン』を読んだマックス・ゴードンは、「芝居は、家のようなものだ。しっかりした土台の上に建てなければいけない。この芝居（『カム・ブロー・ユア・ホーン』）にはしっかりした土台がない。砂の上に建てた家だ。幕が上がれば、この芝居はたちまちに砂に沈むだろう」（前掲『自伝』）といっていますが、ここでいっている「しっかりした土台」は小山内薫のいう「しっかりした設計図」と同じなんですね。

その次の『はだしで散歩』は、自分の新婚時代をモデルにしています。ニール・サイモンは、結婚してマンハッタンのアパートの五階に住むのですが、家賃が安い代わりにエレベーターがない。だから、外へ出るには階段を四階分降りて、帰りは同じ階段を上って行かなきゃならない。この部屋に郵便配達とか電話会社の男とかいろんな人が来るのですが、みんなハーハーハーって息を切らして、最初は口が利けない。そんなシチュエーションで始まっていく。これが〈ランニング・ギャグ〉です。実にうまいですね。

日本の作家もその場限りのギャグはたくさんつくりますが、こういうふうに芝居のシチュエーションの根底にエレベーターのない五階というのを設定して、登場人物が登場するたびに必ず息を切らしているというギャグに仕立てる、これはやはりニール・サイモンの優れたところだと思います。それから、ひと言ギャグというのはせりふの切れであり、面白さなのですが、ニール・サイモンの芝居を読む喜びは、たった一行で笑いを取れるせりふがたくさん埋まっていることなんですね。

この『はだしで散歩』には、前作にはなかったランニング・ギャグというしっかりした土台が据えられていて、ブロードウェイで千五百三十回連続上演という大ヒットになりました。そして、続いて『おかしな二人』という決定打が出てくる。

自然には存在しない〝笑い〟をつくり出すことが喜劇の使命

前にも何度かいったことですが、人間を書くことにおいては悲劇も喜劇も同じなんですね。もっといえば、人間が人間のことを考えていくというのは、小説であれ、詩であれ、芝居であれ、エッセイであれ、評論であれ、それはまったく変わりなく、人間とは何か、自分たちが一体何者かということを考える。それを描く際には、運命の問題、宿命の問題、状況の問題もあります。たとえば、『オイディプス』[*33]とか『君の名は』[*34]のような悲しい芝居というのは、人間よりも運命のほうが強いんだという方向に向かっていく。だから、人間の存在は運命をつくるのだけれど、結局、その運命にはどうやっても太刀打ちできないということになる。一方の喜劇は、結論は同じですけれど、人間の力で何とかできるかもしれないと思うことで、がらっと様相が違ってくる。人間の力をまだ信じているんですね。

これも前に申し上げたことですが、芝居の話をするときのぼくの基本的な大事な考えですので、あえてくり返します。この大自然と、そこにひょっこり存在している人間との関係には、実は笑えることは何ひとつないんです。すべて悲しいことばかり、辛いことばかりです。どれだけ偉そうにしていても、人間は必ず病

＊33　紀元前四二七年頃、ソフォクレス作。ギリシャ悲劇の最高傑作。テーバイのオイディプス王は、先王を殺した者こそが国に災いをもたらした原因だと考える。だが、それは自分であり、しかも実母と結婚して子を産ませていたことに気づき、絶望して目を潰し、自らを国外に追放する。

＊34　一九五二年から五四年にかけて放送された菊田一夫（一九〇八〜七三）のラジオドラマ。東京大空襲の夜、助けあって生き延びた後宮春樹と氏家真知子は、半年後、銀座の数寄屋橋での再会を約束して名前も告げずに別れた。その後、二人はすれ違い続ける。五二

気をしたり、歳を取ったり、そして結局は死んでゆくものですよね。大自然も大きな目で見れば変わっていくわけですから、何ひとつ定まったものはない。

逆にいうと、みんな会えば必ず別れなければいけないし、こうやって皆さんの顔を見回しても、もう二度と会えない人が一人ぐらいいるかもしれない（笑）。会った以上は別れが待っているわけです。そこに、日本の「心中」という生き方の美学が生まれてきたわけですが、それでも、やっぱりみんな生まれてきたときと同じように一人で死んでいかなければいけない。常に危ない状況の中で生きていかなければいけない、というのが人間の存在の基本です。現在の共通の問題でいえば、不況はどこまで続くのだろうとか、老後は一体どうなってしまうんだろうとか、みんなそういう不安をたくさん抱えて生きている。

面白いことなんか何もない、景色を見て笑っている人なんかいたら、要注意ですよ（笑）。景色を見て感動して泣くことはあっても、景色を見てあまりに感動して笑っちゃったというのはありえない。実は、この世の自然にないのが〝笑い〞なんです。〝笑い〞は、人間がつくり出すしかないんです。こういっちゃなんですが、悲しいだけで終わっちゃう芝居というのは、いくらでも書けるんです。小説だってなんだって、悲しい悲しいといって、うわぁ、悲しくて良かったというのは、疑問ですね。こんなに悲しい涙のために生きている人間が、さらに悲しいものを読んでどうするんですか、って。

年から、菊田により小説化。五三年（第一部、第二部）から五四年（第三部）にかけて大庭秀雄監督により映画化。空前のブームを巻き起こした。

わたしたちが新たにつくり出せるものこそが〝笑い〟なんです。自然にもない、人間の運命自体にもないものを、言葉を獲得した人間がつくり出したわけです。言葉というのは二重構造になっていて、思っていないこともいえるし、本当のこともいえるけれど、いざ本当のことをいっても相手はそうとは受け止めないことがある。動物もなんらかのかたちで喜怒哀楽を表現しています。たとえば狸が腹鼓を打ちながら「おれ、いやなんだよな、実は」なんていっているわけはないですよね（笑）。人間は自分の行動と内心が構造化した結果、自分はいやいややっているとか、喜んでやっているとか、脅かされてやっているとか、さまざまな心情を言葉によって表すことができる。つまり、言葉の中に本質的に含んでいるものを取り出すと、それは〝笑い〟になるんです。

つまり、〝笑い〟そのものは、自然には存在していないわけで、それをつくり出すのがわたしたち喜劇作者、あるいは喜劇自体の使命なんです。笑うことによって、人間が置かれた悲しい存在を客観化できる。なんの変化もなくベタッと生きていくのではなく、自分はこんなちっぽけな存在であるけれども、生きている間はうんと面白く生きよう――〝笑い〟は、そういうふうに意識を変えるための契機になっていくわけです。

ここで、ぼくがこれまで生きてきて、自分のダジャレでもっとも高い効果があったと思うものを紹介します。いつも高いレベルのダジャレを出そうとはしているんですが、あのときに及ばないんですね。

昔、大江健三郎さんたちと一緒にインドネシアへ行ったときのことです。ジョクジャカルタを見物して、次にバリ島に行こうとして午後三時の飛行機を予約したんです。で、飛行場に行くと、われわれの乗る飛行機がない。というのは、王室（スルタン）が急用でジャカルタに行く用があって、急遽われわれが乗る予定の飛行機が使われてしまったんです。それがバリ行きの最終便で、次の便は翌日の朝の十時くらいしかない。もっと早く着けるのはないかと、吉田喜重さんとか磯崎新《あらた》さんとか去年（二〇〇二年）亡くなった高橋康也さんとかがさんざん苦労して、結局、ジョクジャカルタからバスなどを調達してスラバヤまで行けば、バリ島行きの午後七時の飛行機に乗れることになった。

みんな憂鬱で沈み込んで、「バリ島に来なきゃよかったね」「ここのスルタンひどいよね」なんてぶつぶついっていたときに、「でもこういうふうに予定が狂ってのろのろ進むのを、本当のセンチメートル・ジャーニーというんですよ」といったら、みんな、あまりに馬鹿馬鹿しいので、どっと笑って、「じゃあ、なんとかしよう」というわけで、その日のうちに飛行機に乗れたんです。

つまり、みんなが沈んでいるときに、笑いをもって励ましていく、エネルギーをもう一度起こしていくというのが、笑いの一番素晴らしいところです。もちろん、笑いといっても下品なものとか悪質なものもありますが、最高の笑いというのは、悲しんで途方に暮れている人を励ましているときに、時として起こる爆発的な笑いなんです。それは人間がつくらなければいけないし、それが喜劇作者の役割なんです。

またまた遠回りしてしまいましたが、『おかしな二人』に行きましょう。『はだしで散歩』の二年後の一九六五年にブロードウェイにかかって千回近いロングランヒットになります。六七年にはニール・サイモン自身が脚本を手がけて映画にもなっています。

ニール・サイモンが素晴らしいのは、観ているお客さんに大きな感動や笑いを引き起こすのに、別に大がかりなことは必要じゃないということを示していることです。蜷川《にながわ》幸雄[*35]さんみたいにはったりで——いい意味でね——巨大な仏壇を飾る[*36]とか、そういうことが芝居の本質じゃなくて、使いようによってはその辺にあるものが最大の装置になるということをよく知っているんですね。

たとえば、火星人なんかを連れてきて舞台に立たせたら、大入り満員、疑いなしですね。とくに大きな劇場をやる演出家は、そうやって舞台装置で脅かそうとするところがあるのですが、それは邪道ですね。劇作家というのは、身の回りにあるコーヒーカップとか雑巾なんかが最大の見世物になるように書かなければいけない。演劇というのは、本質的には人間の有り様、人間の心の中に起こる葛藤のドラマを描いていくわけですから、舞台に本物の象を出して象を見たときの人

*35　一九三五〜二〇一六。演出家、映画監督。開成高校卒業後、劇団青俳を経て、六八年に蟹江敬三、石橋蓮司らと現代人劇場を旗揚げ。七二年には櫻社を結成し、七四年に解散した後は、商業演劇へ活動の場を広げた。九九年にはBunkamuraシアターコクーンの、二〇〇六年にはさいたま芸術劇場の芸術監督に就任。それぞれ芸術監督を務めたBunkamuraシアターコクーンでは『天保十二年のシェイクスピア』他、井上ひさし初期の四作品を、さいたま芸術劇場では、書き下ろし作品『ムサシ』を演出。

*36　安土桃山時代の日本を舞台に移した『NI

間の感想を書いてもしようがない。

　その辺のことをわかっていない劇作家が大勢いますし、観客のほうでもスターが出ないと観に行く気がしないとか、「すごい屋台崩し[*37]があるらしい」と聞いて観に行こうと思ったりする人がけっこういます。それはそれでいいんですけど、それは芝居ではないんです。芝居の本質は、身近にある、なんでもないものがある仕掛けによって光り輝いて見えてくることなんですね。

　ぼくがよくいっていることですが、もう一度くり返します。舞台には名ぜりふというのは一切ないんです。わたしたちが日頃使っている「ありがとう」とか「こんにちは」とか「さようなら」とか「また会いましょう」とか、そういう言葉をわれわれは滅茶苦茶使い荒らしているので、いま「ありがとう」といっても記号にしか過ぎなくなっている。人類で最初に「ありがとう」といった人は、本当に有り難いから「ありがとう」といったと思うのですが、演劇という装置を通して、「ありがとう」が本当に大きな意味をもつシーンをつくっていくことができるわけです。

　自分の芝居を引き合いに出すのもなんですけれど、『父と暮せば』[*38]の一番最後のせりふは「おとったん、ありがとありました」です。普段、娘が「お父さん、ありがとう」っていうと、「いやいや」と照れたり、「なんだい、うちの娘は」と怪しんだりするだけですが、丁寧に芝居をつくっていくと、その「お父さん、あ

NAGAWA・マクベス』で使われた巨大な仏壇セットのこと。美術は妹尾河童。

＊37　歌舞伎などで、舞台上に飾られた屋体を、観客の見ている前で崩壊させてみせる仕掛け。

＊38　一九九四年九月、こまつ座の制作、鵜山仁の演出で初演。広島を舞台に、原爆で死んだ父の亡霊と娘が対話する二人芝居。二〇〇四年、黒木和雄監督により映画化。海外では、フランス、ロシア、香港、カナダ、イギリス、アメリカ、韓国、ウクライナで上演され、また、英語、ドイツ語、イタリア語、中国語、ロシア語、フランス語の対

りがとう」という実に平凡な言葉が、原始的な力を取り戻すわけですね。そうやって、みんなが踏み付けにして値打ちがなくなった言葉の本当の意味を立ち上がらせるというのも、われわれ芝居の世界の人間の責任なんです。

天才的な電話の使い方

では、『おかしな二人』を読んでいきましょう。

ある蒸し暑い夏の夜。ニューヨークのリバーサイド・ドライブにある大きなアパートの十二階の一室。部屋の主は四十三歳のスポーツ記者のオスカー。オスカーは三ヵ月前に離婚して、いまは広い部屋に一人住まいなのですが、だらしない性格で部屋は散らかり放題。部屋では、スピード、マレー、ロイ、ヴィニーの四人がポーカーをやっています。もう一人のポーカー仲間であるニュース記者のフィリックスが約束の時間をとうに過ぎても来ないのでみんなが心配し始めます。

そこでマレーという男が、「おい一体どうしちゃったんだい。フィリックスは。〔中略〕(奥に怒鳴って)オイ、オスカー、フィリックスに電話してみろよ」という。お客さんは、この部屋の持ち主でホストであるオスカーが、友だちがみんなポーカーをやっているのに奥で何をしてるんだろう、なんかヘンだなと思うわけですね。この辺がうまい。結局オスカーはまだ出てこないのですが、マレーがまた

訳本があり、韓国語の翻訳がある(二〇二三年七月現在)。

「おい、フィリックスのやつ、また会社の便所に閉じこめられたんじゃないだろうな。知ってるかい、やっこさん一晩じゅう閉じこめられてトイレットペーパーに長々と遺言を書きやがったの……ヒーッ、何てマヌケだ！」と。このせりふで、フィリックスというのはドジな男だというキャラクターがお客さんに印象づけられたところで、オスカーがビールやサンドイッチなんかをもって登場してくる。

そこでオスカーが、マレーに「コーラ、どうだ？」と訊きます。

マレー くれよ。

オスカー 戦友、マレー警部殿にホットコーラを。（コーラを手渡す）

ロイ （カードをあけて）まだ冷蔵庫なおさないのか？　もう二週間になるぜ、道理でここまでくさいわけだ。

オスカー （自分のカードを取って）エイ、クソッ、ガタガタ言われるぐらいならおれはカミさんとヨリを戻すよ……

ここでまず、マレーが警官であることがわかります。それからオスカーが離婚したこともわかる。実はオスカーが出てくる前に四人でポーカーしているときに、ロイが開口一番「チェッ、くさいな——ここは」といっているんですね。それがここでつながる。それから、オスカーがクーラーを直さないので部屋がやたらに暑いという文句も出ているんですね。ここで壊れた冷蔵庫も直していないことがわかり、生温《なまぬる》いコーラをそのまま出すというオスカーのずぼらさが強調されているわけです。

逆にいうと、オスカーの奥さんは大変だったろうなと思いますよね。毎週金曜日の晩に、旦那の友だちがどやどやとやってきて、〝やれ飲み物をつくれ、やれサンドイッチをつくれ〟と用をいいつけられる。煙草はふかすし、しかもこの旦那というのがだらしがなくて、部屋じゅう散らかして歩くわけですから。この後、二人の男が一緒に生活を始める話になるのですけれど、実はこれ、結婚生活のモデルケースになっているんです。これについては、後で説明をします。

ともかく、マレー警部が生温いコーラを飲んで、目の前にあるサンドイッチを見て、「何だ?」とオスカーに尋ねると、ブラウン・サンドイッチとグリーン・サンドイッチで、グリーンのほうは「できたてのチーズか古ーい肉だ」と答える。チーズは熟成されたほうがいいし、肉は新鮮なほうがいいわけでしょ。この一行ギャグ、すごいですね。

そこでマレーが「じゃ、ブラウン」というわけですが、それを聞いたロイが「おい正気か? まさか、それを喰おうってんじゃないだろうな」と驚く。ロイはそれまでにも、くさいといったり暑いといったり、やたら文句をつけるんですね。もう一人のヴィニーは、明日の朝八時に奥さんとフロリダへ行くことになっていて、遅れると奥さんに怒られてしまうというのでやたらと時間を気にしている。そのヴィニーが、一連のやりとりを見て、「うまいサンドイッチを作るの誰だと思う？　フィリックスだよ。ぶどうパンの上にクリームチーズとくるみをのっけたあいつのサンドイッチは天下一品だ」ってなことをいっているうちに、オスカーがもってきたビールをばっと開けると、冷やしていないものだから泡がバアーッと噴き出して大騒ぎになる。ここは前のホットコーラが効いている。コーラが温いんだからビールも冷えていないわけです。この辺もうまいですね。

ビールの泡が噴き出してみんなが慌てる中、オスカーは慌てることなく、背の高いランプ——きっと別れた奥さんが五番街かなんかで買ってきたけっこう高級なものでしょうね——に無造作にかけてあるタオルを取ってビールを拭き取る。そんなこんながあって、ポーカーが進んでいくのですが、フィリックスはまだ来ない。不在のフィリックスのことを話していく中で、お客さんはまだ見ぬフィリックスのことがだんだんわかってくる。そこへ電話のベルが鳴る。

ニール・サイモンのもうひとつの特徴は、電話の使い方が天才的に上手だってことです。これはシェイクスピアもチェーホフもできなかった、電話がなかったから(笑)。電話は便利ですから、割と芝居でもよく使います。でも、これほどうまい使い方をしてる人というのは、まあ、いないでしょうね。

オスカーが電話を取ります。

オスカー (電話に) 誰? 誰をですか? ええ? おぼうさん? おぼうさん、どの?……いいや、おぼうさんなんかここにはいませんが……ああ、おとうさん!

「お父さん」と「お坊さん」、ニール・サイモンを訳している人の中でも、この『おかしな二人』を訳している酒井洋子さんが一番うまいですね。実はこれ、オスカーの五歳になる子どもからの電話で、息子は父親に手紙を出したらしいんですね。「うん、手紙はちゃんと受けとったよ。三週間かかったよ……。今度書く時はママに言ってちゃんと切手をもらいなさい……わかってるよ、でも切手の絵を描いてもだめなんだよ」って(笑)。そして息子は残してきた金魚が心配なんですよね。「ああもちろん、もちろんだよ、ちゃんと世話してるよ……(受話器を胸にあてて)どうしよう、息子の金魚を殺しちゃった!」これまでのところで、お客さんはこのオスカーが金魚の世話なんかこまめに見られるような男じゃないことをわかっていますから、納得ですよね。この辺は、一行ごと実によくできています。

そして、今度はお母さん、つまり、別れた妻が電話に出てくる。「もしもしブランチ、元気かい?」なんていいながら、「小切手が一週間おくれてることだろう。

四週間？　そんなはずはないだろ？　だってそんなはずはないよ……ブランチ、おれは小切手を切るたびにちゃんと記録をとっとくんだから、それだと確か三週間ばかりおくれてるだけだよ！〔中略〕警察に訴えるなんておどかすもんじゃないよ……そんなおどしたって、……おれの給料で慰謝料払ってちゃ、囚人の方がまだ収入があるってもんだ！……ブランチ、子供の前でおれのサラリーを差し押さえるなんて」と文句をいいます。電話を切ったオスカーは、他のメンバーに向かって「慰謝料八百ドルもたまってるんだ、賭け金をあげようぜ」ってなことをいうわけですね。

こうやって、オスカーと奥さんとの関係、子どもの関係がわかるように、全部ギャグでわからせていく。その後でも、ロイが「大体こんなトラブルをおこすなんて。なんにもとりしきれないんだから。そっちはそれでよくっても、こっちはおまえの経理士だからな」といい、オスカーが「おまえがおれの経理士なら、じゃあどうしておれに金がないんだ？」と、逆に訊いたりする。こういう具合に、それぞれのキャラクターや職業を全部混ぜっ返しのギャグでわからせていく。こういうことに関しては、シェイクスピアだってチェーホフだって、ニール・サイモンにかなわないかもしれませんね。

その後、今度はマレーの奥さんからの電話があり、その奥さんから、フィリックスが行方不明だと知らされる。そこで、ヴィニーが「どうせどっかで迷子になってるんだよ」といいます。

マレー 迷子になるわけがないだろう？　やつは四十四歳、住所はウェストエンド・アヴェニュー。おまえどうかしてるよ。

ロイ （アームチェアにすわって）事故にでもあったのかもしれない。

オスカー なら、報せが入りそうなものだ。

ロイ 溝にでもはまっているんじゃないのか。身元不明でさ。

オスカー 九十二枚もクレジット・カード持ってか。やつの身になんかあったら、アメリカじゅうにパッと灯がつかァ。

日本にも、若い人でよくいるじゃないですか。長い札入れに何枚ものカードを二段くらいにして、どうするんだろうと思いますね。カードをもっていて悪いことはないのですが、この払いはこのカードで、地下鉄はこれ、JRはこれ、って使い分けている几帳面な人がいますよね。そういう几帳面な男が、なぜ行方不明になっちまうんだよ、と。まだ現れていないフィリックスが几帳面だということが、徐々に明らかになってくる。

ロイが、追いはぎにでも遭ったんじゃないかと心配すると、オスカーが、フィリックスは金なんかもってないからそんなはずないといいます。フィカードはたくさんもっているけれど、現金はもっていないんですね。それに対してロイが、「洋服だけ取られたのかもしれないだろ。医者のところで服をかっぱらわれたやつだっているんだぜ。看護婦の白衣を着て帰ったってよ」と。

それを聞いたオスカーが、ロイにクッションを投げるのですが、お客さんはそれまで堪《こら》えに堪えていたのが、なんてバカバカしい連中だ、とバーンと爆笑して一休みですね。

で、慌て者のスピードが改まって警官のマレーに「どう思う?」と聞きます。

マレー こいつはちょっとばかし重大事件だぞ。

スピード どうして分る?

マレー 骨がうずくんだ。

なんだかよくわからないんですが、だんだん「これはおかしいぞ」となってくる。で、オスカーが、こんないい加減な推理をしててもわからないので、フィリックスの奥さんに電話してみようということになるわけですが、オスカーが「いいかい、フランシス、一番大事なことは心配しないことだ」といって、受話器を塞いで他の男たちに「心配してないんだと」と告げる。これ、うまいですね。フィリックスの奥さんの代弁をやっているのですが、この電話の使い方、天才ですね。

オスカーが続けてフィリックスの奥さんのフランシスに訊きます。「どこにいるか見当つかないかなあ？……彼が何だって？……まさか？……何故？……いいや、知らなかった……いやーそいつは気の毒に」

周りの連中は聞き耳を立てている。これは大変なことになったと思うわけですね。

「わかったよ、いいかい、フランシス、とにかく家にじっとしてなさい、何かあったらすぐ連絡するから……そーッ……じゃまた」と切って、みんなは説明してくれるものだとジーッと待っているけれど、オスカーは黙って立ちあがり考え込む。マレーが「話してくれるか、探偵をやとえってのかどっちだ！」と怒る。

オスカー　別れたと！
ロイ　誰が？
オスカー　フィリックスとフランシスさ！　別れたんだよ！　結婚生活が終っちゃったんだよ。
ヴィニー　まさかあ！
ロイ　うそだろ。
〔中略〕

スピード　〔略〕（オスカーに）どこへ行くと思う、オスカー？
オスカー　どこかへ死ににいったんだろ。〔中略〕そう細君がいうんだからな。死ぬんだって言って出て行ったんだそうだ。家じゃあ子供が起きるからってな。
ヴィニー　なぜさ？
オスカー　なぜって？　それがフィリックスなんだよ、だからだよ。

どうせ死ねばわかるはずですけど、子どもの見えないところで死ぬっていうわけですね。さあ、大変です。みんな、電報で書き置きを残したとか、飛び降り自殺を図るんじゃないかとか、あれこれ心配しているうちに、オスカーが「自殺を図るほどのきもったまはない。ドライヴィン・ムービーの止まった車の中でもシートベルトをはめてるって男だ」と。それでもヴィニーが、「どこかおれたちも当ってみようぜ」といったところで、入り口のベルが鳴る。

オスカーが「そらおいでなすった！……自殺するのに最も安全な場所はどこか？……友だちのいるところだ！」と。これもどんな意味なのかよくわからないのですが、神経質なヴィニーがドアを開けに行こうとするときに、警官のマレーが止める。

マレー　（おしとどめて）待て！　錯乱状態かもしれない。落ちつけ、なにげなくやろう。おれたちが落ちついていれば、やつも落ちつくだろう。

ロイ　（立ち上がってみんなと一緒になって）そうだ。死のうとしてるやつには静かにやさしく話しかけるんだ。

スピード、彼らに走りよって、白熱した論議に加わる。

ヴィニー　何て言うんだい？

マレー　何にも言うんじゃない、何にも聞かなかったことにするんだ。

つまり、知らんぷりしていようということですね。そして、フィリックスがついに入ってくる。服はしわだらけで、なにげなく振る舞おうとしますが、何となく緊張してそわそわしている。フィリックスは、「死ぬ」といって家を出てきたのをポーカー仲間が知らないだろうと思っていて、ポーカー仲間たちも何も知らないふうを装っている。ここで、お客さんは最高のポジションに立つんですね。お客さんは全部知っているので、客席から見えることは、すべて二重に見えてくるわけです。こうした場面づくりができるのは芝居だけで、映画でも小説でもできません。

フィリックスが何をいうかを期待しているという意味では、観客はポーカー仲間と同じ位置にいるのかもしれません。

フィリックスはつとめて平静に、「やあ、みんな。（全員、もごもごと〝やあ〟とか〝おう〟というが彼を見ない。フィリックスはコートを手すりにかけテーブルに歩みよる）どうだいゲームの方は？（全員、適当な返答をこもごもにいいながらゲームをつづける。フィリックスは誰も何ともいってくれないので失望し、サンドイッチをつまむが、げっとなってやめる。ぼやーっと周りを見まわす）」

そして、フィリックスは「（窓から彼らに向き直って）いやーッ、全くここからの眺めはきれいだ……ここ何階だったっけ、十二階？」（笑）。こういうのが本当の喜劇なんです。ただ景色を見るだけなんですけど、その前に飛び降りるとか、自殺する勇気がないとか、いろいろいっていたわけですから、フィリックスが何気なく窓に近づいているだけで、みんな大慌てする。

こういう手法は、ニール・サイモンが発明したわけじゃなくて、イプセンのときにお話しした演劇的アイロニーという、あらゆる芝居がもっている要素なんですね。情報量の違いを舞台の上につくり、お客さんはすべてを知っているという大変優位な立場で舞台を観ていく。登場人物たちは情報をまばらに、あるいは偏って知らされているので、友だちのために右往左往して隠したり騒いだりする。それを観て、「人間っていうのはすごいな、素晴らしいな」とゲラゲラ笑いながら受け取っていく。ここに、喜劇の本当の素晴らしさがあるわけです。そういうのができないのは、喜劇でもなんでもありません。喜劇といってはいけないんですね。

で、フィリックスが「ここ何階だったっけ、十二階?」と訊いたのに対して、オスカーは「(急いで窓に歩みより閉めて) いいや、たったの十一階だ。十一階。十二階とはいってるが、本当はたった十一階なんだ」と。一階減らしたところで、飛び降りたら死ぬのは確実なのですが、オスカーは、飛び降りをやめさせるために、ここは階数が多くないから死ねないよ、と懸命に止めようとする。友情から出ている言葉ですが、やっぱりおかしい。

そして、フィリックスが来るまではみんな〝暑い、暑い〟といっていたのに、フィリックスが窓に近寄っていくと、「この部屋寒くないか?」とかいって窓を閉める(笑)。すべて友だち思いの気持ちから、とんでもないことをどんどんしていく。これが本当の喜劇なんですね。

窓を閉めてホッとしたと思ったら、今度はフィリックスが隣の部屋へ歩き始める。慌てたオスカーが「どこへ行くんだ?」と訊くと、「便所だ」という答えが返ってくる。ぼくは便所を使うのは好きではないのですが、ここは史上最高の便所シーンです。

オスカー　（他の男たちを気づかわしげに見て、フィリックスに）一人でか？

フィリックス　（うなずいて）いつも一人で行くよ！　どうして？

オスカー　（肩をすぼめて）どうってわけないが……長くかかるか？

フィリックス　（肩をすぼめて、意味ありげに殉教者のごとく）終えるまでだ。

そういうと、フィリックスはトイレに入ってドアをバタンと閉めてしまう。ご存じのように、向こうのトイレは便所と一緒にバスもある。ここはきっといいマンションでしょうから、奥のほうにバスルームとシャワーがあって、洗面台にはカミソリとかなんとか全部揃っている。そこへ閉じこもられたら大変ですよね。

マレー　何てことしたんだ？　たった一人で便所に行かせるなんて？

オスカー　じゃ、どうすりゃよかったんだ？

ロイ　引きとめろ！　いっしょに中に入れ！

オスカー　本当に小便だったらどうする？

マレー　死のうとしたらどうする？　ちょっと気まりのわるい思いをしたって死ぬよりましだろ！

オスカー　便所で死ねるわけはねえだろ?!
スピード　死ねるともさ。かみそりの刃、薬、何でもあるじゃないか。
オスカー　これはガキの便所だぜ。歯を磨いて死ねるかよ！

警官のマレーは、自殺とか殺人の現場を踏んでいますから、そこの知識をここでバアーッと出して、なぜ二人で便所に入らなかったと、警官の目から責めていく。ここで警察官がいるという意味が出てくる。でも、そもそもトイレは一人で入るものですから、一人で入れたおまえが悪いと責めても理屈としてはおかしいのですが、みんなどうやったら死ねるかを考えはじめるんですね。そしてオスカーが「イースト・リヴァーに便所の水といっしょに流れ出ることもできるだろうよ」と。これは、やけのやんぱちの破壊的な一行ギャグです。そこまでいってしまえば、シリアスな話がバカバカしい話になる。

そのとき、トイレの中から泣き声が聞こえてくる。そして水を流す音がして、「出てくるぞ!」と、みんなポーカーの席に戻るのですけれど、あたふたして座る場所を間違えたりする。こういう演出が芝居の面白さです。映画とかテレビは、間に編集がありますけど、芝居の場合は、「出てくるぞ！」といった瞬間に、素早くトイレの前からポーカーテーブルへ戻って、それぞれの役者たちがさりげない振りをしながらも、その前の雰囲気とは全然違う感じになっている。これを映画でやったって面白くないんです。役者たちが毎日の稽古をくり返しているうちに絶妙な雰囲気が出てくるわけです。

そこへフィリックスが出てきて、「やっぱり帰るよ」と玄関のドアへ歩きだすと、慌ててみんなが引き止める。この辺り、おかしな場面が次々と出てくるのですが、時間がないので少し飛ばします。

結局、フィリックスは家からもってきた何の薬かわからないグリーンの錠剤を飲んだことをみんなに明かします。そこでオスカーが奥さんのフランシスを呼ぼうというと、フィリックスは奥さんの前で見苦しいことをやりたくないんですね。オスカーにしがみついて「だめだ、呼ばないでくれ！　電話しないでくれ。もし彼女が一壜全部のんだなんて知ったら……」と。

一壜全部飲んだと聞いて驚いたマレーが、「大変だ、救急車を呼べ！」「衿をゆるめて、窓をあけろ。風に当てろ」と今度はまた別の騒ぎになるわけです。その後、医者を呼ぶ呼ばないの悶着があって、飲んだものを吐き出させて落ち着いたところで、フィリックスが、「十二年間。十二年間結婚生活を共にしてきたんだ。〔中略〕明日、彼女は弁護士と会うんだ……ぼくの従兄……彼女はぼくの従兄をやとうんだ！……（忍び泣く）ぼくは誰にたのめばいいんだ？」と、またくだらないことをいって泣き始める。

結局、フィリックスはオスカーの部屋に残り、他の人たちは、オスカーに〝頼む〟といって出ていくのですが、すぐにロイが戻ってきて、「何かあったら、オスカー、おれを呼んでくれ」という。今度はスピードが入ってきて、「おれはここから三ブロック先だから、五分もありゃ来られるぜ」と。これで終わりかと思うと、奥さんと旅行に行く予定のヴィニーがやってきて、「マイアミビーチのメリディアン・ホテルにいるからな」という。三ブロック先という近さとフロリダの対比が面白いですね。そして最後に警官のマレーが顔を出して「やつのベルトと靴の紐をはずしとけよ」と忠告する。

『おかしな二人』は、オスカーとフィリックスの二人の中年男が共同生活をしていく中で引き起こす出来事を描いたコメディですが、この二人が一緒に暮らすようになるところで第一幕が終わります。

室内を目一杯に使う

ニール・サイモンはチェーホフが大好きで、彼の『名医先生』という芝居は、チェーホフの短編をもとにしたものだということは昨日お話ししました。まあ、この『名医先生』はお世辞にもいい作品とはいい難いのですが、チェーホフからよく学んでいるのは間違いありません。これもチェーホフのところで話しましたが、シェイクスピアの『ハムレット』を自分の時代、自分の土地に移し替えたのがチェーホフの『かもめ』です。そして、一九二七年生まれのニール・サイモンはチェーホフを徹底的に勉強して、チェーホフのあの緻密で一行も無駄のない作劇術を自分の芝居の中で実現していく。そうやって、いい戯曲家は、前の世代、さらにその前の世代の人たちの戯曲を読みに読んで読みぬいて、その中の手法を分析して整理して、それを自分の時代を舞台に、自分の個性・感受性で書いていくわけですね。

芝居というのは、ただ書くというものではなく、演劇史上のすぐれた作品を次々に勉強していくことでいい芝居が生まれる。いい芝居には、その芝居でしかやれないものが一杯詰まっているからいい芝居なんです。ですから、皆さんの中でいい芝居を書きたいと思っている人がいたら、まずシェイクスピアの『ハムレット』、それからチェーホフの『三人姉妹』、それにニール・サイモンのこの『おかしな二人』を徹底的に読み込むのが一番です。

ぼくは昔から、芝居はずっと偉い大将で、映画は少尉あるいは中尉くらいだと思っているのですが、市民社会が新たにできて、市民社会を変革するために新しい表現媒体が出てくるときに、どこにその滋養分を求めるかというと、演劇しかないんですね。なぜなら演劇はたくさんの分家をもっているからです。その分家のひとつが小説であり、ひとつが映画であり、ひとつがテレビであり、ひとつが紙芝居である。それとは別に総本家というのがあって、それが詩です。詩は燦然《さんぜん》と輝く総本家ですけれど、その総本家の隣に新総本家というものがあって（笑）、これが演劇です。

これはいままであまりいわなかったことですが、演劇を大事にすることは、実はその国の芸術を大事にすることなんです。つまり、人間の芸術の基本が演劇だということです。それとは別に音楽というものもありますが、音楽はまた違うかたちでの基本です。ですから、その二つの基本を組み合わせたオペラが面白いのは当たり前なんですね。そこにダンスを合わせたミュージカルが二十世紀になって盛んになりますけれど、その大本は何かといえば、結局、芝居ということになる。『ハムレット』であれ『三人姉妹』であれ『おかしな二人』であれ、そうした演劇の本流は、こういうところにあるわけです。

しかも、演劇の本流は絶対に悲劇ではない。昨日もいいましたが、喜劇が大将だとすると、悲劇は兵隊にも入れてもらえないくらいなほどで、この二つには大きな隔たりがあります。芝居における大小さまざまな技術、先人たちが発見してきたものを自分たちの時代に組み替えて、新しいものを付け加え、人びとを楽しませ、考え込ませ、感動させ、人生の大事なものをつくり上げるということは、実は喜劇にしかできないんです。

そろそろ休憩の時間ですが、休憩に入る前にちょっと大事なことを申し上げておきます。この『おかしな二人』のいいところは、室内を目一杯に使っていることです。窓も大事、トイレも大事、入り口も大事、もちろんポーカーテーブルも台所も大事です。大体広いセットをつくっても、真ん中しか使っていない芝居が多いでしょう。出した以上は徹底的に使わないと駄目なんです。使わないなら、むしろ出さないほうがいい。その点、この芝居は、窓が効いているし、トイレも大活躍して主役になる。台所もポーカーテーブルもちゃんと役割を果たして、お終いのほうでは入り口がギャグの種になっていく――そういう具合に、住まいを全部使っている。部屋にあるものだけじゃなく、フィリックスのベルトと靴紐まで使っている。何から何まで全部使っちゃうんですね、このニール・サイモンは。

自分たちが設《しつら》えたものは、責任をもってすべて使っていく。その結果、あたかも西部の荒野を馬が走るかのように動線が大きくなって、登場人物たちがお客さんの視野の中を目一杯動いていく。さらには、人物の心の動きを取りだしてそれを全部ギャグにしていく。まあ、ギャグにしなくてもいいのですが、ともかく、一人一人の心の動きをすべて表に出して、観客に理解してもらい、それを結び合わせたり編みあげたりする。いまいったようなことが、この一幕だけで相当なされています。

ここまでギャグ、ギャグ、ギャグを連発されると、お客さんは笑い転げて疲れてしまう。だから、どうしても休憩が必要なんです。

ということで、われわれも休憩しましょう（笑）。

二十世紀の二十本に残る傑作だと思うけれど……

それでは、第二幕に行きましょう。第一幕から二週間後、夜の十一時頃です。第一幕と同じく、ヴィニー、ロイ、スピード、マレー、そしてオスカーの五人がポーカーをやっています。なぜかというと、あれほどちらかっていた室内が綺麗になっていることです。違うのは、清潔好きのフィリックスがオスカーと同居したことで、「清潔というより消毒ずみ」というほど綺麗に片付いているからです。ですから、始まりと同じようにポーカーをやっているのですが、グラスをテーブルに置こうとすると、グラスの跡が残るのをいやがるフィリックスが「コースターは？」といってくる。煙草を吸おうとするとさっと灰皿を手渡され、サンドイッチを食べるにもいちいちナプキンを使わなければいけないし、空気清浄機の音がやかましかったりといったふうで、ポーカーが全然進まない。フィリックスの清潔好きに辟易《へきえき》したスピードは、「この三時間ポーカーをやってたのはたったの四分間だぜ」と怒り出す。

結局、共同生活といいながら、フィリックスが妻役でオスカーが夫役になっているわけで、各々がその役割をしていく中で二人の結婚時代に起きた欠点が次々に表に出てくるという二重構造になっているんですね。だから、お客さんは二人のまるで夫婦喧嘩のようなやりとりを笑って見ているうちに、この二人がなぜ奥さんに愛想を尽かされたのか、全部わかる仕組みでつくってあるわけです。

シェイクスピアの回で、『ハムレット』には九つのプロットが組み込まれているといいましたけれども、そこまで多くなくても、どんな芝居でも、メインプロットという大きな流れと二つか三つくらいのサブプロットが織りなされながら流れていくわけです。もっともうまいのは、ひとつの芝居がずうっと流れていく中で、同時にそれを通して登場人物たちが現在の関係になった原因が自然に見えてくるというつくり方です。これは相当計算しないとなかなかうまくできない。

左甚五郎じゃないですけれど、名工と呼ばれる非常に優れた技術をもっている職人さんがいますよね。職人じゃなくても、米粒にお経を書くとか、あるいはラーメン五十杯食べるとか(笑)、どうしてここまでできるんだろうって、人間の能力にびっくりするときがありますが、そういうのを目の当たりにすることで、人間に対する信頼が生まれてくる。ニール・サイモンもそうなんですね。ここまで仕組んで、ここまで人間の心理を汲み上げて芝居をつくることが、人間にはできるんだ、と。もちろん天分もあるでしょうし、その人の個性、感覚もあると思いますが、基本は技術です。

だから、いい芝居を書くには、名工にならないと駄目なんです。何かもう、取り憑かれたようにワアーッと書いても、けしていい芝居にはならない。やはり、冷静にさまざまなプロットを組み合わせた上で何かが起こって、それを書いていくわけです。このニール・サイモンを読むと、そのことがよくわかります。

第一幕と同じようにここでもポーカーがおこなわれているのですが、そこに度を越した清潔好きの人物が介入すると、ポーカーゲームはどう変質するかというのが、例によって面白く書かれている。時間がないので、ここからちょっと駆足になりますが、フィリックスのこの振る舞いに他の四人は我慢がならず、みんな帰ってしまう。二人になって、オスカーもだんだんイライラしてきて、ついに喧嘩になる。なんでそんなにイライラするのかといえば、「二人のひとりもんの男が八つも部屋のある大きなアパートに住んでるのに、そのアパートがおれのおふくろの家よりきれいになるってのが土台おかしいよ」というわけです(笑)。

喧嘩が一段落したところでオスカーがいいます。「夜は他のことをするためにあるんだ。〔中略〕たとえば、何かこう柔らかーいいいいものにふれないことには、おれは面倒なことになるんだ」「せめて一晩くらいおれたちより高い声を出す人間とお喋りをしようっていうんだよ」。つまり女性ですね。〝女がいないから、おれたちはこんなにぎすぎすしちゃうんだ〟っていうんじゃなくて、婉曲的にいっているわけです。

オスカーによれば、同じアパートにグウェンドリンとセシリーというイギリス人の姉妹がいて、片方は未亡人なんですね。離婚したいと思っているうちに亭主が死んでしまった。もう片方は離婚した「出戻り」です。だから、両方とも男性に対してはさほど警戒心もなく、うまくいけば一晩一緒に枕を並べることも可能だ、と。その二人とダブルデートをしようというわけです。

このオスカーの誘いにフィリックスはなかなかノッてこない。というのも、一幕の最後で、オスカーとの別れ際に、フィリックスは〝おやすみ、オスカー〟というべきところを、「おやすみ、フランシス」と、奥さんの名前を呼んでしまう。つまり未練たらたらなわけです。オスカーは、あれこれ言い訳するフィリックスをなんとか説き伏せて、姉妹とデートすることを承諾させる。

フィリックスは「わかった、わかった」といって、自分が料理をすれば余分な金を節約できるからこの部屋で食事をしようと提案する。そういいながら、電話のダイアルを回しだす。オスカーが「誰にかけるんだ？」と訊くと、「フランシス。ロンドン・ブロイルの作り方を教えてもらうよ。女たちがとびつくから」と答えて、第一場が終わる。

ここもうまいところですね。ただの暗転の前のせりふじゃなくて、フィリックスがまだ奥さんが好きだというのを、ここでもうひと押ししておく。これが次の第二場になって、ものすごく効いてくるんです。

第二場は第一場から二、三日後の午後八時頃。フィリックスは姉妹を迎えるべく、イギリス人なら好みそうな「ロンドン・ブロイル」という牛肉料理をつくって待っている。そこへオスカーが機嫌良く帰ってくるのですが、フィリックスは「今いったい何時だと思うんだ」とオスカーを問い詰める。

オスカー　何時かって？　さあ……七時半か？

フィリックス　七時半だって？　八時台だよ。

オスカー　（小さいテーブルにローションをおいて）そうか、じゃあ八時だ、だから？　（ネクタイをつけながら）

フィリックス　だから？……七時までには帰ってくるっていったじゃないか。

オスカー　そんなこと言ったかな？

フィリックス　（うなずいて）ああ言った。「おれは七時には帰る」って言った。

オスカー　よし、おれは七時には帰るって言った。そして今は八時だ、それがどうした？

フィリックス　おそくなるってわかっていたら、なぜ電話してくれないのさ？

オスカー　（ネクタイをしめる手をやすめて）電話できなかったんだ、忙しくて。

フィリックス　電話もとれないほど忙しかった？……一体どこにいたの？

オスカー　会社で仕事してたさ。

フィリックス　（上手前にきて）仕事してただって？　ハッ！

オスカー　そうだよ、仕事してたんだ！
フィリックス　七時に会社に電話したんだ。きみはとっくにいなかったよ。

どんどんどんどん、まるで夫婦の会話になっていくんですね（笑）。〝今日は何時に帰るから〟と旦那がいって、奥さんが〝じゃあ、美味しいもの食べさせてあげよう〟と思ってつくって待っていると、結局、仕事があって帰りが午前様になり、奥さんがカンカンっていうの、よくありますよね。ここでは、オスカーが旦那さん役で、フィリックスが奥さん役で、それをうまく使っているわけですね。

おまけに、このロンドン・ブロイルというのはすごく手間がかかる料理なので、かなり前から仕込んで、ワインや食前酒の時間も見計らって一番美味しく食べられるようにつくり立てを出さなくてはいけないんです。それなのに、オスカーが一時間も遅れてきて、予定が全部台無しになってしまった。それでフィリックスはもうカンカンになっているわけですね。

そうこうするうちにベルが鳴って、ここで初めて二人の女優が登場する。これもニール・サイモンの手ですね。二人が登場するまで、姉妹についての情報を小出しにしておいてお客さんの想像を掻き立てておく。で、実際に現れると、お客さんは思い通りの美人だとか、美人だけどどこか素っ頓狂とか、それぞれがいろいろ感じる。その想像と現実の差でまた笑わせていくという実にうまい手を使うわけです。舞台の上に人物を登場させるときにどういう手続きが必要なのか、その手続きを調べるために、ニール・サイモンの芝居を全部読んで、一体この芝居ではどういうふうに一番大事な人物を紹介しているか、そういう分析をしたりすると面白いかもしれないですね。

実際に現れたグウェンドリンとセシリーの姉妹は、どちらも非常にざっくばらんなんですね。オスカーは、うまく誘えばノッてきそうだと思いながらあれこれちょっかいを出すんですけど、彼が酒のつまみを用意するために台所へ行っている間にフィリックスと姉妹の三人だけになってしまう。フィリックスは何を話していいのかわからないので、別れた奥さんの話をするのですが、それも文句をいうのではなくて褒め称えるんです。珍しいことです。ぼくなんかも別れた妻の悪口というか批判はしますし、あっちのほうはもっとすごいですけどね（笑）。まあ、それが普通なのですが、このフィリックスはそうじゃない。ここで第一幕の幕切れの「おやすみ、フランシス」というせりふが効いてくる。

フィリックスは財布から子どもと奥さんの写真を出して、毎朝、出勤前に妻のところへ行って子どもに会い、帰りにもまた寄って子どもと遊んで、休日には外へ誘い出して遊ぶ。そしていかに子どもたちがいい子であるか、その子どもたちを育てた奥さんがいかに素晴らしいかを語っているうちに泣き出してしまう。

それを見たグウェンドリンが、「男の人が離婚する相手の女性を賞めたたえるなんて素晴らしいじゃない」とハンカチを取り出して目頭を押さえながら、死んだ自分の旦那のことを思い出す。セシリーも別れた亭主のことを思い出して涙ぐむ。こうなったら、浮気も何もないですよね（笑）。そんな湿った状況の中へ、オスカーが得意満面の笑みを浮かべながら、飲み物が一杯載ったトレイを手にやってくる。オスカーとしては姉妹たちと、あわよくばと思っていたわけですけど、どうも様子が変なので、「一体どうしたんだ？〔中略〕おれがたった三分間いなかったらどうだ！　まるでお通夜だ」と驚く（笑）。

結局、オスカーがフィリックスを呼ぶのを忘れたために、あれほど苦心してつくったロンドン・ブロイルが真っ黒焦げになってしまい、食事を姉妹たちの部屋でつくり直すことになります。彼女たちの部屋へ行くことになって張り切ったオスカーは、「さあ、行こう」と誘うのですが、フィリックスは「行かないよ！」と言い出す。それを聞いたオスカーは、「むこうで何がお待ちかねだかわかってんのか？　おまえはたった今、二つのベッドのあるお熱い家でハトポッポ[*39]の姉妹と夜を過そうって招かれたばかりじゃないか！〔中略〕彼女らはおまえに首ったけなんだぞ。〔中略〕一人なんかおまえをオクルミにしてあやしたいっていってた、おまえはおれより上手《うわて》だよ！」といって連れていこうとするんですが、フィリックスは〝行かない〟って、頑張る。

それで、オスカーが「よおーし、畜生メ、テメエなんかと行くか！」といって

＊39　彼女たちの姓、ピジョンから。

ドアを出て行くのですが、しばらくするとドアが開き、「くるか?」と訊く。これもやはりドアのギャグですね。それでもフィリックスは「いいや」といって、オスカーは「ああそうかい、少しも自分を変えようって努力をしねえんだな。……おまえはそういう人間で終るんだろうよ……死ぬまでな」と。実は、オスカー自身、離婚しても酒とギャンブルと女にだらしないという性格を一向に変えていない。これもこの芝居のテーマのひとつです。人間は自分を変えられるかどうか、という。

そういわれたフィリックスは居直って、「ぼくはぼく、きみはきみだ」という。それに対してオスカーは、窓に行ってカーテンを開け、窓をバアーッと開き、「ここは十二階だ、十一階じゃないんだぜ」という。一幕で、フィリックスが「ここ何階だっけ、十二階?」と訊いたときに、彼が飛び降りるのではと心配したオスカーが、「いいや、たったの十一階だ。十一階。十二階とはいってるが、本当はたった十一階なんだ」といったわけですが、今度は「ここは十二階だ、十一階じゃないんだぜ」といっている。つまり、飛び降りて死んでしまえってことですね。そういわれたフィリックスがその窓をじいーっと見ているうちに幕が下りる。

第三幕は次の日の夜、七時半。ここは、もう大喧嘩、盛大な夫婦喧嘩です。昨晩、フィリックスが姉妹の部屋に行くことをいやがったのに腹を立てたオスカーは、フィリックスが掃除機をかけているそばで、葉巻の包み紙を床に捨てたり、カウチに靴のまま乗ってクッションをめちゃめちゃに踏み潰したり、ついには掃除機のコードを抜いてしまう。一方のフィリックスは、食いはぐれているオスカーに当てつけるようにご馳走の旨そうな匂いをさせながら食べ始める。オスカーがそのスパゲッティをテーブルからどかしてくれというと、フィリックスは「これはスパゲッティじゃない。リングィニーだ」と。これに激高したオスカーがそのリングィニー（リングィーネ）を投げつける。結局「おれたちの相性が悪すぎた」という結論に至り、フィリックスに「出ていってくれ」と通告する。

ここでお客さんは、この二人がそれぞれの奥さんからなぜ「出てけ」といわれたか、あるいは奥さんが「わたし、出てく」といったかが、完全にわかるようになっている。つまり、その事情を回想的に説明するのではなく、二人を一緒に暮らさせることで、彼らがどういう結婚生活を送っていたかを炙り出していくわけです。一方はやたらに細かいし、片方は全然出鱈目《でたらめ》で、〝こんな男じゃあ、奥さん、たまんないよ〟と、二人が奥さんから見捨てられたのがよくわかる。実に巧妙な二重構造になっています。

「出てけ」といわれたフィリックスは、「結構……」「家から出てけ」っていうきみの言葉を聞いたからには」って。これ、夫婦のあいだでもそうですよね。〝もう別れる〟とか何度かいっているうち、ついにあるとき、〝もう離婚しかないね〟といった瞬間に後戻りできなくなってしまう。この二人のあいだにも「出てけ」という決定的な言葉が出てしまったわけです。フィリックスはさらに言葉を続けます。「でも、いいね、ぼくに何が起ころうともきみの責任だ。それだけはきみの頭においといてくれ」

第一幕からの経過がありますから、こうなるとオスカーも困ってしまう。「ちょっと待て、このヤロー！　なぜまともな人間らしく追い出されようとしないんだ？　なぜ「それだけは頭においとけ」なんていうんだ。頭になんかおいときたかないよ。おれはただおまえに出てってもらいたいんだ」といった押し問答があって、結局、フィリックスは出て行ってしまう。

果たして、このまま二人は別れてしまうのか、あるいはやり直すことになるのか。お客さんとしては、ここでポーカー仲間に出てほしくなる。この二人だけで解決してもらっては面白くないので、やはり残りの登場人物が全員出てこないといけない。あのポーカー仲間はこのままもう出てこないのか、せっかくここまで面白くきたのだから最後まで面白くしてほしいというお客さんの願いがある。優れた劇作家というのは、そういうお客さんの要望に上手に応えるんです。案の定、ここでみんながダーッと出てくるわけですよね。

まずはマレーとヴィニーが、次いでスピードとロイがやって来て、すれ違ったフィリックスの様子がおかしいので、みんな「何かあったのか？」と訊く。オスカーはあれこれ言い訳をするのですが、みんなに問い詰められて、「別れたんだ！

おれがあいつを追い出した、おれがそう決め、家から追い出したんだ」と白状する。ポーカー仲間もフィリックスとすれ違ったり、立ち話をしたことをオスカーに告げるのですが、こうやって時間差でいろいろな情報を観客に見せていく。これ、シェイクスピアがよく使った手ですね。そうやっていろいろな報告があり、最後に上の部屋のグウェンドリンがバーッと入って来る。この辺も非常にリズムがあってうまいですね。

グウェンドリンがいきなり「ご存知でしょうけど……わたし、フィリックスの荷物をとりにきたんです」という。つまり、オスカーの部屋を追い出されて途方に暮れていたフィリックスをピジョン姉妹が可哀相に思って、自分たちの部屋で暮らすようにいうわけです。ここではセックスの問題はからめていません。ともかく、フィリックスのような人間が一緒にいたら便利です。清潔好きでせっせと掃除はするし、料理は上手だし、こういう男が一人いたら本当に助かりますよね。大体この姉妹は、最初にオスカーの部屋に入って来たとき、自分たちの部屋には冷房がないので、暑いときには冷蔵庫を開けっ放しにして涼んでいるといっていた。フィリックスはきっとそんなの耐えられないでしょうから、姉妹はぬかりなく冷房を借りています(笑)。

それで一応収まって、フィリックスは彼女たちの部屋に行くことになるのですが、最後の幕切れがちょっと弱い。このせいで、この芝居は完璧な名作とはいいにくいんです。フィリックスがいなくなって、オスカーが仲間に「さあ、ポーカーをはじめよう。（男たちに鋭く）だが一言、煙草に気をつけてくれ？　これはおれの家だ、豚小屋じゃない」というのが最後のせりふです。どうやら、オスカーは変わったらしいですね（笑）。

最後は、サイドテーブルから灰皿を取り、ポーカー仲間があっちこっちに散らかした煙草の吸い殻を拾い集めて、やっとのことでポーカーが始まるところでゆっくり幕が下りてくる――。

この『おかしな二人』は、アーサー・ミラーの『セールスマンの死』[*40]、テネシー・ウィリアムズの『ガラスの動物園』[*41]『欲望という名の電車』[*42]などと並ぶ、二十世紀の二十本の芝居に残る傑作だと思いますが、このお終いがちょっと弱いんですよね。もちろん、最後はだらだらせずにさっと締めなくてはいけないのですけれど、ちょっともの足りない。たとえば、いままで奥さんに頼りきりだったフィリックスが、奥さんにいい意味できちんとさよならをして自分の道を探していこうとしているのか。あるいは、あれほどフィリックスの潔癖症を嫌っていたオスカーに至っては、幕切れには「煙草に気をつけてくれ？　これはおれの家だ、豚小屋じゃない」といって、一応辻褄をきっちり合わせて、やや自立の気配が見えてはくるのですが、その上で、この芝居は一体お客さんに何を渡したかったのかということがもうひとつはっきりしない。

＊40　一三八ページ脚注19参照。

＊41　一九四四年初演。テネシー・ウィリアムズ作。一九三〇年代のセントルイスにあった安アパートが舞台。父親が家出した後、母と姉と三人で暮らした閉塞した日々を、語り手のトムが回想する。自伝的要素の強い作品。

＊42　一九四七年初演。テネシー・ウィリアムズ作。ニューオリンズを舞台に、未亡人ブランチが妹の家に身を寄せるが、次第に過去が暴かれ、施設に連れていかれるまでを描く。

もちろん「面白かったからまた観にこよう」でもいいし、「人間はあるプロセスを経て自立をしていく。その感動」でもいいですし、それから「結局、人間っていうのはどうやっても変わらない」など、いろいろな感想があるにしても、そういうお客さん一人一人の感想の前に、これだけはお客さんにもって行ってほしいというものをつかみ損ねているような気がします。

ニール・サイモンほどの人が、非常にウェルメイドな温かい結末という、ブロードウェイ、あるいはロンドン辺りであった風俗喜劇などの終わり方で終わらせているところがあって、「たしかに第一幕があまりにも面白すぎるので、大変だとは思うけれども、もうひとつ意外で本質的なものが見つからなかったのだろうか」というのが、ぼくの感想です。ほんの一瞬でいいから、どこかにお客さんがどうしても涙が止まらなくなるような落としどころをつくっておいて、最後にそこへぐうーっと戻ってくるとか。何か割と平坦に全部収まっちゃったっていう感じがあるんですね。第二幕から第三幕にひとつ山をつくっておいて、それを二人がよじ登ることによって、お客さんに何かを与えていけばいいのですが、どうも言葉だけで終わってしまったところが、やはり物足りない。

そこがきちんとできていたら、ひょっとしたら、ニール・サイモンはチェーホフに並ぶ地位まで近づけたかもしれない。しかし残念ながら、この作品は傑作、名作級ですけれども、最後の詰めの甘さでチェーホフ級にはならなかった。評論家風にいえばそういうことになります。同じ劇作家としていえば、うまいなあと思います。うまいなあとは思いますが、書いて書けないことはない。『サンシャイン・ボーイズ』も書いて書けないことはない。でも、『思い出のブライトン・ビーチ』、これは書けません。だから、ニール・サイモンのニール・サイモンたる最高の作品は、『思い出のブライトン・ビーチ』だとぼくは思っています。

本当は『思い出のブライトン・ビーチ』についてもお話ししたかったのですけれども、例によって時間がなくなってしまいました（笑）。

今日は、これで終わります。

＊本文中に引用したニール・サイモンの作品の翻訳、登場人物名は左記による。
『おかしな二人』酒井洋子訳（『ニール・サイモン戯曲集 Ⅰ』早川書房、一九八四年、所収）
『書いては書き直し――ニール・サイモン自伝』酒井洋子訳（早川書房、一九九七年）

解題

赤間亜生

一九九八（平成十）年四月に仙台文学館の初代館長に就任した井上ひさしは、二〇〇七（平成十九）年三月まで館長を務めて退任したが、その後も、仙台文学館との縁は途切れることはなかった。当時、一学芸員であった自分は、日本を代表する劇作家・小説家の井上ひさしを前に、何を話したらいいのか緊張して臆することもあったが、二十数年を経た今、井上館長との九年間には、様々な場面があったと思い出される。

一九九九年一月　どんと祭

仙台文学館の無事開館を祈願し、私たち学芸員と他数名が、一九九九年の一月に大崎八幡宮の裸参りに参加した。ちなみに、上司も含め職員のほとんどが女性だったのだが、その時白装束で撮影した記念写真を、井上館長に送ろうと上司が思いつき、バレンタインデーのチョコに添えてご自宅に送った。

ちょっと芝居がかっていたし、そこまでやるの？　と思わなくもなかったが、鎌倉に在住して普段なかなか顔を合わせることのない井上館長は、職員にとってはまだ少し遠い存在であり、少しでもその距離を縮め、仙台文学館の印象を強くしたいという思いが、そこにはあったと思う。
井上館長はこの写真をいたく気に入り、以後ずっと学芸員たちに親愛の情をしめしてくれた。

講演依頼

井上館長には様々なところから講演依頼が舞い込んだものである。文学館での講座や講演会の際に、直接市民から依頼されたりすると、「ちょうど新作戯曲を書き終える頃なので大丈夫です」と無謀にも引き受けようとしたりもした。こちらですかさず引き取って日程を確認しては、お断りさせていただくのが常であったが、そんな中で日程調整が実現した、母校である仙台市立東仙台中学校での講演は、当時の同級生も駆けつけ和やかなものになった。中学生たちに同年代の頃に感銘を受けたディケンズの『デヴィッド・カッパフィールド』を紹介し、自分の生い立ちを交えた話はこの地ならではのもので体育館の熱量が上がるのを感じた。

仙台一高

文学館の館長を退いた後、歌人の小池光新館長との「新旧館長対談」を企画したのだが、そのために来仙した際、母校の仙台第一高等学校に立ち寄る機会を得た。校長室を訪問した後、写真家の佐々木隆二氏による屋外での撮影を快諾いただき、校庭に置かれた机の前に座る姿や、周囲をめぐる桜並木（秋口だったため花はなかったが）を歩く様子等をカメラに収めた。この日のために登校していたらしい応援団や文芸部の生徒たちとは特に親しく談笑し、『青葉繁れる』のエピソードなどを語っていた。

文学館の館長を引き受ける際のインタビューで、「わたしは仙台で人になった、その恩返しができれば」という趣旨のことを語っていたが、その核となる日々が垣間見えたひとときであった。

定宿

連続講座など、仙台に二日以上滞在する時は決まって、今はもう廃業した駅前の老舗・仙台ホテルに宿泊した。特に文章講座の添削はほぼ徹夜だったようで、無精ひげのまま添削原稿を携えて文学館にやってくることも多かった。また、ホテル滞在中に、仙台ホテルの用箋を用いて、講座で配付するレジュメを作成したこともある。受講生の優秀作品を発表する際には、甲乙つけがたく、ホテルのボーイさんに抽選してもらって決めて来たと語り(もちろん冗談であるが)、ホテルのスタッフからも親しまれていた。

在仙演劇人とのかかわり

仙台の街中を劇場に！　というフレーズのもと、仙台の演劇人たちが企画した「杜の都の演劇祭」の二〇〇九年企画では、「井上ひさしセレクション」としてカフェやレストランなどの空間を舞台に、井上ひさし選りすぐりの名作を演劇仕立てのリーディングで楽しむイベントに全面的な協力をいただいた。宮沢賢治や太宰治などの作品に加えて

『あくる朝の蟬』『イサムよりよろしく』等の井上作品も上演。「演劇には、見えないものを見えるものに変える力がある。その力強さ、楽しさ、美しさを、俳優さんたちの身体を通して直感してもらえる」との言葉通り、観客を惹きつけた。

展示

井上ひさしを仙台文学館の展示で紹介したのは館長を退いてからのことだったが、二〇〇九年の開館十周年記念特別展「井上ひさし展　吉里吉里国再発見」では、まさに芝居の大道具や小道具、舞台装置を作るようなやりかたで、展示室に吉里吉里国を再現(?)した。私たちは吉里吉里国立病院のトイレの金隠しまでも、小説の表現通りにきっちりと作ったのだが、そこに立った井上は「よくこんな馬鹿なものを作りましたねぇ」と満面の笑みを浮かべていた。

展示には、原稿やプロットなど自筆資料はもちろんのこと、戯曲執筆に欠かせない「紙人形」も多数寄せられた。ドリンク剤の空き箱に役者の顔を張り付け三角に折ったもので、常に執筆中の机に置かれていたものである。観覧者にも「これは井上先生ならではの展示資料だね」と大変好評であった。

明日一人しか来なくても

「吉里吉里国再発見」の展示では、展示室にしつらえた「吉里吉里国立劇場」で在仙の演劇人が井上作品をリーディングしたり寸劇風に演じたりする「展示室劇場」を開催した。井上ひさしの講演を予定していた五月四日の午前中には『新釈遠野物語』のリーディングがあり、前日から仙台入りしていた井上は、早めに来館して展示室劇場の客席に何食わぬ顔をして着席した。この日は客席は大入りとなり非常に賑わった。

終演後に俳優をねぎらった井上は、「今日はたくさんのお客さんが来ましたが、明日は一人しか来ないかもしれない。でも、明日も今日と同じようにやってくださいね」と声をかけた。

当時は気に留めなかったこの言葉を、その後何度も思い出すようになった。若き演劇人へのこの上ないエールであるこの言葉に、まだ世に出る前の若き日から、井上ひさしが生涯持ち続けたであろう作家としての芯の部分が込められているのを感じ、胸が熱くなるとともに、自分自身も励まされるのである。

最後の仙台

先述した二〇〇九年の「吉里吉里国再発見」の展示で、井上ひさしは会期初日の三月二十八日の対談（聞き手：今村忠純氏）と五月四日の講演のための二度来館した。

この日は講演終了後に、文学館の新旧職員で、井上を囲む食事会を仙台ホテルで開いたが、その時にこれまでの感謝の気持ちを込めて何かプレゼントを贈ろうということになった。いろいろ考えたが、日ごろ睡眠時間を削って執筆している井上に、少しでもゆっくり休んでもらえたらば、という思いから、生地の良いパジャマを選び、それにいつも執筆の時に愛飲しているというドリンク剤をセットにして贈った（睡眠のためのものと、覚醒を促すものを一緒に贈るのは、矛盾しているのだが）。井上はこのプレゼントも大変喜び、気に入ってくれた（と思っている）。

秋に、松本清張に関するホールイベントを予定しており、それに出演してもらうことを約束して別れたが、それが叶うことはなく、この日が私たちが井上ひさしと直接言葉を交わした最後になった。

資料

現在、紙人形の資料も含め、当館には井上家からご寄贈いただいた原稿や芝居プロットが数多く保存されている。館長在任時代から評伝劇の人物年表や関係資料を随時お預かりすることがあり、その都度資料リストを作成し、収蔵庫に保管していった。館長退任後にも『ロマンス』と『ムサシ』の自筆原稿・創作資料が届いたのだが、やや大きめの買い物用の紙の手提げ袋に味わいのある字で『ロマンス』あるいは『ムサシ』と書かれたそのなかに一切合切詰め込まれ、紐で括って、郵送されてきた。その無造作な感じに思わず笑みがこぼれたのを覚えている。

これらの資料については、ささやかではあるが、展示公開をしていき、井上ひさしが寄せてくれた仙台への親愛の気持ちに応えていきたいと考えている。

戯曲講座の始まり

井上ひさしのスケジュールは多忙をきわめ、執筆の合間を縫って来館し、講演会や講座で来館者と言葉を交わしたり、職員と事業の打ち合わせも行った。

それらは主に、次回来館の際の事業の打ち合わせなどであったが、その合間に、あるいは打ち合わせが終わってから時々開かれた食事の席などでこんな冗談みたいな話をすることもあった。

「常設展示室で、僕が座って原稿を書いてその姿を展示する〔動く展示〕というのはどうでしょう。そしてついでにその原稿を売りませんか」

「グッズを作るなら、わたしの歯形をデザインした栓抜きはどうでしょうか」

また、当時、仙台文学館に隣接する場所に、使われなくなった倉庫のような建物があったが、井上館長はその建物を見て「あのまま中を改修して芝居小屋にして、そこで芝居を上演したいですね。ちょうど良い手ごろな大きさです」と話したりした。ちなみに、別の場面では「文学館の横の倉庫を稽古場に改造し、仙台の街中にある使われなくなった建物を劇場に再利用することで、仙台の街をブロードウェイのようにできたらいい」と話していたそうである。

仙台市では二〇〇二年から「仙台劇のまち戯曲賞」という公募の戯曲賞を設けていたが（二〇〇六年まで実施した後、せんだい短編戯曲賞としてリニューアルし現在も継続）、井上館長はその選考委員の一人でもあった。演劇にかかわる人びとを育成するという意味では、作家だけでなく観客も大事であり、仙台の街に「見巧者」を育てたい、ということもしばしば口にしていた。仙台が、演劇の街として充実していくことを夢想していたのではないか、と思う。

井上ひさしの館長就任以降、定期的に開催していた企画展示に関連する「館長講演会」や「井上ひさしの文章講座」は参加者に好評であった。しかし、スタッフの間では、「講演会」はある意味定番の催しであり、また「文章講座」も、館長就任以前からすでにいろいろな主催者により各地で開催されてきたスタンダードな企画で、それらももちろん大切なのだが、もっと新機軸の企画ができないだろうか、という声もあった。当時のスタッフの中に舞台が好きな職員がいたこともあり、井上ひさしは日本を代表する劇作家の一人なのだから、なにか戯曲に関する企画ができないだろうかと考え、ある時打ち合わせで提案してみた。その時の詳しいやり取りは、もはや記憶に残っていないが、こちらの投げかけに対して、井上館長が「それは良いですね」と乗り気になったのを覚えている。

どのような企画にするか、打ち合わせの中で決めた骨子は、「毎回一人の劇作家を取り上げ、その作品について語る」というごくシンプルなものであった。井上は、戯曲講座で取り上げたい劇作家の名前として「イプセン、チェーホフ、シェイクスピア、あとはニール・サイモンもいいですね、それから……」と、最初の段階である程度の作家の名前をあげた。戯曲講座初回はイプセン、次回はチェーホフ、ということまでは決めたように記憶している。こうして「井上ひさしの戯曲講座」は二〇〇一(平成十三)年十二月にスタートした。

講座終了後の打ち合わせで、次回の作家は誰にするかを決めるのだが、こちらからも多少の提案はしたような気がするが、基本的に井上館長が名前をあげて決めていった。三回目のシェイクスピア、四回目のニール・サイモンと進んだ後、次の候補として当初テネシー・ウィリアムスの『ガラスの動物園』をあげていたのだが、井上館長はここから日本の劇作家を取り上げるとして、菊池寛を選び、その後三島由紀夫、安部公房まで、全七回を開催した。
　戯曲を書くときに地図を書いたり年譜を作成したりするのが井上ひさし流であるが、この講座でも綿密なレジュメを作成してくることがあった。その時々の執筆のスケジュールによって、レジュメを作成する余裕がある時とない時があるので、毎回というわけではなかったが、このレジュメも、参加者にとっては参加の記念となったと思われる。

第一回
二〇〇一（平成十三）年十二月二十二日（土）、二十三日（日）
時間：午後一時〜四時
題材：イプセン『ヘッダ・ガーブレル』『人形の家』
参加者：二百十名

第二回
二〇〇二（平成十四）年二月十六日（土）、十七日（日）
時間：午後一時〜四時
題材：チェーホフ『三人姉妹』
参加者：三百十名

第三回
二〇〇二（平成十四）年十二月二十二日（日）、二十三日（月・祝）
時間：午後一時～四時
題材：シェイクスピア『ハムレット』『リア王』
参加者：百七十三名

第四回
二〇〇三（平成十五）年二月十五日（土）、十六日（日）
時間：午後一時～四時
題材：ニール・サイモン『おかしな二人』
参加者：百四十六名

第五回
二〇〇三（平成十五）年十二月二十三日（火・祝）
時間：午前十時～午後四時三十分
題材：菊池寛『父帰る』
参加者：百五名

第六回
二〇〇四（平成十六）年二月十四日（土）、十五日（日）
時間：午後一時〜四時
題材：三島由紀夫『鹿鳴館』『サド侯爵夫人』
参加者：二百五十八名

第七回
二〇〇五（平成十七）年十二月十八日（日）
時間：午後一時〜四時
題材：安部公房『友達』
参加者：百二十二名

このうち、本書「海外編」には第一回〜第四回を収めた。

第一回「イプセン」

講座初回ということで、井上館長も気合が入っていたと思うし、会場からも参加者の期待に満ちた雰囲気が感じられた。この時は配付資料はなく、テキストを詳細に読み解く形で進められた。戯曲講座には井上館長とも面識のある写真家の佐々木隆二氏が参加しており、自作の『人形の家』の舞台図を持参したので、それをホワイトボードに貼りつけ舞台の構図を説明をした。
　初回の講座について、井上館長は二回目「チェーホフ」講座の初めに、「イプセンの講座はこれまでの講座の中で、生涯で、一番いい出来だった。こういうやり方もあるんだと、講座をやりながら発見し、面白く話せた」と述懐している。

第二回「チェーホフ」

井上館長が所持している『チェーホフ全集』（書き込みあり）のコピーをレジュメとして配付した。井上ひさしの書き込みのある蔵書を眼にする機会はあまりないので、参加者にとっては嬉しいお土産となったと思う。
　この時も、佐々木氏が『三人姉妹』の舞台図を作成して持参し、それも用いながら、テキストを細かく読み解いた。講座の最後に「佐々木さんのように、自分でそれぞれに舞台図を描いて、自分で（人物を）動かしながら読んでいくと楽しいですよ」と話していた。

第三回「シェイクスピア」

　この回はレジュメを配付した。一日目に配付したものは、鎌倉で作成してきたもので、内容はシェイクスピアの年譜、イギリスの公衆劇場（パブリック・シアター）などをまとめたものである。一日目終了後、宿泊した仙台ホテルで、二日目に配付するレジュメを作成。仙台ホテルの用箋を用いている。どちらも、戯曲を執筆するときに作成する年譜・創作資料と同類のものである。

この回は、これまでのテキストを細かく読み解くスタイルではなく、シェイクスピアの生涯、当時のイギリスの歴史・演劇文化、など概論に時間を割き、その後作品の全体を要約しながら、作品の舞台の設定やセリフや人物造形について語る、という内容であった。『三人姉妹』の時のように詳細に読み解いていくと第一幕で終わってしまうので、戯曲のポイントのみを押さえて説明し、参加者には終了後に各々読んでほしいという意図があったようである。

第四回「ニール・サイモン」

この回もレジュメを一日目、二日目それぞれに配付。『おかしな二人』と『サンシャインボーイズ』の二つをテキストとして指定していたが、初日は前回同様、ニール・サイモンの生涯、劇場街であるブロードウェイについての説明、喜劇・笑いというものについての話など主に概論的な話をし、その後二日目にかけて『おかしな二人』を中心に話をした。井上館長は参加者の一人に『おかしな二人』のあらすじの要約を発表させるなど、参加者との対話も織り込みながら講座を進めていた。また、この講座の中でも、作品を理解するにはどうしてもまず背景的なこと、基本的なことを押さえておく必要があり、それを飛ばして作品を説明しても結局は理解できない、と最初に説明していた。

戯曲講座には、毎回参加する人も少なくなかったが、こうした変化に参加者の感想は分かれた。

劇作家井上ひさしの精緻な読解を期待していた参加者からは物足りないという感想もあった。

作品を読むにあたって、作家や当時の演劇についての説明は適当に必要だとは思うが、この講座の良さは井上ひさし氏とともに『ヘッダ・ガーブレル』や『人形の家』、『三人姉妹』を読むことにあったのではないだろうか？　参加者それぞれが自分で読んできたうえで、井上氏による「より深い作品の読み」を一緒に楽しむ講座だと思っていた。良質の芝居を観客と俳優が一体になって作り上げるようにである。しかし三回目「シェイクスピア」、四回目「ニール・サイモン」は講演会的な内容で、もちろん話は面白いのだが、戯曲講座の良さは失われているのではないかと思った。

（第四回「ニール・サイモン」受講後の感想）

一方で、テーマや話題が戯曲から離れ、横道にそれても（テーマとした作家・戯曲からそれるだけではなく、その時々の時事的テーマ、社会的問題などについての話にも広がっていく）、井上館長の話自体が含蓄とユーモアに富んでいるので、十分に満足している感想も見られた。

井上先生はとにかく人を飽きさせないので、講座中ずっと話に引き込まれていた。

（第三回シェイクスピア受講後の感想）

講座の進め方として、①作者の生涯、時代背景などの説明→②取り上げる作品の全体を要約→③テキストを一ページずつ読み進める、という流れが分かりやすくて良いと思う。テキストについては、井上先生と読み進められなかったところは、①と②をもとに、後は各人が読み込んでいくのがいいのではないか。日頃戯曲や古典を読んでいる人は多くはなく、にわか勉強家も多いので、こんな方法が良いのではないか。

（第三回シェイクスピア受講後の感想）

この戯曲講座では、戯曲やそれを語る井上先生の話を通して、生き方も学んでいる。

（第三回シェイクスピア受講後の感想）

慌ただしく二つの作品を読むよりは、一つに絞ったほうがいいと思う。話が横道にそれるので、そこに時間を取られるような気もするが、それが面白く楽しみでもある。

（第四回ニール・サイモン受講後の感想）

井上先生の言われるところの「三文演劇」しか見たことがなかったが、今回の講座で「演劇は芸術の母体」「悲劇ではなくなぜ喜劇なのか」「演劇と映画の基本的な隔たり」など、これまで考えたことのない分野を垣間見させてもらい、感謝している。これから演劇を見るにあたっての心構えというものを教えていただいたように感じている。

（第四回ニール・サイモン受講後の感想）

話が多岐に広がっていくのは、この講座に限らず井上館長の特徴であり、それが醍醐味でもあるのだが、戯曲を読み解くという趣旨の講座であるので、ときに大きく迂回してしまうことに、主催する側として悩む部分はもちろんあった。それとなく参加者の感想や、今後の進め方などを提案もしてはみたが、しかし寄せられた感想にもあるように、この講座は、参加者の幅が広く、在仙の演劇関係者や戯曲を読み込んでいる市民が参加する一方で、演劇・戯曲にそれほど触れていないが井上ひさしの話をとにかく聞きたいという市民も多くいる状況であった。井上館長がそうした参加者の反応や会場の雰囲気を感じながら話した積み重ねが、この講座記録であると思っている。

厳しい創作の現場にあっても、仙台での井上ひさしは穏やかだった。とりわけ仙台文学館では開館したばかりのこの施設と来館する市民、そして当時はまだ経験も浅く、若かったスタッフを愛し、守ってくれた。その仙台文学館で開催した戯曲講座は、受講者との間に一種独特の信頼、親愛の情が流れていたと思う。そんな会場の雰囲気も、この講義録から感じとっていただければ幸いである。

なお、今回の書籍に収めた講座の記録について、真山青果についての講座以外はすべて、地元で小説執筆と聞き書きの活動を続けていた作家の方や、講座の参加者の方などが最初の活字起こしを手掛けてくださった。すでに鬼籍に入られた方もいるが、この場を借りて、心より感謝を申し上げたい。

（あかま・あき／仙台文学館副館長）

協力　仙台文学館・遅筆堂文庫
構成　増子信一
テープ起こし　佐佐木邦子・大益克彦・福田誠
校正　尾澤孝・宮野一世

井上ひさし　いのうえ・ひさし

一九三四年山形県東置賜郡小松町（現・川西町）に生まれる。一九六四年、NHKの連続人形劇『ひょっこりひょうたん島』の台本を執筆（共作）。六九年、劇団テアトル・エコーに書き下ろした『日本人のへそ』で演劇界デビュー。翌七〇年、長編書き下ろし『ブンとフン』で小説家デビュー。以後、芝居と小説の両輪で数々の傑作を生み出した。小説に『手鎖心中』、『吉里吉里人』、主な戯曲に『藪原検校』、『化粧』、『頭痛肩こり樋口一葉』、『父と暮せば』、『ムサシ』、〈東京裁判三部作〉（『夢の裂け目』、『夢の泪』、『夢の痂』）など。二〇一〇年四月九日、七五歳で死去。

芝居の面白さ、教えます　井上ひさしの戯曲講座　海外編

二〇二三年七月二五日　初版第一刷印刷
二〇二三年七月三一日　初版第一刷発行

著者　井上ひさし
発行者　青木誠也
発行所　株式会社作品社
〒一〇二-〇〇七二東京都千代田区飯田橋二-七-四
TEL〇三-三二六二-九七五三／FAX〇三-三二六二-九七五七
振替口座〇〇一六〇-三-二七一八三
https://www.sakuhinsha.com

本文組版　有限会社マーリンクレイン
印刷・製本　中央精版印刷株式会社

ISBN978-4-86182-987-1 C0074 Printed in Japan